MARY ROACH

NEGYVĖLIAI

MARY ROACH

NEGYVĖLIAI

Iš anglų kalbos vertė
Asta Morkūnienė

Alma littera

UDK 611
Ro-01

Versta iš:
Mary Roach, STIFF,
W. W. Norton & Company, Inc.
New York, 2003

Viršelyje panaudota *Marc Atkins* nuotrauka
Viršelio dizainas *Jamie Keenan*

Copyright © 2003 by Mary Roach
© Vertimas į lietuvių kalbą,
Asta Morkūnienė, 2005
© Leidimas lietuvių kalba,
„Alma littera“, 2005

ISBN 9955-08-676-9

Nuostabiajam Edui

ĮŽANGA

Mano akimis žiūrint, mirusio padėtis ne taip jau ir smarkiai skiriasi nuo plaukiančio jūra kelioniniu laivu. Daugiausia gulì ant nugaros. Smegenys neveikia. Kūnas pamažu tęžta. Nenutinka beveik nieko nauja, iš tavęs nieko nesitikima.

Jeigu gaučiau progą vykti į kelionę laivu, mieliausiai rinkčiausi kokią nors tyrinėtojų ekspediciją: tiesa, keleivis vis vien didumą laiko pratyso aukštielninkas, be jokių minčių, tačiau protarpiais vis tik pasitaikytų viena kita proga pagelbėti tyrinėjimų programą atliekantiems mokslininkams. Per šitokias keliones galì nusigauti į nepažįstamus, nė neįsivaizduotus kraštus. Tau atsiveria galimybė nuveikti tokių dalykų, kokių šiaip tikrai nenuveiktum.

Ko gero, jaučiuosi lygiai taip pat ir pamėginusi įsivaizduoti save numirėle. Kam drybsoti išsitiesus, jei galima nuveikti šį tą įdomaus ir naujo – šį tą *naudingo?* Tobulinant bet kurios rūšies chirurgines operacijas – nuo širdies persodinimo iki chirurginio lyties pakeitimo – ranka rankon su gydytojais visuomet triūsė ir lavonai, kurdami istoriją savo tyliojoje nuošalumoje. Ištisus du tūkstančius metų lavonai – kai kurie savo noru, o kai kurie išvis nieko apie tai nenutuokdami – dalyvavo pačiuose drąsiausiuose mokslininkų užmojuose, pačiuose neįtikimiausiuose sumanymuose. Ne kas kitas, o lavonai patys pirmieji išbandė prancūzų giljotiną – „humanišką" priešpriešą kartuvėms. Darbavosi jie ir Lenino balzamuotojų laboratorijose, padėjo bandyti naujausias palaikų konservavimo priemones. Dalyvavo jie (popieriuje) ir viešai svarstant bylas Kongreso posėdžiuose, užtikrindami privalomą dalyvių skaičų. Jie skriejo į kosmosą (teisingai, jų kūno dalys), jie padėjo vienam aspirantui Tenesio valstijoje demaskuoti spontaniško žmogaus užsiliepsnojimo atvejį, jie leidosi nukryžiuojami Paryžiaus laboratorijose, siekiant įrodyti Turino drobulės autentiškumą.

Mainais už galimybę patirti tokių įdomių dalykų, lavonai priversti sutikti su įvairiausiu darkymu: jie pjaustomi, atskiriamos jų dalys, atveriami ir pertvarkomi viduriai. Tačiau štai kas svarbu: jiems ničnieko nereikia *kęsti*. Lavonai – patys didžiausi mūsų didvyriai: nė nemirktelėję atlaiko liepsnas, ramiai ištveria skrydžius nuo aukščiausių pastatų ar kaktomuša rėžiasi su automobiliu į sieną. Galima pleškinti į juos iš automato, galima greitaeigiu kateriu nurėžti jiems kojas – visa tai nėmaž jų negąsdina. Jų nesutrikdysi net jei nupjausi galvą. Vienas tuo pat metu dalimis gali būti bent šešiose skirtingose vietose. Tad kodėl nepasirėmus Supermeno požiūriu: kokia gėda būtų leisti vėjais šitokius stulbinamus sugebėjimus, taip ir nepanaudojus jų žmonių padermės labui!

Ši knyga ir yra apie didžius laimėjimus, kurių galì pasiekti būdamas negyvas. Kai kurių žmonių indėlis į žmonijos gerovės puoselėjimą, kai buvo gyvi, seniai užmirštas, vis dėlto jie įsiamžinę knygų ir žurnalų puslapiuose. Mano namuose ant sienos kabo kalendorius, parsigabentas iš Miuterio (Mutter) muziejaus, esančio Filadelfijos medicinos universitete. Spalio mėnesio puslapį puošia nuotrauka, kurioje – skiautelė žmogaus odos, išmargintos rodyklėlėmis ir įplėšomis. Šiuo odos lopiniu naudojosi chirurgai, aiškindamiesi, kada pjūvis mažiau linkęs plyšti: tada, kai pjaunama skersai, ar tada, kai išilgai. Mano akimis žiūrint, jeigu galų gale atsiduri tarp kitų Miuterio muziejaus eksponatų ar griaučių pavidalu įsikuri medicinos mokyklos klasėje, tai tarsi paaukoji parko suoliukui pastatyti – pats jau šiaip iškeliavęs: tiesiog gražus poelgis, trumpas nemirtingumo blyksnis. Ši knyga – apie įvairius, kartais keistokus, kitąsyk pribloškiančius, bet visuomet – dėmesį prikaustančius darbus, kuriuos yra nuveikę lavonai.

Tiesa, jei paprasčiausiai tysai aukštielninkas – tai irgi visai nieko blogo. Kaip įsitikinsime, puvimas – irgi gana įdomus procesas. Noriu pasakyti tik tiek, kad, būdamas lavonu, dienas gali leisti ir kur kas įdomiau. Pavyzdžiui, dalyvauti moksliniuose tyrinėjimuose. Tapti meno kūriniu, parodos eksponatu. Virsti medžiu. Ne taip jau maža variantų, kuriuos tikrai neprošal apsvarstyti.

Mirtis. Ji toli gražu nebūtinai turi būti nuobodi.

Žinoma, atsiras nemaža tokių, kurie su manimi nesutiks – jiems atrodo, jei, užuot velionį palaidoję ar kremavę, pasielgiame su juo kaip nors kitaip, tai pademonstruojame didžiausią nepagarbą. Įtariu, kad apie juos rašyti jiems irgi atrodo kaip viena tokios nepagarbos apraiškų. Būti mirusiam – visiškai nieko įdomaus, kaip tvirtins nepatenkintieji. Tačiau leiskite nesutikti. Būti mirusiam – absurdiška. Tiesiog pati kvailiausia padėtis, kokia gali būti. Rankos ir kojos suglebusios, visiškai nepaklusnios. Apatinis žandikaulis atvipęs, burna prasižiojusi. Negyvas esi nepatrauklus akiai, ir dar švinksti. Tavo padėtis nepavydėtinai nepatogi. Ir jau ničnieko nebeatmainysi.

Ši knyga – apie numirėlius, bet ne apie mirties procesą. Pati mirtis – išties liūdnas, nesuvokiamas reiškinys. Mylimo asmens netektis iš tikrųjų visiškai niekuo nejuokinga – kaip nejuokinga ir atsidurti kailyje to, kurį artimieji netrukus praras. Tad ši knyga – ne apie mirtį, o apie tuos, kurie jau yra mirę, apie anoniminius negyvėlius, kurių mirties aplinkybės mums nesvarbios. Lavonų, kuriuos teko matyti man, vaizdas toli gražu nebuvo nei prislegiantis, nei gildantis širdį, jie anaiptol nebuvo atstumiantys. Jie atrodė visai mieli ir malonūs, kartais gal liūdni, bet kitąsyk – juokingi. Kai kurie – visai gražūs, kiti – tikri pabaisos. Kai kurie mūvėjo treningo kelnes, kiti buvo nuogi; pasitaikydavo matyti juos ir viso kūno, ir atskiras jų dalis. Visi šie numirėliai man buvo nepažįstami. Aš visiškai nenorėčiau stebėti eksperimento, kad ir kokio įdomaus, kad ir kokio reikšmingo, jei jame dalyvautų mano pažinoto ar net mylėto žmogaus palaikai. [Pasitaiko šito norinčių. Ronas Veidas (Ronn Wade), anatominių dovanų programos vadovas Merilendo universitete Baltimorėje, pasakojo apie moterį, kuri prieš keletą metų prašė leisti stebėti skrodimą savo vyro, paaukojusio kūną universitetui. Veidas, nors, tiesa, švelniai, jos prašymą atmetė.] Aš pati šito nenorėčiau ne dėl to, kad stebėti, kaip pjaustomas pažįstamo žmogaus kūnas, būtų nepagarbu ar neteisinga, o tiesiog todėl, kad emociškai neįstengčiau atskirti lavono nuo to, kas jis dar visai neseniai man buvo. Pažįstamo mirusiojo kūnas – ne šiaip lavonas; jis – kiautas, talpinęs gyvą žmogų. Jis buvo traukos centras, talpykla mūsų jausmams. Dabar to centro nebėra. Moksle negyvėliai – visuomet nepažįstami.*

Norėčiau papasakoti, kaip aš pirmą kartą susidūriau su lavonu. Man buvo trisdešimt šešeri, o negyvėlei – aštuoniasdešimt vieneri. Tai buvo mano motinos kūnas. Pati atkreipiau dėmesį, kad pavartojau pažyminį „mano motinos", tarsi norėdama pasakyti, kad tas kūnas *priklausė* mano motinai – o ne *buvo* mano motina. Mano mama

---

* Ar beveik visada. Retsykiais vis dėlto atsitinka taip, kad anatomijos studentas ima ir atpažįsta laboratorijoje lavoną. „Šitaip per ketvirtį amžiaus yra bent porą kartų atsitikę mano akivaizdoje", – sako Hiugas Patersonas (Hugh Patterson), Kalifornijos universiteto San Franciske Medicinos fakulteto anatomijos profesorius.

niekad nebuvo lavonas – lavonu niekad nebūna joks asmuo. Tiesiog iš pradžių esi gyvas asmuo, o paskui liaunies juo buvęs, ir tavo vietą užima lavonas. Mano motina iškeliavo. Liko tik jos kiautas – kūnas. Ar bent jau šitaip man atrodė.

Buvo šiltas rugsėjo rytas. Laidojimo biuras pakvietė mane ir mano brolį Ripą atvykti, likus valandai iki gedulingų pamaldų pradžios. Mudu pamanėme, kad dar reikia sutvarkyti kokius nors dokumentus. Laidotuvininkas nusivedė mus į erdvią, pritemdytą, tylią patalpą su sunkiomis drapiruotėmis ir labai jau kondicionuotu oru. Viename tos patalpos gale stovėjo karstas – lyg ir visiškai įprastas reiškinys laidojimo biure. Mudu su broliu mindžikavome sutrikę, nelabai žinodami, ką daryti. Laidotuvininkas atsikrenkštė ir dirstelėjo į karstą. Tikriausiai mudu su broliu turėjome jį atpažinti – juk patys jį vos vakar išrinkome ir už jį sumokėjome, – tačiau taip ir neatpažinome. Galiausiai laidotuvininkas priėjo artyn ir mostelėjo į karstą, vos pastebimai nusilenkdamas – visai kaip pokylio organizatorius, kviečiantis svečius sėsti prie stalo. Ten, kone ties ištiestu jo delnu, buvo mūsų motinos veidas. Šito aš nesitikėjau. Šitokio atsisveikinimo mes neprašėme, o laidotuvių apeigos turėjo būti atliktos prie uždaryto karsto. Vis dėlto mums teko dar kartą ją išvysti. Laidojimo biuro darbuotojai ištrinko jai galvą, sugarbanojo plaukus, pasirūpino kosmetika. Padirbėjo tikrai iš peties, bet aš pasijutau priblokšta: tarsi būtume užsakę nuplauti automobilį, o meistrai – gerokai persistengę ir išrinkę iki detalių. „Ei, – sukosi ant liežuvio galo, – šito juk mes neužsakėme!" Bet, žinoma, taip nieko ir nepasakiau. Mirties akivaizdoje visi mes tampame beviltiškai mandagūs.

Laidotuvininkas pranešė, kad mums skirta valanda su ja atsisveikinti, o paskui tykiai pasišalino. Ripas pažvelgė į mane. *Valanda?* Ką galima ištisą valandą veikti su velione? Mūsų mama ilgai sirgo; mes jau spėjome ikvaliai prisisielvartuti ir išsiverkti, ir atsisveikinti. Jautėmės taip, tarsi mums būtų patiektas gabalas pyrago, kurio mes visiškai nenorime. Supratome, kad išeiti dabar, numojus į visą laidotuvininkų atliktą darbą, būtų labai jau nemandagu. Tad priėjome prie karsto pasižiūrėti iš arčiau. Uždėjau delną jai ant kaktos – iš dalies tai buvo švelnumo apraiška, bet kartu norėjau patirti, koks jausmas paliesti numirėlį. Jos oda buvo šalta – kaip šaltas būna metalas ar stiklas.

Prieš savaitę tokiu pat metu mama dar būtų skaičiusi *Valley News* ir gliaudžiusi *Jumble* galvosūkį. Kiek žinau, pastaruosius keturiasdešimt penkerius metus ji kiekvieną mielą rytą kimba į galvosūkį. Retkarčiais, kai gulėdavo ligoninėje, aš prisėsdavau ant jos lovos, ir mudvi gliaudydavome jį drauge. Mama jau seniai nekilo iš lovos, ir galvosūkiai buvo vienas negausių paskutiniųjų dalykų, kuriais ji dar pajėgė mėgautis. Pažvelgiau į Ripą. Bene dar vieną, jau tikrai paskutinį kartą mums visiems reikėtų išspręsti galvosūkį? Ripas nuėjo į mašiną atsinešti laikraščio. Mudu pasilenkėme prie karsto ir ėmėme balsu skaityti kodus. Štai tada aš pravirkau. Tą savaitę aš kliuvinėjau už visokių smulkmenų: sunku buvo tramdyti jausmus, tarkime, kad ir tada, kai tvarkėme jos stalčius ir aptikome senus bingo laimėjimus, ar tada, kai iškraustėme iš šaldiklio keturiolika atskirai suvyniotų vištienos gabalėlių, ant kiekvieno kurių puikavosi lapelis su kruopščiai jos ranka išvedžiotu žodžiu – „vištiena". Ir štai dabar – tas *Jumble* galvosūkis. Tuo tarpu išvysti jos lavoną buvo keista, bet anaiptol ne liūdna. Tai jau nebebuvo ji.

Per pastaruosius vienerius metus įsitikinau, kad sunkiausia apsiprasti ne su gausybe kūnų, kuriuos man teko išvysti, o su žmonių, prašančių manęs papasakoti apie knygą, reakcija. Išgirdę, kad rašai knygą, žmonės taip ir trokšta būti sužavėti, jie labai nori pasakyti tau ką nors gražaus. Knyga apie negyvėlius – gana sprangi pokalbio tema. Jei parašyčiau apie lavonus straipsnį – dar nieko baisaus, bet visa knyga... tai jau įžiebia žmonėms įtarimą: bene autorei ne visi namie? *Seniai žinojome, kad Mari keistuolė, bet dabar jau tenka susimąstyti: gal jai, kaip sakoma, šiek tiek protelis praskydo?* Praėjusią vasarą Kalifornijos universiteto San Franciske medicinos fakulteto bibliotekoje prie registracijos staliuko patyriau akimirksnį, labai jau iškalbingai bylojantį, ką reiškia rašyti knygą apie lavonus. Kažkoks vaikinas kompiuteryje peržiūrėjo mano parašytų knygų sąrašą: *Balzamavimo praktikos principai, Mirties chemija, Šautinės žaizdos.* Jis užmetė akį ir į mano norimą paimti knygą: *Devintosios automobilių katastrofų konferencijos protokolai.* Vaikinas neištarė nė žodžio, bet to nė nereikėjo: jo žvilgsnis buvo iškalbingesnis už bet kokias šnekas. Neretai atsitinka, kad, užsisakydama kokią nors knygą, taip ir laukiu, kad mane ims kamantinėti: „O kam tau prireikė šios knygos? Ką dar sumanei? Ir išvis – kokio lizdo tu paukštis?"

Šito niekas manęs taip niekad ir nepaklausė, tad aš niekam ir nepasisakiau. Tačiau atskleisiu jums dabar. Aš – smalsus žmogus. Be to, kaip ir visi žurnalistai, esu vujaristė. Rašau apie tai, kas mane keri. Anksčiau rašydavau apie keliones. Keliaudavau ir pati, trokšdama pasprukti nuo visko, kas žinoma ir kasdieniška. Kuo labiau sprukdavau, tuo toliau tekdavo nuklysti. O kai galiausiai trečią kartą atsidūriau Antarktidoje, pradėjau apsidairyti artėliau. Ėmiau ieškoti nepažįstamų žemių jau ištyrinėtose teritorijose. Vienu tokių masinančių kraštų tapo mokslas. O mokslas, susijęs su negyvėliais – netgi ypač svetimas ir nepažįstamas. Gal truputį atbaidantis, tačiau tikrai masinantis. Ten, kur man teko pabuvoti pastaraisiais metais, anaiptol ne taip gražu kaip Antarktidoje, tačiau ne mažiau keista ir įdomu – ir, viliuosi, tikrai verta pasidalyti įspūdžiais.

NEGYVĖLIAI

1

PALEISTI VĖJAIS GALVĄ?
KOKS SIAUBINGAS ŠVAISTYMAS!

Numirėliai – medžiaga chirurginei praktikai

Žmogaus galva – daugmaž tokio pat dydžio ir svorio kaip keptas viščiukas. Anksčiau šitoks palyginimas man dar niekad nebuvo šovęs į galvą, mat iki pat šiandien man dar niekad nepasitaikė proga išvysti galvos keptuvėje. Tačiau dabar matau jų net keturiasdešimt: po vieną kiekvienoje keptuvėje, veidu atgręžtos į tai, kas šiek tiek primena gyvulių pašaro dubenėlį. Galvos skirtos plastikos chirurgų praktikai: po vieną dviem. Stebiu veido anatomijos ir plastinės veido chirurgijos kvalifikacijos kėlimo kursus, kuriuos remia Pietų universiteto Medicinos centras ir kuriems vadovauja pustuzinis pačių geidžiamiausių Amerikos veido plastinės chirurgijos specialistų.

Galvos sudėtos į keptuves – vienkartines, pagamintas iš perdirbimui tinkamo aliuminio – tam pačiam reikalui, kam į specialius kepimo dubenis dedami viščiukai: kad nenubėgtų taukai. Chirurgija – netgi kai operuojami negyvėliai – darbas kruopštus ir tvarkingas. Keturiasdešimt sulankstomų staliukų dailiai užtiesta plastikinėmis šviesiai violetinėmis staltiesėmis, keptuvės stovi kiekvieno jų centre. Odos gnybtai ir žaizdų plėstuvai išdėlioti taip preciziškai, kad net malonu akiai: tarsi aukščiausios klasės restorano stalo įrankiai. Viskas čia šiek tiek primena pasiruošimą vaišėms. Užkalbinu jauną moterį, kurios užduotis ir buvo parengti šio ryto seminarą: užsimenu, kad šitokia šviesiai violetinė spalva patalpoje kuria smagią nuotaiką, šiek tiek dvelkia iškilmingų Velykų pusryčių vaišėmis. Moters vardas Tereza. Ji paaiškina man, kad šviesiai violetinė spalva pasirinkta kaip raminanti.

Šiek tiek nustembu išgirdusi, kad vyrams ir moterims, ištisas dienas dailinantiems akių vokų formą ar nusiurbinėjantiems riebalus, dar gali prireikti ko nors nusiraminimui, bet, pasirodo, nurėžtos galvos gali išmušti iš pusiausvyros netgi profesionalus. O ypač – šviežios („šviežios" šiuo atveju reikia suprasti – nebalzamuotos). Šios keturiasdešimt galvų priklausė žmonėms, mirusiems vos prieš kelias dienas, tad kol kas jos tebeatrodo visai kaip gyvos. (Balzamuojant audiniai sukietėja, pasidaro nebeelastingi, tad ir chirurginė patirtis ne taip tiksliai atitinka tikrą operaciją.)

Kol kas veidų nematyti. Jie pridengti baltomis drobulėmis – laukiama ateinant chirurgų. Vos įėjęs į patalpą, matai tik kone visiškai švariai nuskustus viršugalvius. Beveik gali pamanyti atsidūręs kirpykloje, kur, susodinti eilėmis, atsilošę kirpėjo kėdėse, tyso seniokai pašildytais rankšluosčiais uždengtais veidais. Pagaugai nugara nubėga tik tada, kai pradedi žingsniuoti tarp eilių. Mat dabar pamatai ir strampus – jie neuždengti. Ir kruvini, nurėžti nelygiai. O aš įsivaizdavau, kad galvos nupjaunamos visiškai lygiai, panašiai kaip kumpio griežinėliai kulinarijoje. Žvelgiu į galvas, paskui žvilgsnis nuslysta į šviesiai violetines staltieses. Įsibaugini – nusiramini – įsibaugini.

Strampgaliai, ant kurių rymo galvos, nepaprastai trumpi. Jei atskirti galvą nuo kūno būtų patikėta man, aš palikčiau kaklą, o pridžiūvusį kraują kaip nors pridengčiau. Tačiau šitos galvos nurėžtos po pat smakru, tarsi lavonai būtų vilkėję megztinius aukšta apykakle, kurios galvakirtys stengėsi nesuplėšyti. Taip ir suima smalsumas: kažin, kas čia darbavosi – nukapojo tas galvas?

– Tereza!

Ji dėlioja ant stalų skrodimo vadovus, patyliukais niūniuodama.

– A?

– Kas nupjauna lavonams galvas?

Tereza paaiškina, kad galvos atskiriamos specialiame kambarėlyje, esančiame greta salės; tą darbą dirbanti moteris, vardu Ivona. Nejučia balsu imu svarstyti: kažin ar šitoks darbo aspektas nesukelia Ivonai šleikštulio. Ir Terezai. Mat pati Tereza atneša galvas ir išdėlioja ant stovų. Paklausiu jos apie tai.

– Nešdama galvoju apie jas kaip apie vaškines.

Tereza praktikuoja laiko išbandytą priemonę dorotis su keblumais – sudaiktinimą. Mat tiems, kuriems nuolat tenka susidurti su žmonių lavonais, žymiai paprasčiau (mano nuomone, ir kur kas teisingiau) laikyti juos daiktais, o ne žmonėmis. Dauguma gydytojų sudaiktinimo principus perpranta jau pirmaisiais studijų metais, bendrojoje anatomijos laboratorijoje, arba „šlykštynių laboratorijoje“, kaip ši dažniausiai vadinama – gana nerūpestingai ir, sakyčiau, labai taikliai. Siekdami nuasmeninti žmonių kūnus, į kuriuos studentams teks besti peilius ir mėsinėti, anatomijos laboratorijos darbuotojai neretai suvynioja lavoną į marlinį audinį ir pataria studentams dirbant juos išvynioti vos po truputį.

Visas keblumas tas, kad lavonai labai jau panašūs į žmones. Dėl šios priežasties daugelis mūsų jautresniųjų labiau linkę ragauti atskirai paruoštą kiaulienos kepsnį, o ne čia pat atrėžtą gabalą vargšo kepto paršiuko. Dėl to mes verčiau sakome „kiauliena“ ir „jautiena“, o ne „kiaulė“ ir „karvė“. Skrodimui ir chirurginei intervencijai, panašiai kaip ir mėsos valgymui, reikia kruopščiai parengto iliuzijų ir neiginių rinkinio. Gydytojai ir anatomijos studentai privalo išmokti laikyti lavonus tyrimo objektais, visiškai nesusijusiais su žmonėmis, kuriais šie kadaise buvo. „Skrodimas, – knygoje *Mirtis, skrodimas ir bejausmiškumas* rašo istorikė Ruta Ričardson (Ruth Richardson), – iš praktikuojančiųjų jį reikalauja efektyviai užgniaužti ar užslopinti daugumą natūralių fizinių ir emocinių reakcijų į sąmoningą kito žmogaus kūno žalojimą."

Ypač trikdo galva – ar, tiksliau pasakius, veidas. Kalifornijos universiteto San Franciske Medicinos fakulteto anatomijos laboratorijoje, kurioje aš netrukus praleisiu popietę, galva ir rankos dažnai lieka susuptos į audeklą iki pat tol, kol pagal tvarkaraštį pagaliau ateina joms eilė. „Taip lengviau atlaikyti įtampą, – vėliau pasakys man vienas studentų, – kadangi kaip tik šios kūno dalys užvis labiausiai primena asmenį."

Koridoriuje prie laboratorijos jau pradeda rinktis chirurgai; jie pildo anketas ir balsiai šnekučiuojasi. Traukiu pasižiūrėti į juos. O gal einu prie jų vien tik kad nebereikėtų žiūrėti į galvas – nė pati gerai nesuprantu. Niekas į mane pernelyg nekreipia dėmesio, išskyrus vieną smulkaus sudėjimo tamsiaplaukę moterį. Ji stovi kiek nuošaliau ir taip ir spitrija į mane. Toli gražu neatrodo draugiškai nusiteikusi. Nutariu, kad parankiausia bus save įtikinti, kad ji – vaškinė. Šnekuosi su chirurgais; atrodo, dauguma jų mano, kad aš – viena iš laboratorijos darbuotojų. Kažkoks vyrukas, pro kurio V formos chalato iškirptę laukan virsta balti krūtinės gyvaplaukiai, klausia manęs: „Ar ketina pripumpuoti jas vandens? – labai ryškiu teksasietišku akcentu tęsia skiemenis tarsi dainuodamas. – Kad būtų putlesnės?" Dauguma šiandieninių galvų atsisveikino su liemenimis jau prieš kelias dienas, tad, kaip ir bet kuri kita šaldyta mėsa, jau pradėjo džiūti. Kaip paaiškina man tas vyrukas, jos atšviežinamos fiziologinio tirpalo injekcijomis.

Staiga skvarbiaakė „vaškinė" moteris atsiduria prie manęs ir griežtai klausia, kas aš tokia. Aiškinu, neva simpoziumui vadovaujantis chirurgas pakvietęs mane stebėti praktikantų darbo. Taip tvirtindama, šiek tiek nukrypstu nuo tiesos. Jei norėčiau perteikti įvykių eigą tiksliai, turėčiau pasitelkti tokias sąvokas kaip „meilikavimas", „kaulijimas" ir „bandymas įbrukti kyšį".

– Ar leidimų skyrius žino, kad jūs čia? Jeigu neturite leidimo, jums teks išeiti.

Ji nužirglioja į savo kabinetą ir stveria telefono ragelį. Kalbėdama taip ir spitrija į mane – visai kaip koks apsauginis trečiarūšiame veiksmo filme – akimirką prieš gaudamas per galvą nuo filmo herojaus iš užnugario.

Greta manęs išdygsta vienas seminaro organizatorių.

– Bene Ivona bando kaišioti pagalius į ratus?

Ivona! Griežtoji sargė pasirodo esanti ne kas kitas, o lavonų galvų kapotoja! Be to, kaip netrukus paaiškėja, ji – dar ir laboratorijos vedėja, atsakinga už tai, kad viskas vyktų sklandžiai ir būtų išvengta, pavyzdžiui, tokių nemalonumų kaip alpstantys ar vemiantys plunksnagraužiai, kurie paskui traukia namo rašinėti knygelių ir išvadina anatomijos laboratorijos vedėjas galvų kapotojomis. Galiausiai Ivona baigia kalbėti telefonu. Ir atskuba iškloti visų savo nuogąstavimų. Seminaro organizatorius bando ją raminti. Mano indėlis į pašnekesį taip ir lieka mano smegenyse, jį sudaro viena vienintelė nuolat besikartojanti frazė: *Tu kapoji galvas. Tu kapoji galvas. Tu kapoji galvas.*

Taip ir pražiopsau tą akimirką, kai atidengiami veidai. Chirurgai jau įknibę į darbą, tarytum bučiniui pasilenkę prie savųjų pavyzdžių, nuolat dirsčiodami į monitorius, įtaisytus virš kiekvienos darbo vietos. Ekrane šmėžuoja nematomo lektoriaus rankos, demonstruojančios veiksmų eigą – tam lektorius naudojasi atskira galva. Vaizdo planas toks stambus, kad iš pažiūros nė neįspėtum, kas čia mėsinėjama. Jei nori, gali manyti, kad tai kulinarė Džulija Čaild žiūrovų akivaizdoje diria odą vištai.

Seminaras prasideda veido anatomijos apžvalga.

– Pakelkite veido odą poodinėje plokštumoje – iš pakraščių vidurio link, – progiesmiu traukia lektorius. Chirurgų skalpeliai paklusniai sminga į veidus. Skalpeliai nesutinka jokio pasipriešinimo, neištrykšta nė lašelis kraujo.

– Atskirkite kaktą – turi likti odos sala. – Lektorius kalba lėtai, bereikšmiu balsu. Kaip kažin ką, stengiasi nepasirodyti nei pernelyg susijaudinęs, nei sužavėtas perspektyvos palikti odos salą kaktos srityje; kita vertus, balse nejusti ir jokio suglumimo. Balsas skamba taip, tarsi lektorius būtų apdujęs nuo kokių cheminių raminamųjų preparatų – gal ir neblogas sumanymas.

Slampinėju tarpais tarp eilių. Galvos atrodo kaip guminės Helovyno kaukės. Drauge jos atrodo ir kaip žmonių galvos, tačiau iki šiol mano smegenys dar nėra užregistravusios jokio pavyzdžio, kad žmogaus galva galėtų būti ant stalo, keptuvėje ar dar kur – tik ant žmogaus pečių, tad tikriausiai smegenys stengiasi interpretuoti reginį kuo labiau raminamai. *Na štai, atsidūrėme guminių kaukių fabrike. Tik pažvelkime, kokie šaunūs vyrai ir moterys triūsia prie kaukių.* Kadaise pati turėjau tokią Helovyno kaukę: sukriošusio bedančio senio, į burną susmukusiomis lūpomis. Čia esama bent keleto labai panašių į jį. Yra čia ir Paryžiaus katedros Kuprius, priplota nosimi, atsikišusiais apatiniais dantimis, ir politikas Rosas Pero.

Neatrodo, kad chirurgai smarkiai bjaurėtųsi, kad juos kamuotų šleikštulys, nors, kaip vėliau man pasakė Tereza, vienam jų teko išeiti. „Jie to nepakenčia", – aiškina ji. „To" reiškia – darbo su galvomis. Tačiau lyg niekur nieko vykdo užduotis, o aš jaučiu sklindant nuo jų tik šiokį tokį nejaukumą. Kai stabteliu prie kurio nors stalo ir užsižiūriu, kaip dirba, darbuotojas grįžteli ir pažvelgia į mane lyg ir truputį suirzęs, truputį suglumęs. Su tokiu pat žvilgsniu susiduri, kai nepasibeldęs įsibrauni į vonios kambarį. Žvilgsnis akivaizdžiai byloja: būk malonus, eik sau.

Nors mėsinėti negyvėlių galvas, be abejo, menkas malonumas, chirurgai neabejotinai džiaugiasi proga pamiklinti ranką su tais, kurie artimiausiu metu nežada atsimerkti ir pažvelgti į save veidrodyje. „Operuodamas nuolat pamatai struktūrų, kurių nesugebi iš karto atpažinti, tad baiminiesi ir pjauti, – sako vienas chirurgų. – Atėjau čia ieškoti atsakymų į keturis klausimus." Jeigu iš čia jis išvyks su keturiais reikalingais atsakymais, tai jam su kaupu atsipirks tie 500 dolerių, kuriuos sumokėjo. Chirurgas kilsteli savo pjaustomą galvą ir vėl deda ant stalo, šiek tiek pakeičia jos padėtį, kad būtų patogiau – visai kaip siuvėja valandėlei pertraukia darbą ir pasuka audinio atraižą. Chirurgas pabrėžia, kad nupjaunamos ne kokių subjaurotų lavonų galvos. Nupjovus galvą, kūnas paliekamas kitiems pasinaudoti visomis kūno dalimis: rankomis, kojomis, vidaus organais. Paaukotųjų lavonų pasaulyje tikrai niekas nešvaistoma. Dar prieš veido plastinės chirurgijos pratybas šiandieninės galvos jau pabuvojo kitose pirmadieninėse nosies plastikos pratybose kitoje laboratorijoje.

Tos chirurginės nosies dailinimo procedūros man ir užkliuvo. Nejaugi tie geraširdžiai pietiečiai mirdami paaukojo savo kūnus mokslo labui vien tam, kad taptų bandomaisiais pavyzdžiais nosies formos remonto darbams? Nejaugi teisinga, kad geraširdžiai pietiečiai, nors užmušk geraširdžiai pietiečiai, niekaip nebegali žinoti, kas su jais daroma po mirties? Ar apgavystė nėra nusikaltimas? Vėliau kalbėjausi apie tai su Artu Deiliu (Art Dalley), Vanderbilto universiteto Nešvilyje medicininės anatomijos programos vedėju ir anatominių aukojimų istorijos specialistu.

– Mano manymu, neįtikėtina daugybė donorų visiškai nesidomi, kas bus daroma su jų kūnais, – pasakė man Deilis. – Jiems donorystė – tik praktiškas būdas sunaudoti kūną – praktiškas būdas su, laimė, slypinčiu lašeliu altruizmo.

Nors lavono naudojimą nosies plastikos praktikai pateisinti kur kas sunkiau nei to paties lavono naudojimą vainikinių arterijų šuntavimo pratyboms, vis dėlto negali sakyti, kad pateisinti neįmanoma. Nežinia, gerai ar blogai, bet plastinė chirurgija vis tiek egzistuoja, ir tiems, kurie jai ryžtasi, vis dėlto svarbu, kad operuojantis chirurgas išmanytų savo darbą kuo geriausiai. Bet juk tikriausiai derėtų sutartyje įrašyti ir tokią eilutę: *Sutinku, kad mano kūnas būtų naudojamas* *plastinei chirurgijai* – kad kūno donoras galėtų ties ja langelyje, jei sutinka, brūkštelėti paukščiuką.*

Įsitaisau prie tryliktojo stalo – čia triūsia chirurgė iš Kanados Marilena Marinjani. Marilena tamsiaplaukė, didelių akių, plačių skruostikaulių. Jos galva (toji, kuri ant stalo) lieso veido, tokių pat, kaip Marilenos, tvirtų kaulų. Keistai susidūrė šių dviejų moterų gyvenimai: galvai nereikia jokios įprastinės plastinės operacijos, o Marilena paprastai tokių ir nedaro. Jos sritis – rekonstrukcinė plastinė chirurgija. Iki šiol ji tėra dariusi vos dvi įprastas plastines veido operacijas ir dabar nori pasitobulinti, prieš imdamasi taisyti veidą gyvam žmogui. Marilenos nosį ir burną dengia marlinė kaukė – keista, kadangi nupjautai galvai negresia jokia infekcija. Klausiu, ar tik kaukė nebus labiau skirta pačios chirurgės apsaugai – tarsi tam tikras psichologinis barjeras.

Marilena atsako, kad darinėjant galvas jai neiškyla jokių keblumų.

– Operuoti rankas – štai kas man sunkiausia. – Ji pakelia akis nuo darbo. – Kai paimi atskirtą nuo kūno ranką, atrodo, kad ir ji tavęs įsistveria.

Lavonams kartais ima ir pasireiškia šiokių tokių atsitiktinių žmogiškumo požymių, kurie gali užklupti iš netyčių net profesionalų mediką. Kartą kalbėjau su viena anatomijos studente: ji papasakojo atsitikimą, kaip laboratorijoje sykį pajuto lavono ranką apkabinant ją per juosmenį. Šitokiomis aplinkybėmis jau toli gražu nebe taip lengva išsaugoti bešališką atsiribojimą.

---

* Aš besąlygiškai remiu organų ir audinių (kaulų, kremzlių, odos) dovanojimą, vis dėlto pasijutau priblokšta sužinojusi, kad donoro oda, nepanaudota, sakykime, persodinti sunkiai apdegusiems, gali būti specialiai apdorojama ir panaudojama kosmetiniams tikslams: raukšlėms lyginti arba peniui padidinti. Nors aš ir neturiu išankstinės nuomonės apie anapusinį gyvenimą, vis dėlto esu tvirtai įsitikinusi, kad persikelti į kažkieno kito apatines kelnes nederėtų niekam.

Stebiu, kaip Marilena atsargiai doroja apnuogintus numirėlės audinius. Iš esmės ji daro ne ką kita, o stengiasi susigaudyti: smulkiai iščiupinėdama kiekvieną dalelę, mokosi atpažinti, kur ir kas yra tame sudėtingame, sluoksniuotame odos, riebalų, raumenų ir jungiamųjų plėvių darinyje, sudarančiame žmogaus skruostą. Ankstyvoji plastinė chirurgija paprasčiausiai ištempdavo ir naujoje vietoje pritvirtindavo odą; o šiuolaikinė jau atskiria keturis individualius anatominius sluoksnius. O tai reiškia, kad kiekvieną iš jų būtina atpažinti, chirurgiškai atskirti nuo gretimų, kiekvieną atskirai perkelti į reikiamą vietą ir kiekvieną atskirai prisiūti – dar ir nepažeidžiant gyvybiškai svarbių veido nervų. Kadangi vis daugiau kosmetinių procedūrų atliekama endoskopiniu būdu – kai pro mikroskopinius pjūvio plyšelius vidun įkišami mažyčiai instrumentai – tobulai išmanyti anatomiją pasidarė dar svarbiau.

– Anksčiau, pagal senąją metodiką, chirurgai paprasčiausiai nulupdavo išorinį sluoksnį ir visas darbo laukas atsidurdavo tiesiai prieš akis, – sako Ronas Veidas (Ronn Wade), Merilendo universiteto Medicinos fakulteto Anatomijos skyriaus vedėjas. – O dabar lendame vidun su kamera ir, kai tenka darbuotis tik labai konkrečioje vietoje, susiorientuoti kur kas sunkiau.

Marilenos instrumentai čiupinėja žvilgančio kiaušinio trynio spalvos gniužulėlio pakraščius. Plastikos chirurgai šį gniužulėlį vadina skruostikaulio susikaupusių riebalų minkštimu. Jaunystėje minkšta pagalvėlė dengia skruostikaulį – kaip tik ją mėgsta įžnybti močiutės. Tačiau metams bėgant, negailestinga gravitacija išjudina riebalus ir šie nuo tos patogios laktos ima slinkti žemyn ir kauptis ties pirma sutikta anatomine kliūtimi: nosies ir lūpų raukšlėse (tai yra tuose anatominiuose lenktiniuose skliaustuose, kurie jungia pagyvenusio žmogaus nosies kraštus su lūpų kampučiais). Galų gale skruostai tarytum įdumba, skruostikauliai atsikiša, o išsipūtę riebaliniai lankai išryškina raukšles palei nosį ir lūpas. Tad chirurgai plastine operacija minkštąją skruostikaulio pagalvėlę grąžina į senąją vietą – ten, iš kur ji pradėjo kelionę žemyn.

– Nuostabu, – sako Marilena. – Tiesiog gražumėlis. Visai kaip tikra, tik jokio kraujavimo. Puikiausiai matyti, ką darai.

Nors nė vienos srities chirurgai nepraleidžia progų išbandyti naujų metodų ir naujos įrangos su lavonų „kailiu", vis dėlto chirurgams gauti šviežių kūno dalių tobulinimuisi ne taip jau lengva. Kai paskambinau Ronui Veidui į jo kabinetą Baltimorėje, jis paaiškino, jog populiariausios kūnų programos sudarytos taip, kad, vos pasitaiko naujas lavonas, pirmenybė jį gauti priklauso anatomijos laboratorijoms. Ir net jei susidaro perteklius, gali tiesiog nebūti tinkamos infrastruktūros pergabenti lavonams iš medicinos fakulteto anatomijos laboratorijos į ligonines, kur dirba gydytojai – savo ruožtu ir ligoninėje paprastai neskirta vietos chirurginės praktikos laboratorijai. Pavyzdžiui, toje ligoninėje, kur dirba Marilena, chirurgams paprastai atitenka tik amputuotos kūno dalys. Tad jei atsižvelgsime į žmogaus galvos amputacijų dažnį, taps visiškai aišku, jog tokia proga pasitobulinti, kaip šiandien, gali pasitaikyti nebent surengus seminarą.

Veidas įdėjo nemažai pastangų, siekdamas pakeisti tokią padėtį. Jo nuomone – sunku būtų su juo nesutikti – gyvo žmogaus operacija yra pats netinkamiausias būdas chirurgui tobulintis. Taigi jis susisiekė su Baltimorės ligoninių chirurgijos skyrių galvomis – ak, atleiskite, *vadovais* – ir pasiūlė naują sistemą. „Chirurgai, sumanę susirinkti draugėn ir išbandyti, sakykime, naujos endoskopijos technikos, skambina man ir aš viską parengiu." Veidas ima simbolinį mokestį už naudojimąsi laboratorija ir nedidelę sumą už kiekvieną lavoną atskirai. Tad dabar du trečdaliai Veidą pasiekiančių kūnų panaudojami chirurginei praktikai.

Gerokai nustebau sužinojusi, kad net ir chirurgai rezidentai beveik niekad negauna galimybės tobulintis su paaukotais kūnais. Dabartiniai studentai operuoti mokosi taip, kaip buvo įprasta visais laikais: stebėdami patyrusių chirurgų darbą. Universitetinėse ligoninėse, palaikančiose ryšius su medicinos mokyklomis, kone kiekvienoje operacijoje dalyvauja studentai internai. Keliskart stebėjęs operaciją internas jau raginamas ir pats išmėginti rankos: iš pradžių atlikti pačių paprasčiausių veiksmų, tokių kaip išplėsti ar susiūti žaizdą, o paskui vis sudėtingesnių. „Iš esmės tai – mokymas darbo vietoje, – aiškina Veidas. – Studentas įgyja įgūdžių dirbdamas, tarsi amatininko mokinys."

Padėtis iš esmės nepasikeitusi nuo pat chirurgijos priešaušrio: chirurgai savo amato paslapčių mokosi ne kur kitur, o operacinėse. Vis dėlto praėjusiame šimtmetyje šitokia praktika jau buvo skirta padėti ligoniui. O štai devynioliktojo amžiaus operacinių „teatre" siekta veikiau įgyti medicinos žinių, o ne išgelbėti ligoniui gyvybę. Tad nenuostabu, kad kiekvienas, kuris tik galėjo, kaip išmanydamas stengėsi nepakliūti ant operacinio stalo.

Pirmiausia reikėtų paminėti, kad nuo seno operuojama būdavo be jokių priemonių nuo skausmo (pirmosios operacijos naudojant eterį atliktos tik 1846-aisiais). Taigi dar aštuoniolikto amžiaus pabaigoje ir devyniolikto pradžioje operuojamas ligonis puikiausiai jausdavo kiekvieną pjūvį, kiekvieną dygsnį, taip pat ir po jo vidurius naršančius pirštus. Dažniausiai operuojamiesiems būdavo užrišamos akys – nors tikriausiai nebuvo privaloma, panašiai kaip ir užmaukšlinti gobtuvą vedant sušaudyti – tačiau ligonį visada pririšdavo prie stalo: kad nekrūpčiotų, nesirangytų ir – visai tikėtina – nešoktų nuo stalo ir neišskristų į gatvę. (Tikriausiai dėl to, kad operacijose visuomet dalyvaudavo nemažas stebėtojų būrys, ligonis būdavo operuojamas beveik su visais jo drabužiais.)

Anų laikų chirurgai toli gražu nebuvo tokie itin išsilavinę ir kaubojiškai narsūs gyvybių gelbėtojai kaip dabartiniai. Chirurgija buvo visiškai nauja veiklos sr̃itis – čia daug ko dar reikėjo mokytis, paprastai – per bandymus ir kone nuolatines klaidas. Ištisus šimtmečius chirurgą buvo galima lyginti su kirpėju: be amputacijų ir dantų rovimo, chirurgai ne kažin ką daugiau nuveikdavo. Su visomis kitomis ligomis grumdavosi vien tik vaistininkai – eliksyrais ir žolių preparatais. (Įdomu, kad chirurgijai kelią praskynė tiesiosios žarnos ligų mokslas proktologija – jos dėka chirurgija buvo pripažinta pagarbos verta medicinos sritimi. 1687-aisiais Prancūzijos karaliui chirurgiškai buvo pašalinta skausminga įsisenėjusi analinė fistulė; pajutęs nepaprastą palengvėjimą karalius nepasidrovėjo garsiai išsakyti savo dėkingumą.)

Devynioliktojo amžiaus pradžioje darbo vietą mokomosiose ligoninėse paprastai užtikrindavo anaiptol ne medicininiai įgūdžiai, o įtakingo giminaičio protekcija. 1828-ųjų gruodžio dvidešimtosios *The Lancet* numeryje buvo atspausdinta keletas vieno pirmųjų teismų dėl chirurgo nemokšiškumo protokolo ištraukų. Įkliuvo kažkoks Brensbis Kuperis – beviltiškas nemokša, bet garsaus anatomo Sero Ešlio Kuperio (Sir Astley Cooper) sūnėnas. Maždaug dviejų šimtų susirinkusių stebėtojų: kolegų, studentų ir šiaip smalsuolių – akivaizdoje jaunasis Kuperis labai jau akivaizdžiai pademonstravo, kad už savo atsiradimą operacinėje turėtų būti dėkingas tik dėdei, o anaiptol ne savo talentams. Operacija, surengta Gajaus ligoninėje Londone, buvo visai paprasta – šlapimo pūslės akmens pašalinimas (litotomija); pacientas, Stivenas Polardas, buvo tvirtas darbininkų klasės atstovas. Paprastai litotomijai pakakdavo vos kelių minučių, o nelaimėlis Polardas ant operacinio stalo pragulėjo ištisą valandą: suriestas, prie smakro pritrauktais keliais, prie kojų pririštomis rankomis. Visą valandą nemokša chirurgas veltui bandė apčiuopti šlapimo pūslės akmenį. „Į ligonio vidurius buvo sukišta buka adata, chirurginė mentelė, net kelerios chirurginės žnyplės“, – pasakoja vienas liudininkų. Kitas apibūdina „šiurpų žnyplių šliurpsėjimą tarpvietėje“. Kai netgi visas instrumentų rinkinys nepadėjo sugriebti akmens, Kuperis „ įgrūdo vidun pirštą..." Maždaug tada Polardo ištvermės atsargos išseko.* „Ak! Ištraukite!" – taip jį pasakius liudija amžininkai. Tačiau Kuperis atkakliai laikėsi savo: „Leisk man dar paieškoti!", plūsdamas pernelyg gilią ligonio tarpvietę (kaip vėliau parodė skrodimas, tarpvietės gylis buvo įprastinis). Nedovanotinai ilgai rakinėjęs pirštu ligonio vidurius, Kuperis galiausiai pakilo nuo kėdės ir „ėmėsi lyginti savo pirštus su kitų džentelmenų: bene kurio nors iš jų pirštai bus ilgesni". Paskui vėl įknibo į savo įnagių krepšelį ir, pasitelkęs žnyples, galų gale ištraukė užsispyrėlį akmenėką – gana nedideliuką, „ne didesnį už paprasčiausią pupą" – ir triumfuodamas iškėlė virš galvos tarsi kokį Akademijos prizą. Liulanti, išsekusi masė, dar neseniai buvusi Stivenu Polardu, buvo nuritinta į lovą. Čia nelaimėlis po dvidešimt devynių valandų ir mirė – nuo infekcijos ir dar dievažin ko.

Maža to, kad kažkoks atgrubnagis, išsipustęs prašmatnia liemene, pasirišęs peteliškę, sugrūdęs iki riešų rankas rausiasi tavo šlapimtakiuose, tai dar ir gausių stebėtojų akivaizdoje – žiopso ne tik jaunikliai iš medicinos mokyklos, bet, sprendžiant iš kitos litotomijos Gajaus ligoninėje aprašo, išspausdinto 1829-ųjų *Lancet* numeryje,

---

* Praėjusių šimtmečių žmogus buvo akivaizdžiai kitos svorio kategorijos nei dabartinis – bent jau gebėjimu tverti skausmą. Juo toliau į praeitį, juo ištvermingesnių žmonių galima aptikti. Viduramžių Anglijoje ligonių nė nesurišdavo – jie paklusniai sėdėdavo ant pagalvėlės prie gydytojo kojų, nuolankiai atkišę pasiligojusią kūno dalį. *The Medieval Surgery* aptinkame iliustraciją: tvarkingai sušukuotas žmogus yra pasiruošęs jį išvarginusios veido fistulės operacijai. Ligonis ramiai, kone meiliai kelia skausmų kamuojamą veidą į chirurgą. O užrašas po piešiniu byloja: „Ligoniui liepiama nusukti žvilgsnį į šalį... ir chirurgas pridegina fistulę iki raudonumo įkaitinta geležimi, prakišta pro geležinį ar bronzinį vamzdelį". Įrašo autorius lyg tarp kitko priduria: „Atrodo, kad šiame paveikslėlyje pavaizduotas chirurgas – kairiarankis" – tarsi šitaip norėdamas nukreipti skaitytojo dėmesį nuo ką tik perskaitytų siaubų; priemonė įspūdžiui sušvelninti – tokia pat efektyvi, kaip ir siūlymas žmogui, prie kurio veido artėja iki raudonumo įkaitintas strypas, „nusukti žvilgsnį į šalį".

dar ir gera pusė miesto: „Aplink stalą spietėsi chirurgai ir chirurgų draugai... ir svečiai iš Prancūzijos, ir visokio plauko prašalaičiai... Netrukus per visą parterį ir viršutines eiles nuaidėjo šūksniai: „Nusiimkite skrybėlę! Žemiau galvą!" Tokie šauksmai garsiai aidėjo iš visų demonstracijos salės pakampių".

Kabaretinė ankstyvųjų medicininių apmokymų atmosfera buvo susidariusi dar prieš kelis šimtmečius, pagarsėjusiose Italijos medicinos akademijose Padujoje ir Bolonijoje – čia skrodimo salėse nelikdavo nė stovimų vietų. Pasak Č. D. O'Maljo (C. D. O'Malley), parašiusio didžiojo Renesanso anatomo Andrėjo Vezalijaus (Andrea Vesalius) biografiją, vienas itin entuziastingas iš gausybės Vezalijaus skrodimą stebėjusių žiūrovų, besistengdamas kuo geriau viską matyti, pasilenkė taip, kad nudribo nuo suolo tiesiai ant apačioje stovėjusio skrodimo stalo. „Nesėkmingai nukritęs... nelaimingasis ponas Karlo šiandien negali dalyvauti, nes prastai jaučiasi", – bylojo skelbimėlis prieš kitą paskaitą. Galiu lažintis iš bet ko: ponas Karlas nieku gyvu nėjo ieškoti pagalbos ten, kur lankydavosi klausytis paskaitų.

Ligoniai, atsidurdavę mokomosiose ligoninėse, be jokių išimčių buvo varguoliai, gyvenantys pernelyg skurdžiai, kad įstengtų susimokėti už privačią operaciją. Atsilygindami už chirurgo paslaugas, kurios vienodai galėjo ir pagelbėti, ir pribaigti – pavyzdžiui, mirštamumas nuo šlapimo pūslės akmenų pašalinimo operacijos siekė penkiasdešimt procentų – vargingieji iš esmės aukodavosi, tapdavo gyva mokomąja medžiaga. Ne tik chirurgams gerokai stigo patirties – grynai eksperimentinės būdavo ir dauguma pačių operacijų, niekas labai nė nesitikėjo, kad operacija ligoniui padės. Istorikė Ruta Ričardson (Ruth Richardson) savo knygoje *Mirtis, skrodimas ir skurdžiai* rašo: „Operacijos nauda [ligoniui] neretai būdavo tik atsitiktinė eksperimento pasekmė".

Atradus anesteziją, pacientas bent jau tysodavo be sąmonės, kol jauni rezidentai miklindavo ranką, išbandydami naujas operacijų procedūras. Vis dėlto operuojamieji tikriausiai neduodavo leidimo mokiniui stoti prie operacijos vairo. Tais audringais laikais, kai niekas nė girdėt nebuvo girdėjęs apie raštiškus sutikimus ar žaibiškai iškeliamas bylas, pacientas dažniausiai nė nenutuokdavo, kas jo laukia per operaciją mokomojoje ligoninėje – o gydytojai šia aplinkybe noriai naudojosi. Kol ligonis gulėdavo be nuovokos, chirurgas galėjo pasikviesti studentą, kad šis pašalintų apendiksą. Neturėjo jokios reikšmės, ar ligoniui gresia apendicito priepuolis. Vienas iš labiausiai paplitusių nusižengimų buvo nepagrįsta dubens apžiūra. Pirmieji medicinos apyaušrio daktarai neretai imdavo Papo tepinėlius – procedūra keldavo nemažai nerimo ir baimės – be sąmonės gulinčioms operuojamoms moterims. (Mūsų laikais kur kas labiau apsišvietusios medicinos mokyklos tokiam reikalui samdo dubens srities mokytoją, savotišką profesionalią vaginą, kuri leidžia studentams mokytis iš jos kūno, pateikdama ir asmeninius pojūčius – bent jau čia, savo knygoje, tokias aš drąsiai galiu paskelbti kandidatėmis į šventąsias.)

Šiais laikais tokių nemokamų medicininių apmokymų procedūrų pasitaiko kur kas rečiau nei kadaise, mat patys ligoniai dabar nusimano jau kur kas daugiau.

– Mūsų dienomis pacientai jau kur kas nuovokesni, ir tai iš esmės pakeitė padėtį, – tvirtina Hugas Patersonas (Hugh Patterson), vadovaujantis paaukotų kūnų programai Kalifornijos universiteto San Franciske Medicinos fakultetui. – Netgi universitetinių ligoninių pacientai dažniausiai reikalauja, kad rezidentams nebūtų leista jų operuoti. Pacientai siekia užsitikrinti, kad viską atliktų patyręs chirurgas. Šitaip jie gerokai pasunkina studentų apmokymo procesą.

Patersonas norėtų, kad specializuotose lavonų anatomijos laboratorijose pasidarbuotų ir trečio bei ketvirto kurso studentai, užuot grūdus jiems į galvas visas anatomijos žinias vien pirmaisiais mokslo metais „viena didele porcija". Drauge su kolegomis jis jau pasiekė, kad į chirurginių specializacijų tvarkaraštį būtų įtraukta fokusuoto skrodimo programa, kuri apimtų panašius į šiuos veido anatomijos laboratorinius darbus, kuriuos aš stebiu šiandien. Taip pat medicinos fakulteto lavoninėje jie suorganizavo pratybų ciklus, skirtus apmokyti trečio kurso studentus kritinių atvejų procedūrų. Lavonas, prieš jį balzamuojant ir prieš patekdamas į anatomijos laboratoriją, neretai visą popietę dar turi tverti trachėjos intubacijas ir kateterizacijas. (Kai kuriuose universitetuose tam naudojami apsvaiginti šunys.) Turint omenyje, kad kritinių atvejų procedūras dažnai reikia atlikti labai skubiai, o kitąsyk jos būna labai sudėtingos, labai pravartu pirmiausia išsimiklinti su negyvėliais. Anksčiau tai būdavo daroma nuolat ir be jokių formalumų, neprašant niekieno sutikimo – šitokios praktikos naudingumas pusbalsiu nuolat aptarinėjamas Amerikos Medikų Asociacijos susirinkimuose. Tikriausiai medikams visiškai pakaktų paprasčiausiai paprašyti leidimo: *New England Journal of Medicine* atlikto šios srities tyrimo duomenimis, net 73 procentai mirusių vaikų tėvų paprašyti sutinka, kad jų vaikų kūnai būtų panaudojami intubacijos pratyboms.

Klausiu Marilenos, ar ji neketina paaukoti savo kūno mokslo tikslams. Man kažkodėl atrodė, kad savitarpio pagalbos jausmas gydytojams visuomet turėtų pakišti mintį po mirties tapti donorais ir šitaip tarytum atsilyginti už kilnumą tų, kuriuos patys mėsinėjo medicinos mokyklose. Tačiau Marilena neketinanti. Kaip priežastį ji nurodo pagarbos stygių. Ir gerokai mane nustebina. Kiek galiu spręsti pati, su šitomis galvomis elgiamasi kuo pagarbiausiai. Negirdėjau jokių juokelių, kikenimo, jokių šiurkščių pastabų. Jei tik galima sakyti, kad išvis įmanoma pagarbiai „nukelnėti" veidą, jei tik galima vadinti pagarbiu veiksmu tai, kai ties kakta nurėžiama oda ir jos klostė užmetama ant akių, – tuomet drįstu tvirtinti, kad šitie žmonės tikrai susidoroja su užduotimi elgtis su galvomis pagarbiai. Visas dėmesys sutelktas tiktai į darbą.

Paaiškėja, kad Marilenai nepatinka kai kas kita: tai, kad pora chirurgų savąsias lavonų galvas fotografuoja. Jei nori padaryti ligonio nuotrauką kokiam nors medicinos žurnalui, kaip pabrėžia ji, pirmiausia turi gauti sutikimą, patvirtintą paties ligonio parašu. Savaime aišku, negyvėliai negali atsisakyti pasirašyti tokį leidimą, bet dar nereiškia, kad tikrai pasirašytų, jei galėtų rinktis. Štai kodėl patologijos ir teismo ekspertizės žurnaluose lavonams nuotraukose akys visada uždengtos juoda juostele – panašiai kaip toms moterims *Glamour* žurnalo mados patarimų puslapiuose. Reikia manyti, žmonės visiškai nepageidautų, kad kas nors fotografuotų juos negyvus ir dar supjaustytus į gabalus – lygiai taip pat, kaip niekas nenorėtų būti nufotografuotas nuogas duše ar atkragusiu žandikauliu miegantis lėktuve.

Dauguma gydytojų nėmaž nesirūpina, kad su jais nepagarbiai gali pasielgti kiti gydytojai. Beveik visi iš tų, su kuriais man teko kalbėti, jeigu ir susirūpintų, tai nebent dėl to, kad deramos pagarbos jiems gali neparodyti pirmakursiai studentai per bendrosios anatomijos laboratorinius darbus – kaip tik pas juos netrukus ketinu apsilankyti.

Seminaras jau beveik baigėsi. Vaizdo monitoriai užgeso, chirurgai tvarko darbo vietas ir skubinasi į koridorių. Marilena vėl balta drobule uždengia savojo lavono veidą; taip pat pasielgia daugmaž pusė chirurgų. Ji vis dar elgiasi pabrėžtinai pagarbiai. Kai paklausiu, kodėl mirusios moters akys be vyzdžių, Marilena neatsako, tik ištiesia ranką užspausti jai voką. Paskui atsistumia su visa kėde, dar kartą pažvelgia į uždengtą galvą ir ištaria:

– Tesiilsi ramybėje.

„...jos gabalėliai", – nejučia priduriu mintyse, nes tokia jau esu.

2

ANATOMIJOS NUSIKALTIMAI

Kūnų grobimas ir kiti šiurpūs pasakojimai
iš skrodimų praktikos apyaušrio

Nuo tada, kai J. Pachelbelio kanonas buvo panaudotas audinių minkštiklio reklamai, praslinko jau gana daug metų, ir ši muzika mano ausiai vėl skamba maloniai – persmelkta tokio tyro liūdesio. Atminų ceremonijai ji tinka puikiai, kaip jokia kita – tikrai efektyvus klasikinis pasirinkimas, mat susirinkę (šiandien čia) vyrai ir moterys nutilo, surimtėjo vos tik suskambo muzika.

Išsyk krinta į akis, kad tarp gėlių ir žvakių kai ko trūksta – paties karsto su mirusiojo palaikais. Bet pašarvoti nebūtų taip paprasta, mat iš visų dvidešimt kelių lavonų likę tik atskiri fragmentai: išmėsinėti dubenys, perdalytos per pusę galvos, kurių apnuogintos paslaptingai išsirangiusios sinusų tuštymėlės primena skruzdėlyno koridorius. Šios apeigos surengtos bevardžiams negyvėliams iš Kalifornijos universiteto San Franciske Medicinos fakulteto 2004-ųjų Bendrosios anatomijos kurso laboratorijos. Net jeigu ceremonija vyktų ir su atidengtais karstais, kažin ar šiandien čia susirinkusieji labai pašiurptų: jie ne tik matė gausybę mirusiųjų atskiromis kūno dalimis, bet ir patys prisidėjo juos mėsinėjant – iš esmės kaip tik šitų laidotuvininkų rankos numirėlius ir supjaustė į gabaliukus. Mat susirinkusieji – anatomijos kursą išklausę studentai.

Ši ceremonija – anaiptol ne simbolinė. Apeigos vyksta nuoširdžiai, laidotuvininkai susirinko savo noru; ceremonija užtrunka geras tris valandas ir susideda iš trylikos dalių, kurias parengė studentai, tarp jų – *a cappella* atliekama grupės „Green Day" daina „Time of Your Life", Beatričės Poter pasakojimo, jai nebūdingai niūraus, apie gaištantį barsuką skaitymas ir studentų liaudies baladė apie moterį, vardu Deizė, kuri po reinkarnacijos atgimė medicinos studente, o bendrosios anatomijos praktikos laboratorijoje jai tekę skrosti ne kieno kito, o savo pačios ankstesniajame gyvenime, tai yra Deizės, kūną. Viena mergina perskaito pasakojimą apie tai, kaip netenki amo laboratorijoje, kai išvynioji tau skirto lavono rankas ir išvysti, kad nagai nulakuoti rausvu laku. „Anatomijos atlase niekad neteko matyti rankų lakuotais nagais. Kažin, ar pati būsi pasirinkusi šią lako spalvą?.. Ar kada pagalvojai, kad aš tai pamatysiu?.. O man taip knieti papasakoti tau, kaip tavo rankos atrodo iš vidaus... Ir dar norėčiau, kad žinotum: dabar kaskart, kai tik išvystu ligonį, ten būni ir tu. Kai maigau paciento pilvą, įsivaizduoju tavo vidaus organus. Kai klausausi širdies plakimo, prisimenu, kaip laikiau saujoje tavąją širdį." Šis rašinys – vienas labiausiai jaudinančių iš visų, kuriuos man kada nors teko girdėti. Tikriausiai panašiai jaučiasi ir visi kiti – iš patalpoje esančių ašarų liaukų nelieka bevandenių nė vienų.

Per pastarąjį dešimtmetį medicinos fakultetai nėrėsi iš kailio, siekdami išugdyti pagarbų požiūrį į bendrosios anatomijos laboratorijos lavonus. Kalifornijos universitetas San Franciske – viena iš daugelio aukštųjų medicinos mokyklų, kuriose paaukotiems kūnams rengiamos prideramos laidotuvių apeigos. Kai kur dalyvauti kviečiami net ir mirusiųjų artimieji. Prieš pradėdami bendrosios anatomijos kursą, Kalifornijos universiteto studentai privalo išklausyti parengiamuosius kursus, per kuriuos metais vyresni studentai smulkiai pasakoja apie tai, ką reiškia dirbti su lavonais, ką patys jautė juos mėsinėdami.

Šitaip, net ir nebaksnojant pirštu, iš kartos į kartą perduodama pagarbos ir dėkingumo tradicija. Iš viso to, ką girdėjau, galiu drąsiai spręsti, kad po tokių seminarų būtų labai jau nelengva ramia sąžine kišti lavonui į dantis cigaretę ar iš jo žarnų darytis šokdynę.

Hugas Patersonas – anatomijos profesorius ir universiteto paaukotų kūnų programos vadovas – pakvietė mane praleisti popietę Bendrosios anatomijos laboratorijoje. Ir štai ką galiu pasakyti be jokių užuolankų: arba tie studentai repetavo iki devinto prakaito, kol tobulai pasiruošė kaip tik mano apsilankymui, arba programa iš tikrųjų veiksminga. Kaip kažin ką, aš nepakišau jokios užuominos – studentai patys prašneko apie dėkingumą ir pastangas išsaugoti žmogiškąjį orumą, apie tai, kaip ilgainiui pajuto tarsi ir prieraišumą savajam lavonui, tad ir žaloti jį anaiptol nebuvę malonu.

– Prisimenu, kažkas iš mūsų grupės kaip tik rėžė jį pusiau, ketindamas iškapstyti kažkokį vidaus organą, – papasakojo man viena mergina. – O aš staiga susizgrimbu, kad ramindama tapšnoju lavonui ranką: „Viskas gerai, nieko baisaus..."

Paklausiau studento, vardu Metjus, ar, pasibaigus anatomijos kursui, jis nepasiilgs savojo lavono. Vaikinas atsakė, esą jį „apima liūdesys jau tada, kai nebelieka dalies kūno". (Įpusėjus laboratorinių darbų kursui, lavono kojos pašalinamos ir sudeginamos, siekiant sumažinti cheminių konservantų poveikį studentams.)

Dauguma studentų lavonams sugalvoja vardus.

– Nieko panašaus į kokią nors Strykčiojančią Skerdieną. Vadiname juos tikrais vardais, – patikino mane vienas studentas ir supažindino su lavonu Benu, kuris, nors iš jo tuo metu bebuvo likę tik galva, plaučiai ir rankos, vis vien sugebėjo išsaugoti tam tikrą valią ir orumą. Prireikus pajudinti Beno ranką, studentas ne stverdavo ją, o atsargiai kilstelėdavo ir paskui taip pat švelniai nuleisdavo atgal, tarytum Benas paprasčiausiai miegotų. Metjus užsimojo netgi tiek, kad parašė paaukotų kūnų programos biurui ir paprašė savojo lavono biografijos.

– Norėčiau jį įasmeninti, – paaiškino jis man.

Tą popietę, kai laboratorijoje lankiausi aš, niekas nelaidė kreivų juokelių – ar bent jau lavonams pašaipų tikrai nekliuvo. Viena mergina prisipažino, kad jos grupė negalėjusi neatkreipti dėmesio į vieno lavono „ypač stambų organą". (Gal nė nepagalvota, kad balzamuojant į kraujagysles suleistas skystis išplečia erektiliuosius kūno audinius, tad laboratorijos vyriškos lyties lavonai, jau atšalę, neretai atrodo apdovanoti kur kas įspūdingiau, nei kai buvo gyvi.) Bet net ir tokia pastaba buvo ištarta pagarbiai, ne pašaipiai.

Prisimenu, kartą vienas anatomijos dėstytojas man pasakė: „Niekas jau namo nebevelka galvų kibiruose".

Norint perprasti tą nuoseklią pagarbą mirusiems, kuria persisunkusi dabartinė anatomijos laboratorija, vertėtų pamėginti suprasti ir absoliučią nepagarbą, viešpatavusią šioje srityje ilgus amžius. Nedaug rastume mokslų, besimurkdančių gėdoje, nešlovėje ir prastoje reputacijoje giliau nei žmogaus anatomija.

Bėdos užuomazgą aptinkame jau Aleksandrijos laikų Egipte, maždaug 300 metų prieš Kristų. Karalius Ptolemajas I buvo pirmasis valstybės vadovas, oficialiai suteikęs leidimą medikams pjaustinėti lavonus, kad išsiaiškintų, kaip sudarytas žmogaus kūnas. Bent iš dalies tą lėmė sena egiptiečių mumifikavimo tradicija. Mumifikuojamasis kūnas visuomet prapjaunamas, vidaus organai išimami – su tokiais dalykais ir vyriausybė buvo apsipratusi. Tačiau buvo ir kita priežastis: Ptolemajas pats laisvalaikiu itin domėjosi skrodimais. Taigi valdovas ne tik išleido karališkąjį dekretą, skatinantį gydytojus smulkiai išmėsinėti mirties bausme nuteistus nusikaltėlius, bet nepraleido progos pamiklinti ranką ir pats: žiūrėk, kur buvęs, kur nebuvęs, jau atskubėdavo į anatomijos patalpą apsisiautęs mediko palaidiniu, ginkluotas peiliais – ir kibdavo pjaustyti, rakinėti petys petin su profesionalais.

Bėda prisirpo tokio Herofilo pavidalu. Tituluojamas Anatomijos Tėvu, jis buvo pirmasis gydytojas, ėmęsis skrosti lavonus. Tiesa, Herofilas buvo išties nuoširdžiai atsidavęs mokslui, nuovargio nepažįstantis žmogus, tačiau ilgainiui iš didelio rašto išėjo iš krašto. Kunkuliuojantis entuziazmas užgožė bet kokią užuojautą ir sveiką protą, ir skrodėjas netrukus virto skerdiku – *ėmėsi mėsinėti nusikaltėlius gyvus*. Vienas jo kaltintojų, Tertulijas, tvirtino jį papjovus bene šešis šimtus belaisvių. Tiesa, reikia pripažinti, kad iki mūsų laikų neišliko jokių tiesioginių liudijimų, jokių įrašų dienoraščio papiruse, tad lieka tik spėlioti, ar tokių kaltinimų nebus paakinęs paprasčiausias profesinis pavydas. Kad ir kaip ten buvo, niekas Tertulijo Anatomijos Tėvu nevadino.

Tradicija skrodimams naudoti mirties bausme nuteistus nusikaltėlius gyvavo ir toliau, o ypač įsigalėjo Britanijoje aštuonioliktame ir devynioliktame šimtmečiuose, kai Anglijos ir Škotijos miestuose suklestėjo privačios anatomijos mokyklos medicinos studentams. Tokių mokyklų vis gausėjo, o lavonų – ne, tad anatomus kamavo nuolatinis mokomosios medžiagos stygius. Tais laikais nebuvo mados aukoti savo kūną mokslui. Maža to, stropiai bažnyčią lankančiųjų masės tikėjo kūno iš numirusiųjų prisikėlimu tiesiogine prasme, vadinasi, visuotine nuomone, išmėsinėto kūno galimybės prisikelti gerokai menkesnės. Argi bus atidaryti dangaus vartai suskretėliui, atsivilkusiam su kadaruojančiais viduriais, – žiūrėk, dar ims ir apdrabstys kilimą žarnokais. Nuo šešioliktojo amžiaus iki pat 1836-ųjų, kuriais priimtas Anatomijos Aktas, Britanijoje teisėtai skrosti buvo galima tik nubaustų žudikų lavonus.

Dėl šios priežasties visuomenės nuomonė netruko sutapatinti anatomus su budeliais. Tiesą sakant, padarė juos dar baisesnius net už budelius, nes skrodimas buvo laikomas dar rūstesne bausme už įprastą gyvybės atėmimą. Kaip tik tai – o anaiptol ne parama ar pagalba anatomams – ir tapo valdžiai pagrindiniu akstinu parūpinti kūnų skrodimui. Kadangi mirties bausmė būdavo skiriama net už palyginti nesunkius nusižengimus, vyriausybei knietėjo ją pasūdyti kokiu nors papildomu siaubu didesniems nusikaltėliams – atgrasinti nuo galimų nusikaltimų. Jei pavogei kiaulę – tavęs laukia kartuvės. O jei nužudei žmogų, tai tave iš pradžių pakars, o paskui – *dar ir išskros*. (Ką tik susikūrusiose Jungtinėse Amerikos Valstijose mirtimi su skrodimu buvo baudžiami dar ir dvikovų dalyviai – mat paprasčiausia mirties bausme vargu ar galėjai įbauginti tokį, kuris ir šiaip sutinka stoti prieš mirtį nešantį pistoletą.)

Dviguba bausmė – sumanymas anaiptol ne naujas, veikiau reikėtų jį vadinti naujausia temos variacija. Anksčiau kartais žmogžudžius pakartus dar ir ketvirčiuodavo, tai yra pririšdavo rankas ir kojas prie keturių arklių ir visus pavarydavo į šalis; suplėšyto kūno „ketvirčius" pasmeigdavo ant mietų ir demonstruodavo visuomenei kaip iškalbingą priminimą, kad nusikalsti kartais gali būti labai žalinga sveikatai. Skrodimo bausmė žmogžudžiui buvo įteisinta 1752-aisiais Britanijoje. Čia ji pakeitė pomirtinį „kadaravimą". Žodis „kadaravimas" skamba lyg ir visai linksmai, prisiminus fizinio lavinimo pamoką ar, blogiausiu atveju, kokį sumedžiotą paukštelį, bet iš tikrųjų jo reikšmė ganėtinai baisi. „Pomirtinis kadaravimas" iš tikrųjų reiškia štai ką: lavonas panardinamas į degutą, įgrūdamas į nedidelį geležinį narvą ir pakabinamas kadaruoti viso miesto akivaizdoje – tol, kol kūnas supus ar jį sukapos varnos. Anais laikais vaikštinėti po aikštę, reikia manyti, buvo visai kitokio pobūdžio malonumas nei dabar.

Siekdami kompensuoti teisėtai skrodimams gaunamų lavonų stygių, Britanijos ir ankstyvųjų Amerikos anatomijos mokyklų dėstytojai ryždavosi pašniukštinėti po nekokios reputacijos užkaborius. Netruko pasklisti žinia, kad tiems anatomams galima nunešti kad ir savo sūnaus amputuotą koją – ir gausi už ją tiek, kad užteks bokalui alaus (jeigu tiksliau – trisdešimt septynis su puse cento, kaip yra įvykę Ročesteryje, Niujorko valstijoje, 1831-aisiais). Tačiau studentai nenorėjo švaistyti pinigų, kad gautų pasikapstyti vien tik rankoje ar kojoje; mokykloms trūks plyš reikėdavo gauti lavoną visą – arba prarasdavo studentus – šie netrukdavo pakelti sparnus ir skubėti į Paryžiaus anatomijos mokyklas, nes Prancūzijos įstatymai leido skrosti ligoninėse mirusius skurdžius, kurių palaikų niekas neatsiimdavo.

Teko griebtis kraštutinių priemonių. Toli gražu nebuvo retenybė, kad koks anatomas ką tik mirusį savo šeimos narį iš pat ryto tempdavo į skrodimo patalpą, o jau tik paskui gabendavo laidoti į kapines. Septynioliktojo amžiaus anatomas Viljamas Harvėjus (William Harvey), pagarsėjęs tuo, kad pirmas aprašė žmogaus kraujotakos sistemą, ne mažesnės šlovės vertas ir už tai, kad buvo vienas iš nedaugelio medikų per visą istoriją, savo pašaukimui atsidavęs taip, kad ryžosi skrosti savo paties tėvo ir sesers palaikus.

Šitaip Harvėjus pasielgė todėl, kad jam visiškai nepriimtinos buvo alternatyvos – jis būtų privalėjęs arba pagrobti kieno nors kito mylimo asmens kūną, arba išvis atsisakyti tyrinėjimų. Su panašia dilema studentams tenka susidurti net ir šiais laikais – tiems, kurie gyvena valdomi Talibano; kartais ir jie neišvengia panašaus pasirinkimo būtinybės. Remdamiesi griežtomis Korano priesakų interpretacijomis, kalbančiomis apie žmogaus kūno orumą, Talibano valdininkai griežtai uždraudė medicinos mokytojams anatomijos mokymo tikslais skrosti lavonus ir naudotis griaučiais – net jei pasitaikytų kokio netikėlio, tai yra nemusulmono, lavonas – ką kitos islamiškosios šalys dažniausiai leidžia. 2002-ųjų sausio mėnesį *New York Times* bendradarbis Norimitsu Onišis išspausdino interviu su Kandaharo medicinos universiteto studentu, kuris, nors ir skausmingai, vis dėlto ryžosi iškasti savo mylimos senelės kaulus ir pasidalyti jais su bendramoksliais. Kitas studentas iškapstė iš žemės tai, kas liko iš buvusio jo kaimyno. „Taip, jis buvo tikrai geras žmogus, – sakė studentas žurnalistui Onišiui. – Savaime aišku, kasdamas jo griaučius jaučiausi tikrai nekaip... Bet pagalvojau: jeigu tie kaulai pravers dvidešimčiai žmonių, vadinasi, elgiuosi teisingai."

Šitoks apmąstytas, skausmingas jautrumas Britanijos anatomijos mokyklų klestėjimo laikais buvo retenybė. Kur kas labiau paplitusi taktika buvo vogčiomis prasmukti į kapines ir tyrinėjimams išsikasti kieno nors kito velionį giminaitį. Šitokią praktiką pradėta vadinti kūnų grobimu. Tai buvo naujas nusikaltimas ir iš esmės skyrėsi nuo kapų apiplėšimų – tai yra brangakmenių ir relikvijų, drauge su velioniais palaidotų pasiturinčiųjų kapuose ir kriptose, vagysčių. Tas, kurį nutverdavo su numirėlio rankogalių sąsagomis, buvo laikomas nusikaltėliu, tačiau tam, kurį nustverdavo nešantį patį lavoną, jokia bausmė nebuvo numatyta. Iki anatomijos mokyklų suklestėjimo niekam ir į galvą neatėjo kurti įstatymus, kurie numatytų atsakomybę už netinkamą elgesį su neseniai mirusiais žmonėmis. O ir kodėl turėjo ateiti? Juk iki pat tol nebuvo ir jokių paskatų grobti lavonus, nebent kalbėtume apie nekrofiliją*.

---

* Beje, ir nekrofilija iki pat 1965-ųjų nebuvo laikoma nusikaltimu nė vienoje iš JAV valstijų. Kai garsiausia mūsų laikų nekrofilė, Sakramento lavoninės darbuotoja Karena Grynli 1979-aisiais buvo pričiupta pasislėpusi su jauno vyriškio lavonu, jai buvo skirta bauda už neteisėtą katafalko vairavimą, bet ne už patį aktą, nes Kalifornijoje nė nebuvo jokio įstatymo, kuris būtų numatęs bausmę už seksą su negyvėliu. Net ir šiandien už nekrofiliją baudžiantys įstatymai galioja tik šešiolikoje Amerikos valstijų. Kiekvienoje iš jų įstatymo formuluotė puikiai atspindi specifinį jos charakterį. Santūri, mažakalbė Minesota tepamini tik „tuos, kurie užmezga lytinę pažintį su negyvu kūnu", o štai nerūpestingoji Nevada viską iškloja smulkiai: „Laikoma nusikaltimu, jei asmuo atlieka kunilingo ar felacijos veiksmus arba bet kuriuo būdu įsiskverbia į bet kurią kūno dalį, ar manipuliuoja kokiais nors daiktais, įkištais į genitalines arba analines angas, jei tokius veiksmus atlieka su negyvu kito žmogaus kūnu".

Kai kurie anatomijos mokytojai mielai naudojosi visų laikų studentams būdingu polinkiu nuotykiauti naktimis: jie skatino savo mokinius rengti žygius į kapines ir aprūpinti mokyklą lavonais. Aštuonioliktame amžiuje kai kuriose Škotijos mokyklose viskas atrodė netgi kur kas oficialiau: mokestis už mokslą, kaip rašo Ruta Ričardson, mieliau buvo priimamas lavonais nei grynais pinigais.

Kiti mokytojai šitokiems gluminantiems žygiams ryždavosi patys. Tai buvo anaiptol ne kokie nors iš padugnių kilę šundaktariai. Nieko panašaus: jie buvo gerbiami profesijos atstovai. Kolonijų gydytojas Tomasas Sjuelis (Thomas Sevell), kuris galų gale tapo asmeniniu trijų JAV prezidentų gydytoju ir įkūrė tai, kas šiandien žinoma Džordžo Vašingtono Universitetinės medicinos mokyklos pavadinimu, 1818-aisiais buvo pripažintas kaltu dėl to, kad Ipsviče, Masačusetso valstijoje, skrodimui išsikasė jaunos moters lavoną.

Negalima nepaminėti ir tų anatomų, kurie kasinėti kapų samdydavo kitus. 1828-aisiais Londono anatomijos mokyklų poreikiai išaugo taip, kad per „skrodimo sezoną" darbo ikvaliai pakakdavo bene dešimčiai „visu etatu" dirbančių kūnų grobikų ir dar maždaug dviem šimtams atsitiktinių uždarbiautojų. (Anatomijos kursai būdavo rengiami tik nuo spalio iki gegužės, siekiant išvengti dvoko, be to, vasarą lavonai suirdavo žymiai greičiau.) Pasak Bendruomenių rūmų tų metų liudijimo, viena šutvė, kurią sudarė šeši ar septyni rausikai, kaip jie kad neretai būdavo vadinami, per metus iškasė mažiausiai 312 palaikų. Vadinasi, jų atlygis siekė maždaug 1000 dolerių per metus – nuo penkių iki dešimties kartų daugiau nei vidutiniškai uždirbdavo nekvalifikuotas darbininkas – ir tai dar neskaitant vasaros, kai rausikai nedirbdavo.

Savaime suprantama, kad šis darbas buvo nedoras ir bjaurus, tačiau, ko gero, vis dėlto anaiptol ne toks nemalonus, kaip galima pamanyti. Anatomai pageidaudavo lavonų tik šviežių, tad rimtesnių problemų dėl smarvės neiškildavo. Kūno grobikui anaiptol nereikėdavo atkasti viso kapo – visai pakakdavo išrausti duobę ties galvūgaliu. Po karsto dangčiu kišdavo laužtuvą, atplėšdavo ir pakeldavo per kokią pėdą. Bereikdavo prakišti virvę po negyvėlio kaklu ar pažastimis – ir ištraukti. Galiausiai rausikai sužerdavo atgal žemę, kurią kasdami būdavo kruopščiai supylę ant patiestos drobės – ir tvarka. Visa procedūra netrukdavo nė valandos.

Dauguma rausikų būdavo dirbę duobkasiais ar anatomijos laboratorijų asistentais – čia jie ir susidurdavo su rausikų šutvėmis, sužinodavo apie jų darbus. Susivilioję kur kas geresniu atlygiu ir ne tokiomis varžančiomis darbo valandomis, neretai spjaudavo į teisėtą darbą ir apsirūpindavo kastuvu bei maišu. Keletas epizodų, išrašytų iš anoniminio *Rausiko dienoraščio*, padės mums geriau įsivaizduoti, apie kokio plauko tipus kalbame.

Antradienis, 3 d. (1811-ųjų lapkritis). Patraukėm apsidairyt ir pargabenom Kastuvus iš Baltramiejaus... Mudu su Liokajum grįžom namo apspangę.

Antradienis, 10 d. Apspangę visą dieną. Naktį buvom išėję ir paėmėm 5 iš Banhilo. Džekas beveik gatavas.

Penktadienis, 27 d. Nuėjom į Arfas, paėmėm vieną didelį, nunešėm į Džeko namus. Džeko, Bilo ir Tomo su mumis nebuvo. Prisiliuobėm.

Gundausi tikėti, kad šitoks abejingas palaikų minėjimas lyg ir išduoda šiokį tokį autoriaus varžymąsi – kažin, ar jis didžiavosi savo veikla. Jis nė nebando aprašinėti, kaip jie atrodė, nesusimąsto ir apie apgailėtiną jų lemtį. Jis nė nebando priskirti numirėliams kokių nors kitų savybių – pamini nebent dydį ir lytį. Tiktai retsykiais kūnas nusipelno daiktavardžio (dažniausiai vadinamas „preke", kaip, pavyzdžiui, „prekė prasta", o tas reiškia, kad lavonas jau gerokai suiręs).

Vis dėlto toks lakoniškumas veikiausiai tik rodo autoriaus nenorą atsisėdus viską aprašyti nuosekliau. Vėlesniuose įrašuose jis net nesivargina rašyti „iltiniai dantys", apsiriboja santrumpa „ilt". (Kai „prekė prasta", rausikai išlupdavo bent „ilt" ir kitus dantis parduoti dantistams – protezams gaminti*, kad visas nakties žygis nenueitų šuniui ant uodegos.)

Kūnų grobikai buvo paprasčiausi niekšai, jų motyvas – tiesiog godumas. O kaipgi anatomai? Kas buvo tie gerbiami, anaiptol ne žemiausią padėtį visuomenėje užimantys žmonės, užsakinėjantys vagystes ir beveik viešai mėsinėjantys kieno nors velionę senelę? Bene garsiausias iš Londono chirurgų anatomų buvo seras Estlėjus Kuperis (Astley Cooper). Dėl akių Kuperis rausikus viešai smerkė, o iš tikrųjų ne tik mielai naudojosi jų paslaugomis, bet dar ir skatino to imtis savo paties pavaldinius. Tokie tad dalykėliai.

Kuperis atvirai pasisakė už lavonų skrodimą. „Tas, kuris neišmiklina rankos su negyvėliais, paskui siaubingai žaloja operuojamus gyvuosius", – toks buvo vienas populiariausių jo argumentų. Nors toks požiūris, ypač turint omenyje gana keblią medicinos mokyklų padėtį, buvo išties sveikintinas, vis dėlto bent truputis sąžinės būtų pravertęs ir Kuperiui. Jis buvo iš tų, kurie ne tik be menkiausių skrupulų mėsinėja nepažįstamų žmonių šeimos narius, bet ir su malonumu skrodžia pilvus buvusiems savo pacientams. Kuperis palaikė ryšius su savo operuotų pacientų šeimos gydytojais ir, kai tik išgirsdavo, kad vienas ar kitas toks ligonis iškeliavo Anapilin, tuoj pat užsakydavo rausikams atgabenti jo palaikus – norėjo savo akimis pamatyti, kaip pavyko toji operacija. Jis nešykštėdavo mokėti ir už kolegų mirusius pacientus, ypač jei žinodavo, kad ligonio anatominėje sandaroje būta

---

* Kažin, kaip devyniolikto amžiaus žmonės galėjo leisti, kad ištraukti lavonų dantys patektų jiems į burną? Kita vertus, dvidešimt pirmojo amžiaus žmonės lyg niekur nieko sutinka, kad lavonų audiniai būtų leidžiami jiems į veidą raukšlėms lyginti. Gal jie to nė nežino, o gal jiems paprasčiausiai nerūpi.

kokių retų iškrypimų ar jis miręs nuo kokios nors įdomios ligos. Kuperis buvo toks žmogus, kurio sveika aistra biologijai ilgainiui išsigimė ir virto kažkokiu makabrišku ekscentriškumu. Ataskaitoje apie lavonų grobimą *Prekės chirurgui* Hubertas Koulas (Hubert Cole) rašo, neva seras Estlėjus garsėjęs pomėgiu užrašyti vieno ar kito kolegos vardą ant kaulo atplaišos ir duodavęs laboratorijos šuniui tą kaulą praryti. Galiausiai, kai per skrodimą kaulą išimdavo, ant jo būdavo likęs ryškus bendradarbio vardo raižytinis atvaizdas, mat kaulą aplink raides išėsdavo šuns skrandžio rūgštys. Tokius daikčiukus Kuperis mėgdavęs dalyti kaip smagias dovanėles. Koulas nutyli, kaip reaguodavo tie, kurie gaudavo šitokias plokšteles su vardais, bet aš ryžčiaus lažintis, kad visi nėrėsi iš kailio besistengdami pademonstruoti, koks smagus jiems šis pokštas, ir laikydavo pasidėję dovanėles matomiausioje vietoje – bent jau tada, kai aplinkui sukiodavosi seras Estlėjus Kuperis. Mat seras Estlėjus Kuperis – toli gražu ne tas tipas, kurio apmaudą norėtum nusinešti su savimi į kapą. Kaip kad yra pasakęs jis pats: „Gauti aš galiu bet kurį".

Anatomai, reikia manyti, panašiai kaip ir rausikai, sėkmingai išmoko žiūrėti į negyvus žmonių kūnus labai daiktiškai – bent savo pačių sąmonėje. Jie ne tik laikė skrodimą ir anatomijos studijas visai svariu neleistinos ekshumacijos pateisinimu, bet ir nemanė, kad atkasti numirėliai yra būtybės, vertos nors šiokios tokios pagarbos. Jiems nė motais buvo tai, kad lavonai prie jų durų būdavo pristatomi, cituoju Rutą Ričardson: „sugrūsti į dėžes, supakuoti į pjuvenas... sukišti į maišus, suraišiotomis rankomis ir kojomis, tarsi koks kepimui paruoštas kumpis..." Su numirėliais buvo elgiamasi visai taip pat, kaip su bet kokiomis kitomis išnešiojamomis prekėmis; kitąsyk net pasitaikydavo dėžėms susipainioti. Džeimsas Mūresas Bolas (James Moores Ball), knygos *Į maišą juos, vyručiai*, autorius, pasakoja istoriją apie anatomą, kuris neteko amo, atidaręs pristatytą į laboratoriją dėžę: neabejojo rasiąs ten lavoną, o išvydo visai ką kita: „aukščiausios kokybės kumpį, didelį sūrį, krepšelį kiaušinių ir didžiulį kamuolį siūlų". Lieka tik pasitelkti vaizduotę ir paspėlioti, kaip išvertė akis ir gal patempė lūpas ta draugija, kuri buvo užsisakiusi aukščiausios kokybės kumpį, sūrį, kiaušinių ir didelį siūlų kamuolį, o gavo puikaus sudėjimo, tik, deja, visiškai negyvą anglų džentelmeną.

Absoliučia pagarbos stoka trenkė ne pats skrodimo procesas. Nepagarba numirėliams labiausiai pasireikšdavo pačioje atmosferoje, primenančioje gatvės teatro derinį su skerdykla. Tomaso Roulandsono (Thomas Rowlandson) ir Viljamo Hogarto (William Hogarth) raižiniuose, vaizduojančiuose aštuonioliktojo amžiaus ir devynioliktojo pradžios skrodimo patalpas, matome nuo skrodimo stalų kadaruojančius tarsi šventinių kaspinų girliandas lavonų vidurius, virimo puoduose kunkuliuojančias kaukoles, ant grindų ištaršytus vidaus organus ir jais smaguriaujančius šunis. O fone – minia išsižiojusių, gašliai vypsančių žioplių. Tiesa, menininkai tikriausiai pateikdavo vien tik savo pačių požiūrį į skrodimo procesą, tačiau rašytiniai šaltiniai liudija, kad graviūrose perteiktieji vaizdai ne taip jau ir toli nuo tiesos. Štai kad ir kompozitoriaus Hektoro Berliozo (Hector Berlioz) *Memuaruose* vienas 1822-ųjų įrašas gana įtikinamai paaiškina, kodėl Berliozas galų gale nusprendė siekti muziko, o ne mediko karjeros:

Robertas... pirmą kartą nusivedė mane į skrodimo patalpą. Kai tik išvydau tą šiurpų laidojimo rūsį – rankų ir kojų dalis, išsišiepusias galvas, vypsančias kaukoles, kruviną klampynę po kojomis, kai užuodžiau baisią jos skleidžiamą smarvę, kai pamačiau pulkus žvirblių, besipešančių dėl plaučių liekanų, ir kampe susispietusias žiurkes, dorojančias kruvinus stuburo slankstelius – kai visa tai išvydau, mane apėmė toks klaikus pasišlykštėjimas, kad tučtuojau šokau pro skrodimo patalpos langą ir nukūriau namo taip, tarsi mane vytųsi pati Mirtis su visais savo kraupiais parankiniais.

Savo ruožtu ir aš galėčiau lažintis iš aukščiausios rūšies kumpio ir didžiulio siūlų kamuolio, kad nė vienas tos epochos anatomas nesivargino surengti laidotuvių apeigų atlikusiems po skrodimo mėsgaliams. Žinom, lavonų liekanas užkasdavo, bet toli gražu ne iš pagarbos – tiesiog nebūdavo kitos išeities. Pakasamos jos būdavo paskubomis, visuomet – naktį, dažniausiai – čia pat, už namo.

Siekdami atsikratyti ne itin malonių kvapų, neišvengiamai pasklindančių aplink seklius kapus, anatomai išties neprilygstamai kūrybiškai spręsdavo kūno likučių problemą. Be paliovos sklandė gandai, esą jie palaiko itin glaudžius ryšius su Londono žvėrynų savininkais. Kiti šiam reikalui neva visuomet po ranka turėdavę vieną kitą maitvanagį, tačiau, jei galima tikėti Berliozo liudijimu, tai su tokia užduotimi susidorodavo ir patys kasdieniškiausi žvirbliai. Ričardson atkapstė užuominų, kad kai kurie anatomai virindavę žmonių kaulus ir riebalus tol, kol šie virsdavę „panašia į spermacetą substancija". Iš jos gamindavę žvakes ir muilą. Nežinia, ar anatomai naudodavo šiuos gaminius patys, ar kam nors padovanodavo, tačiau turint omenyje ir juos, ir skrandžio rūgštimis išėsdintas plokšteles su vardais, galima drąsiai tvirtinti, kad anatomo kalėdinių dovanų sąraše atsidurti tikrai nesinorėtų.

Tai tokios tokelės. Beveik ištisą šimtmetį teisėtai skrodimui prieinamų kūnų stygius vis labiau kiršino anatomus ir paprastus piliečius. Apskritai paėmus, labiausiai nukentėjusiųjų kailyje atsidūrė vargetos. Mat, laikui bėgant, apsukrūs verteivos prigalvodavo vis daugiau priemonių gintis nuo rausikų, bet įpirkti tam skirtus daiktus ar paslaugas galėjo tik aukštesniosios klasės atstovai. Pamažu atsirado geležiniai narvai, vadinamieji lavonseifiai, kuriuos su patalpintu karstu buvo galima įmūryti į betono plokštę, paklotą kapo dugne arba užklotą ant viršaus. Škotijoje bažnyčia pasirūpino statyti kapinėse koplyčias – rakinamus „mirusiųjų namus", kuriuose kūnas laikomas tol, kol organai ir audiniai suyra, kad anatomai nebegalėtų jais pasinaudoti.

Galima buvo įsigyti patentuotų karstų su spyruokliniais dangčiais, taip pat – su specialiomis geležinėmis juostomis lavonui tvirtinti, dvigubų, netgi trigubų karstų. Nieko nuostabaus, kad geriausi tokių verteivų klientai buvo ir patys anatomai. Ričardson pasakoja, kad seras Estlėjus Kuperis sau ne tik išsirinkęs trigubą karstą, bet dar ir užsisakęs kiniškos dėžutės principu veikiantį įrenginį, įmontuotą į įspūdingų gabaritų akmeninį sarkofagą.

Edinburgo anatomas Robertas Noksas (Robert Knox) išprovokavo lemtingą anatomijos ryšių su visuomene klaidą – nebylųjį pritarimą žmogžudystei medicinos reikmėms. 1828-aisiais vienas Nokso asistentų atidarė duris – ir išvydo kieme trypčiojančią porelę nepažįstamų tipų, prie jų kojų tysojo lavonas. Tų laikų anatomams toks įvykis nebuvo didelė staigmena, tad Noksas pakvietė atvykėlius vidun. Gal net pavaišino juos arbata, kas ten žino. Noksas, kaip ir Estlėjus, buvo kilęs iš aukštesniojo visuomenės sluoksnio. Nors tuodviejų vyrukų – Viljamo Berko ir Viljamo Hero – ir nepažinojo, vis dėlto nesispyriodamas nupirko lavoną ir net nesuabejojo paaiškinimu, neva kūną sutikę parduoti velionio giminaičiai, nors tai, turint omeny visuomenės pasibjaurėjimą skrodimais, ir nelabai buvo tikėtina.

Kaip paaiškėjo vėliau, velionis nuomojo kambarėlį Herui ir jo žmonai priklausančiame pensione Edinburgo lindynių kvartale, vadinamajame Kailiadirbių akligatvyje. Nelaimėlis numirė vienoje iš Hero lovų, taigi, kaip negyvėlis, nebeišgalėjo ir susimokėti už pensione praleistas naktis. Heras toli gražu nebuvo iš tų, kurie lengva ranka numoja į skolas, tad galų gale surado, jo paties manymu, visiškai sąžiningą sprendimą: juodu su Berku nutemps lavoną į Chirurgų aikštę – vienam iš tų anatomų, apie kuriuos teko nemažai girdėti. Ir ten kūną parduos, šitaip kilniaširdiškai suteikdamas nuomininkui progą po mirties atsiskaityti už tai, už ką liko skolingas būdamas gyvas.

Berkas su Heru, patyrę, kiek pinigėlio galima susižerti pardavinėjant lavonus, ėmėsi kurti planus, kaip dar prasimanius negyvėlių. Po kelių savaičių vienas Hero landynėje įsikūręs beviltiškas girtuoklėlis sunkiai susirgo, jį užkamavo karštis. Nutarę, kad bėdulis ir šiaip jau pakeliui į lavonus, vyrukai nusprendė reikalus kiek paspartinti. Heras užspaudė veidą pagalve, o Berkas užgulė visu savo nemenku svoriu. Noksas ničnieko neklausinėjo, maža to, paragino porelę netrukus apsilankyti vėl. Taip jie ir padarė – bene penkiolika kartų. Abu buvo tikriausiai pernelyg buki suvokti, kad tuos pačius pinigus galima užsidirbti atkasinėjant jau mirusių sava mirtimi kapus, arba pernelyg aptingę, kad šitaip vargintųsi.

Tiesa, visa serija Berko ir Hero stiliaus žmogžudysčių įvyko ir mūsų laikais, vos prieš dešimt metų – Barankiloje, Kolumbijoje. Bylos centre atsidūrė atliekų rausėjas Oskaras Rafaelis Ernandesas. Jis 1992-ųjų kovo mėnesį vos išliko gyvas, pasikėsinus jį nužudyti ir parduoti lavoną vietinei medicinos mokyklai anatomijos laboratoriniams darbams*. Kaip ir beveik visoje Kolumbijoje, Barankiloje nėra organizuoto šiukšlių perdirbimo, tad šimtai miesto vargetų pragyvena rausdamiesi šiukšlėse – ieškodami perdirbimui tinkamų antrinių žaliavų, kurias įmanoma parduoti. Šitokie žmonės niekinami taip, kad – drauge su kitais visuomenės atstumtaisiais, tokiais kaip prostitutės ar benamiai gatvės vaikai – neretai laikomi tiesiog „nereikalingais"; dešiniojo sparno „socialinio valymo" būriai tokius kitąsyk paprasčiausiai žudo. Istorija byloja, kad nutiko štai kas: apsauginiai

---

* Vertėjo padedama, suradau Oskaro Rafaelio Ernandeso, gyvenančio Barankiloje, telefono numerį. Paskambinau. Atsiliepė moteris ir pasakė, kad Oskaro nesą namie. Tada mano vertėjas ryžosi durti pirštu į dangų: paklausė, ar čia bus tas pats Oskaras, šiukšlių rinkėjas, kurio vos nenugalabijo galvažudžiai, pasigviešę parduoti jo kūną medicinos mokyklai skrodimui. Iš ragelio pasipylė žodžių kruša ispaniškai; vertėjas perdavė man tik santrauką: „Visai ne tas Oskaras Rafaelis Ernandesas".

iš *Universidad Libre* paklausė Ernandeso, ar jis nenorėtų susirinkti šiukšlių iš studentų miestelio teritorijos, o kai tik jis atvyko, gerai kaukštelėjo jam per galvą. *Los Angeles Times* pasakoja, kad Ernandesas atsipeikėjęs formaldehido rezervuare su trisdešimčia lavonų – ši abejotina, nors labai išraiškinga detalė kituose įvykio aprašymuose buvo praleista. Šiaip ar taip, Ernandesas sugebėjo atsigaivelioti ir išnešti sveiką kailį, todėl ir papasakojo.

Aktyvistas Chuanas Pablas Ordonjesas ėmėsi tirti šią bylą ir galiausiai paskelbė, kad Ernandesas vos netapo vienu iš mažų mažiausiai keturiolikos Barankilos vargetų, nužudytų medicininiais tikslais – jų neišgelbėjo net veikianti savanoriškos kūnų donorystės programa. Pasak Ordonjeso pranešimo, nacionalinė policija, realizuodama kūnus, kuriuos surinkdavo savo pačių vykdomu „socialiniu valymu", už kiekvieną prašydavo iš universiteto iždo150 dolerių. Netiesiogiai užčiuopę nešvarų reikalą universiteto apsaugos darbuotojai buvo sukelti ant kojų ir nutarė imtis veikti patys. Pradėjus tyrimą, anatomijos saugyklose buvo aptikta bent penkiasdešimt neaiškios kilmės užkonservuotų kūnų ir jų dalių. Iki pat šiol nė vienas asmuo nesuimtas – nei universitete, nei policijoje.

Grįžtant prie Viljamo Berko, reikia pridurti, kad teisingumo jis galų gale susilaukė. Jo pakorimą stebėjo per dvidešimt penki tūkstančiai žmonių. O Hero buvo pasigailėta. Tuo didžiai pasipiktino aplink kartuves susispietusi minia. Žmonės visa gerkle šaukė: „Užberkinti Herą!", turėdami omeny „uždusinti". Žodis „berkinti" nuo „Berkas (Burke)" šitaip prasiskynė kelią į šnekamąją anglų kalbą kaip žodžio „uždusinti" sinonimas. Reikia manyti, Hero indėlis dusinant aukas buvo ne mažesnis nei Berko, tačiau pasakymas, tarkime „ją užherino" gerokai stokoja to ausiai malonaus makiaveliško skardumo – „ją užberkino", tad nežymus nukrypimas nuo formalios tiesos tikrai atleistinas.

Neapsieita ir be žaismingos poetinio teisingumo apraiškos: laikantis tuomečio įstatymo, Berko kūnas po mirties buvo skrodžiamas.

Kadangi paskaitõs, kurios vaizdine priemone jis tapo, tema buvo žmogaus smegenys, atrodo, menkai tikėtina, kad buvo atvertas visas kūnas ir išmėsinėti vidaus organai; vis dėlto gali būti, kad, jau po paskaitos, buvo padaryta ir tai – minios pasitenkinimui. Kitą dieną laboratorija buvo atidaryta visiems norintiesiems, ir joje apsilankė bene trisdešimt tūkstančių kerštingai nusiteikusių žioplių. Teisėjo nuosprendžiu išskrostas lavonas buvo išgabentas į Edinburgo Karališkąjį chirurgų koledžą ir iš jo kaulų sumontuoti griaučiai – ten jie tebegyvuoja iki pat šių dienų drauge su keliomis sulenkiamomis piniginėmis, pagamintomis iš Berko odos.*

Nors Noksas taip ir nebuvo oficialiai apkaltintas prisidėjęs prie žmogžudysčių, vis dėlto, visuomenės nuomone, bent dalis atsakomybės už šiuos nusikaltimus neabejotinai tenka jam. Jam kūnai buvo pristatomi šviežutėliai, vienam – nupjauta galva ir pėdos, kitiems iš nosies ar ausų sunkėsi kraujas – visa tai Noksui tikrai turėjo sukelti aibę klausimų. O anatomas akivaizdžiai numojo ranka. Dar labiau reputaciją Noksas susiteršė laboratorijoje užkonservavęs vieną iš dailiausių Berko ir Hero pristatytų – prostitutės Merės Peterson – lavonų skaidraus stiklo talpoje, pripildytoje alkoholio.

Kai įstatyminė kvota, pamėginus nustatyti Nokso vaidmenį nusikaltime, galų gale nesibaigė jokiais oficialiais kaltinimais gydytojui,

---

* Šyna Džouns, koledžo sekretorė, kuri papasakojo man apie piniginę ir pavadino ją amerikietišku žodžiu, kartu reiškiančiu ir rankinę – o dėl šito, dar kiek, ir būčiau parašiusi, kad iš Berko kailio buvo siuvamos rankinės damoms, – pasakė, kad piniginę koledžui paaukojo toks Džordžas Čienas, nūnai jau miręs. Ponia Džouns nežinojo nei kas piniginę pasiuvo, nei kas buvo pirmasis jos savininkas, taip pat nežinojo, ar ponas Čienas kada nors laikė joje pinigus, tik atkreipė dėmesį, kad iš pažiūros ta piniginė niekuo nesiskiria nuo bet kurios kitos sulenkiamos piniginės iš rudos odos – „nė manyt nepamanytum, kad ji – iš žmogaus".

kitą dieną susirinko gausi minia su lėle – Nokso atvaizdu. (Kadangi iškamša, matyt, nelabai tepriminė žmogų, kuris turėtas omenyje, susirinkusieji jautė pareigą paaiškinti: „Noksas – liūdnai pagarsėjusio Hero bendras" – bylojo plakatas lėlei ant nugaros.) Nokso iškamša nukeliavo su minia per visą miestą iki pat tikrojo Nokso namų ir buvo pakarta ant medžio, paskui nukabinta ir – labai prasmingai – suplėšyta į skutelius.

Parlamentas galų gale susiprato, kad anatomijos problema – iš tikrųjų rimta, kad padėtis jau visai nebegera, ir buvo priverstas paskubomis priimti keletą naujų sprendimų. Kol parlamentarai diskutavo, iš kur gauti kūnų skrodimams – daugiausia buvo siūloma tam reikalui pasinaudoti negyvėliais, neatsiimtais iš ligoninių, kalėjimų, skurdžių prieglaudų – kai kurie gydytojai pakišo gana įdomią mintį: ar iš tikrųjų taip jau neišvengiama mėsinėti žmogaus kūną? O gal įmanoma mokytis anatomijos iš modelių, piešinių, užkonservuotų per skrodimą paimtų pavyzdžių?

Istorijoje tikrai būta atvejų, kai atsakymas į klausimą „Ar taip jau neišvengiama skrosti žmogaus kūną?" galėjo būti tik vienareikšmis „taip". Pateiksime keletą pavyzdžių, kas gali nutikti, kai bandoma išsiaiškinti žmogaus organizmo funkcionavimą taip ir neatvėrus vidaus organų. Senovės Kinijoje Konfucijaus doktrina skelbė, neva skrodimas esąs žmogaus kūno išniekinimas, ir jį draudė. Dėl to patyrė nemaža problemų kinų Medicinos Tėvas Huangui Ti. Jis maždaug 2600 metais prieš Kristų pasiryžo parašyti solidų medicininį ir anatominį traktatą (*Nei Ch'ing*, arba *Medicinos kanoną*). Toliau pateikiama pastraipa (pacituota *Ankstyvojoje žmogaus anatomijos istorijoje*) akivaizdžiai byloja, kad vietomis Huangas Ti, nors ir ne dėl savo kaltės, gana akivaizdžiai bandė improvizuoti:

Širdis yra karalius, valdantis visus kūno organus; plaučiai – jo ministrai, vykdantys karaliaus įsakymus; kepenys – prižiūrėtojas, palaikantis tvarką, o tulžies pūslė – jo įgaliotinis... blužnis – ekonomas, atsakingas už penkis pojūčius. Dar esama trijų deginimo sričių: tai krūtinės ląsta, pilvas ir dubuo – visi drauge jie sudaro organizmo kanalizacijos sistemą.

Huango Ti garbei reikia pripažinti, kad nors visai nemėsinėjęs lavono, jis vis dėlto sugebėjo išsiaiškinti, kad „kraujo tekėjimą kūne tvarko širdis" ir kad „kraujas teka uždaru ratu ir niekada nesustoja". Kitais žodžiais tariant, jis išsamprotavo tai, ką tik po keturių tūkstančių metų atrado Viljamas Harvis (William Harvey), ir išsamprotavo visai neskrodęs savo artimųjų.

Romos imperijoje taip pat galime rasti iškalbingą pavyzdį, kas gali ištikti mediciną, kai valdžia raukosi vien nuo minties apie lavonų skrodimą. Galenas – vienas iš labiausiai istorijoje gerbiamų anatomų, kurio tekstams daugelį šimtmečių niekas negalėjo prilygti – nebuvo skrodęs nė vieno lavono. Tiesa, jis dirbo gladiatorių chirurgu, tad jam neretai pasitaikydavo progų, kad ir pro plyšelį, užmesti akį į tai, kas dedasi žmogaus organizme: pro žiojinčias pjautines, kalavijo paliktas žaizdas ar plėštines, iškabintas liūtų nagų. Be to, jis išskrodė nemaža gyvūnų – pirmenybę teikė beždžionėms, nes jas laikė anatomiškai identiškomis žmonėms – ypač tas, kurios turėjo apskritus snukius. Didysis Renesanso anatomas Andrėjas Vezalijus (Andreas Vesalius) vėliau nurodė, kad tarp žmonių ir beždžionių esama net dviejų šimtų anatominių vien tik kaulų struktūros skirtumų. (Kad ir kokie būtų Galeno, kaip lyginamosios anatomijos specialisto, trūkumai, vis dėlto jis nusipelno pagarbos vien jau už apsukrumą, nes gauti beždžionių tais laikais Romoje tikriausiai nebuvo taip paprasta.) Daug ką Galenas nustatė teisingai, bet nemažai ir pridarė klaidų. Jo piešiniuose aptinkame ir penkiaskilčių kepenų, ir širdžių su trimis skilveliais.

Kalbant apie žmogaus anatomiją, panašiose ūkanose plūduriavo ir senovės graikai. Hipokratui, panašiai kaip Galenui, visai neteko skrosti lavono – skrodimą jis vadino „nemaloniu, jei nepasakius – žiauriu dalyku". Pasak knygos *Ankstyvoji žmogaus anatomijos istorija*, Hipokratas sausgysles laikė „nervais" ir manė, kad žmogaus smegenys yra gleivės išskirianti liauka. Nors gerokai nustebau – vis dėlto kalbame ne apie ką kitą, o apie Medicinos Tėvą, – vis dėlto nesiryžau tokia informacija suabejoti. Juk neabejosi žodžiais tokio autoriaus, kuris tituliniame puslapyje pristatomas šitaip: „T. V. N. Perso, medicinos daktaras, filosofijos daktaras, tiksliųjų mokslų daktaras, Karališkojo patologijos koledžo bendradarbis (Londonas), Airijos karališkojo medicinos universiteto Patologų fakulteto bendradarbis, Amerikos akušerių ir ginekologų koledžo bendradarbis". Ką gali žinoti, galbūt istorija ir suklydo, jei titulavo Medicinos Tėvu Hipokratą. Galbūt tikrasis Medicinos Tėvas yra T. V. N. Perso?

Kažin ar galima vadinti sutapimu tai, kad žmogus, kurio indėlis į žmogaus anatomijos tyrinėjimus neabejotinai laikytinas didžiausiu – tai yra belgas Andrėjas Vezalijus, – buvo aršus skrodimų, kaip priemonės pažinti anatomiją (viską daryk savo rankomis ir nebijok išsipurvinti prašmatnių renesansiškų marškinių!), propaguotojas. Nors žmogaus kūno skrodimas Renesanso epochoje tapo įteisinta anatomijos studijų praktika, vis dėlto dauguma dėstytojų kaip išmanydami vengė to imtis patys – jiems kur kas labiau patikdavo skaityti paskaitas sėdint aukštoje kėdėje švarioje ir tvarkingoje auditorijoje, toli nuo paties lavono, ir rodant kūno sandaros detales medine lazdele. Pjaustydavo samdyto talkininko ranka. Vezalijus šitokiai praktikai griežtai nepritarė ir pernelyg nesikuklino su žodžiais. Pasak Č. D. O'Maljo parašytos biografijos, Vezalijus šitokius dėstytojus lyginęs su „kuosomis, patogiai tupinčiomis ant savo aukštų laktų; su neįtikėtina arogancija jie karkia apie visus tuos dalykus, kurių savo akimis nė matyti nematė, tik iškalė atmintinai iš kitų parašytų knygų. Šitaip visko mokoma neteisingai... ir sugaištamos ištisos dienos, atsakinėjant į paikus klausimus".

Pats Vezalijus buvo toks skrodikas, kuriam lygių nebūta per visą istoriją. Tas žmogus skatino savo studentus „pietums valgant bet kokią mėsą atkreipti dėmesį į gyvulio sausgysles". Studijuodamas mediciną Belgijoje, jis skrosdavo mirties bausme nuteistųjų palaikus ir dargi nepasidrovėdavo pats jų nusikabinti nuo kartuvių.

Vezalijus sukūrė gausybę itin detalių anatomijos plakatų su aiškinamaisiais užrašais; juos jis vadino *De Humani Corporis Fabrica* – tai užvis labiausiai gerbiama anatomijos knyga per visą istoriją. Taigi dabar jau iškyla kiek kitoks klausimas: tokiems kaip Vezalijus daugmaž tiksliai išnagrinėjus pagrindus, ar bereikia kiekvienam anatomijos studentui vėl traukti į prozektoriumą ir tyrinėti žmogaus kūno sandarą pačiam? Galbūt anatomijos mokymui visiškai pakaktų modelių iš užkonservuotų kūno dalių? Galbūt bendrosios anatomijos laboratorijose tik iš naujo išradinėjamas dviratis? Tokie klausimai buvo ypač aktualūs Nokso laikais, turint omenyje būdus gauti lavonų, tačiau ir mūsų dienomis jie vis dar neprarado aktualumo.

Paklausiau apie tai Hugo Patersono ir sužinojau, kad viso lavono skrodimas kai kuriose medicinos mokyklose iš tiesų išbrauktas iš programos. Tiesą sakant, tas bendrosios anatomijos kursas, kurio liudininke buvau Kalifornijos universitete San Franciske, jau paskutinis, kai studentai vis dar tebeskrodžia visą lavoną. Numatyta, kad nuo kito semestro jie tyrinės jau tik prozekcijas – atskiras užkonservuotas kūno dalis, specialiai supjaustytas ir paruoštas taip, kad aiškiai atsiskleistų svarbiausios anatomijos detalės ir sistemos. Savo ruožtu Kolorado universitete Žmogaus imitacijos centras kuria programas apmokyti anatomijos skaitmeniniu būdu. 1993-aisiais užšaldė lavoną ir suraikė milimetro storio skerspjūviais. Kiekvieną jų nufotografavo – iš viso išėjo 1871 nuotrauka. Visas apdorojus, ekrane buvo gautas sukiojamas trijų matmenų žmogaus kūno ir visų jo dalių atvaizdas – tarytum savotiškas lėktuvo kabinos imitatorius anatomijos ir chirurgijos studentams.

Pokyčiai anatomijos mokyme niekaip nesusiję nei su lavonų stoka, nei su visuomenės nuomone apie skrodimą. Jie susiję tik su laiko stygiumi. Nepaisant visų protu sunkiai aprėpiamų praėjusio šimtmečio medicinos laimėjimų, mokomąją medžiagą tenka perteikti per tokį pat metų kiekį. Pakanka pasakyti tiek, kad skrodimui laiko lieka kur kas mažiau, nei jo turėta Estlėjaus Kuperio laikais.

Paklausiau Patersono bendrosios anatomijos laboratorijos studentų, kaip jie jaustųsi, jei neturėtų galimybės skrosti. Nors kai kurie ir tvirtino, esą jaustųsi apgauti – mat patirtis skrodžiant lavoną bendrosios anatomijos laboratorijoje buvo laikoma savotišku ritualu, įšventinimu į gydytojų luomą – vis dėlto daugelis pasisakė už naująjį sumanymą.

– Pasitaikydavo tokių dienų, – sakė vienas, – kai staiga tarsi kažkas spragtelėdavo – ir aš suprasdavau kai ką tokio, ko niekaip nebūčiau perpratęs iš knygų. Tačiau buvo ir kitokių dienų – ir labai daug – kai praleidęs čia dvi valandas, jausdavausi tik praradęs laiko.

Vis dėlto bendrosios anatomijos laboratorijoje išmokstama ne vien anatomijos. Čia tiesiogiai susiduriama ir su mirtimi. Bendrosios anatomijos pratybos suteikia studentui, būsimajam medikui, patirties: dažniausiai ji ar jis pirmą kartą gauna progą pamatyti negyvą kūną iš taip arti. Dėl to ilgai buvo manoma, kad toks etapas būsimojo gydytojo apmokymuose – būtinas, gyvybiškai svarbus. Vis dėlto – kaip paaiškėjo ne taip jau seniai – čia studentai išmokdavo anaiptol ne pagarbos ir jautrumo, o išsiugdydavo kaip tik priešingų jausmų. Tradicinė bendrosios anatomijos laboratorija, studentui susidūrus su negyvėliais, neišvengiamai turėdavo griebtis to „mokymo plaukti" metodo, kai mokinys tiesiog „įmetamas į vandenį": arba išsikapstysi, arba nuskęsi. Mokydamiesi susidoroti su skiriamomis užduotimis, medicinos studentai pirmiausia turėdavo rasti priemonių kaip nors užgniaužti bet kokį jautrumą. Jie greitai išmokdavo lavoną „sudaiktinti" – galvoti apie mirusįjį kaip apie kūno dalis ir audinius, o jokiu būdu ne kaip apie žmogų, dar neseniai gyvenusį. Bet kokie pasišaipymai iš lavono buvo toleruojami, į tokius dalykus žiūrėta pro pirštus. „Dar visai neseniai, kaip sako Vanderbilto universiteto medicininės anatomijos programos direktorius Artas Deilis, studentai buvo mokomi užgniaužti bet kokį jautrumą, tapti savotiškomis kopijavimo mašinomis."

Šiuolaikiniai dėstytojai mano, kad galima kur kas geriau, net ir labiau tiesiogiai supažindinti su mirtimi, negu tik įbrukti studentui skalpelį ir paskirti lavoną. Patersono anatomijos kurso programoje Kalifornijos universitete San Franciske, beje, kaip ir daugelyje kitų, dalis laiko, sutaupyto atsisakius viso lavono skrodimo, bus skirta specialioms paskaitoms apie mirtį ir mirimą. Jeigu jau būtinai reikia pašalinio asmens supažindinti studentams su mirtimi, tai koks nors nepagydomai sergantis slaugos ligoninės pacientas ar psichologas konsultantas, be jokios abejonės, pasiūlyti gali nė kiek ne mažiau nei numirėlis.

Jeigu šitokia tendencija išsilaikys ir toliau, medicina gali sulaukti to, kas prieš du šimtmečius buvo visiškai neįsivaizduojama: lavonų pertekliaus. Nuostabu, kaip sparčiai ir esmingai pasikeitė viešoji nuomonė apie skrodimą ir kūno donorystę. Paklausiau Arto Deilio, kas galėjo nulemti tokius pokyčius. Jis išdėstė visą veiksnių kombinaciją. Septintajame dešimtmetyje atlikta pirmoji širdies persodinimo operacija, be to, išleistas Visuotinis anatominio dovanojimo aktas – ir viena, ir kita paskatino suvokimą, kad transplantacijai reikalingi organai, o sutikimas paaukoti kūną – vienas iš variantų jų gauti. Be to, pasak Deilio, daugmaž tuo pat metu smarkiai išaugo laidotuvių išlaidos. To pasekmė – Džesikos Mitford (Jessica Mitford) *Amerikietiško būdo mirti* – kandaus viešo laidojimo industrijos demaskavimo – publikacija ir staigiai išpopuliarėjusi kremacija. Taigi kūno paaukojimas mokslui daugeliui ėmė atrodyti kaip dar viena priimtina – ir, šiuo atveju, altruistiška – alternatyva įprastam laidojimui.

Prie visų šių veiksnių aš dar pridurčiau ir mokslo populiarini-
mą. Vidutiniam statistiniam piliečiui ėmus labiau išmanyti biologiją,
mano nuomone, kartu gerokai nublanko ir mirties bei laidojimo
romantika – tasai įsišaknijęs lavono laikymas kažkokia palaiminga
esybe, egzistuojančia geresniame, aksomo ir choralų, pasaulyje. Tvar-
kingai sušukuotam, dailiai aprengtam beveik žmogui neva tiesiog
patinka ramiai miegoti po žeme. Devynioliktojo amžiaus žmonės,
atrodo, manė, kad palaidotojo laukia ne tokia šiurpi lemtis kaip to,
kurio kūnas išskrodžiamas. Bet, kaip įsitikinsime netrukus, ko gero,
yra visai ne taip.

3

GYVENIMAS PO MIRTIES

Apie žmogaus kūno irimą
ir ką čia galima nuveikti

Už Tenesio universiteto medicinos centro teritorijos dunkso pa-
traukli miškinga kalvelė; karijų medžiuose čia šokinėja voveraitės,
čiulba paukščiukai, o vešlia žole užželusiose laukymėlėse aukštiel-
ninki tyso žmonės: kartais saulėkaitoje, o kartais – šešėlyje, ten, kur
juos paguldo tyrinėtojai.

Šis malonus akiai Noksvilio kalvos šlaitas yra lauko tyrinėjimų
bazė – vienintelė tokia pasaulyje, skirta studijuoti žmogaus kūno
irimui. Žmonės, aukštielninki tysantys saulėkaitoje, – negyvi. Tie
lavonai, paaukoti kūnai, nebyliuoju būdu – kvapu – padeda tobulinti
patologinės medicinos mokslą, reikalingą teismo ekspertizėms. Mat
kuo daugiau žinai apie tai, kaip irsta negyvas kūnas – apie biolo-
ginius ir cheminius irimo etapus, apie tai, kiek trunka kiekvienas
etapas, kaip etapus veikia aplinka – tuo geriau sugebi perprasti, kada
kokį nors kūną apleido gyvybė, kitais žodžiais tariant, gali nustatyti
dieną ir net apytikslį paros metą, kada žmogus buvo nužudytas. Jei
nužudytojo kūnas aptinkamas greitai, policijos darbuotojai mirties
laiką nustato gana tiksliai. Per pirmąsias dvidešimt keturias valandas
tam smarkiai praverčia kalio lygis akių gelyje, taip pat *algor mor-
tis* – negyvo kūno vėsimas; jei tik lavonas neatsiduria itin aukštoje
ar itin žemoje temperatūroje, kūno temperatūra krinta maždaug

po 0,8 laipsnio pagal Celsijaus skalę per valandą, kol susilygina su aplinkos temperatūra. (*Rigor mortis* – kūno stingimo – lygis kinta ne taip tolygiai: prasidėjęs praslinkus kelioms valandoms po mirties, paprastai – galvos ir kaklo zonose, stingimas slenka kūnu žemyn, visas procesas gali užtrukti nuo dešimties iki keturiasdešimt aštuonių valandų.)

Jeigu kūnas išbuvo negyvas ilgiau nei tris paras, kriminalistams atsakymų tenka ieškoti pasitelkus entomologinius požymius (pavyzdžiui, kokio amžiaus yra įsiveisusios lavone musių lervos?) ir orientuotis pagal irimo stadijas. O irimo tempas labai priklauso nuo aplinkos ir situacijos veiksnių. Kokios galėjo būti oro sąlygos? Ar lavonas buvo užkastas? Jei taip, tai kokioje terpėje? Siekiant geriau perprasti visų šių veiksnių poveikį, Tenesio universiteto (TU) Antropologinių tyrinėjimų bazė (štai koks prėskas, nieko nepasakantis pavadinimas prilipintas šiai įstaigai) užkasinėja lavonus sekliuose kapuose, mūrija į betoną, laiko automobilio bagažinėje, meta į tvenkinį, vynioja į polietileną. TU tyrinėtojai stengiasi atkartoti bemaž viską, ką tik galėtų prasimanyti žudikas, besistengdamas atsikratyti negyvėlio.

Norint suprasti, kaip aplinkybės veikia irimo laiką, būtina gerai žinoti kontrolinį variantą: kaip žmogaus kūnas irtų be jokių papildomų veiksnių. Kaip tik dėl to dabar ir esu čia. Štai ką noriu sužinoti: jeigu leidi gamtai veikti savo nuožiūra, kaip iš tikrųjų ji veikia?

Mano vedlys į šį žmogaus skaidymosi pasaulį – kantrus, draugiškas vyriškis Arpadas Vasas (Arpad Vass). Jis daugiau nei dešimtmetį studijavo žmogaus kūno irimo paslaptis. Vasas – TU teismo antropologijos profesorius adjunktas ir netoliese esančios Oukridžo nacionalinės laboratorijos vyresnysis mokslinis bendradarbis. Vienas Arpado projektų buvo išplėtoti tikslaus mirties laiko nustatymo metodą, analizuojant audinių, paimtų iš aukos vidaus organų, pavyzdžius ir lyginant kelių dešimčių skirtingų, nuo laiko priklausančių irimo chemikalų kiekius. Paskui šie susisteminti irimo chemikalų duomenys sulyginami su tipiškais kiekvienam konkrečiam organui kiekvienai po mirties praslenkančiai valandai. Per bandymus, taikant Arpado metodą, mirties laiką pavyko nustatyti dvylikos valandų tikslumu.

Pavyzdžius, kuriais naudojosi nustatydamas įvairių cheminių elementų suirimo laiką, Arpadas gavo iš kūnų, laikomų tyrinėjimų bazėje. Aštuoniolika kūnų, iš viso – maždaug septyni šimtai pavyzdžių. Užduotis sunkiai apsakoma, ypač vėlyvaisiais irimo etapais, ypač tyrinėjant kai kuriuos organus.

– Norėdami prisikasti iki kepenų, kūnus turėdavome apversti, – prisimena Arpadas.

Smegenų pavyzdžių jis paimdavo zondu, kišamu pro akies obuolį. Įdomiausia, kad ne šitai Arpadui gumulu įstringa gerklėje, prisimenant darbą. – Kartą, praėjusią vasarą, – kliūvančiu liežuviu prisipažįsta jis, – aš *įkvėpiau* musę. Jutau, kaip ji zvimbdama slysta gerkle žemyn.

Paklausiau Arpado, ką reiškia žmogui dirbti šitokį darbą.

– Ką turite omeny? – klausimu atsakė jis. – Ar norite, kad smulkiai nupasakočiau, kas dedasi mano smegenyse tuo metu, kai pjaustau kepenis, o ant manęs gausiai žyra lervos ir iš vidurių trykšta skysčiai? – Kažko panašaus aš ir norėjau, bet prikandau liežuvį. Arpadas tęsė: – Tiesą sakant, aš stengiuosi negalvoti. Stengiuosi visą dėmesį sutelkti į savo darbo vertę. Tada visas šis groteskas tampa nebe toks aštrus.

Jo jau seniai nebetrikdo tokie dalykai kaip pavyzdžių žmogiškumas. Tačiau anksčiau trikdydavo. Kūnus jis pasiguldydavo kniūbščius, kad nereikėtų žiūrėti į veidą.

Šįryt mudu su Arpadu važiuojame dengtame furgono kėbule; automobilį vairuoja labai malonus žmogus – Ronas Valis (Ron Walli), vienas iš laboratorijos atstovų ryšiams su visuomene. Ronas įsuka į stovėjimo aikštelę tolimajame TU Medicinos centro teritorijos gale – tai sektorius „G". Karštomis vasaros dienomis sektoriuje „G" visuomet nesunkiai rasi laisvos vietos pastatyti automobiliui – ir ne tik todėl, kad iš čia tolokai eiti iki pačios ligoninės. „G" sektorius ribojasi su aukšta medine tvora, kurios viršumi vingiuoja spygliuota viela. Kitapus tvoros guli kūnai. Arpadas išlipa iš furgono.

– Kvapas šiandien visai pakenčiamas, – sako. Tas jo „visai pakenčiamas" nuskamba tokia prisiverstinai optimistine intonacija, kokia galėtum įvertinti padėtį, kai kas nors įrėplioja į tavo gėlių lysvę arba pamatai rezultatą, namie išmėginęs naujus plaukų dažus.

Ronas, kelionės pradžioje gana smagiai nusiteikęs, linksmai rodęs mums kraštovaizdžio akcentus ir niūniavęs, pritardamas radijui, dabar atrodo tarsi pasmerktasis. Arpadas kyšteli galvą pro langą vidun.

– Na kaip, Ronai, eini? Ar vėl ketini pratūnoti automobilyje?

Ronas ropščiasi iš mašinos ir nukoręs nosį kiūtina Arpadui iš paskos. Nors jis čia lankosi jau ketvirtą kartą, vis dėlto, kaip pats pripažįsta, niekaip neįstengia priprasti. Jį pribaigia ne tai, kad tie žmonės negyvi – jis prisižiūrėjęs dar šiltų lavonų, nelaimingų atsitikimų aukų jau tada, kai dirbo laikraščio korespondentu – ne, ištverti jis negali irimo. Nei reginių, nei kvapų.

– Tas kvapas taip ir smelkiasi, – aiškina jis. – Ar bent jau šitaip atrodo. Po pirmojo apsilankymo čia rankas ir veidą ploviau gal dvidešimt kartų.

Čia pat už vartų, pamautos ant stulpelių, riogso dvi senamadiškos metalinės pašto dėžutės, tarsi kas nors iš darbuotojų būtų sugebėjęs įtikinti pašto tarnybą, kad mirtis – kaip ir lietus ar šlapdriba, ar kruša – anaiptol ne pretekstas laiku nepristatyti Jungtinių Valstijų pašto. Arpadas atidaro vieną pašto dėžučių ir ištraukia dvejas žalsvai melsvas gumines chirurgines pirštines: vienerias – sau ir vienerias – man. Puikiai žino, kad Ronui pirštinių siūlyti nereikia.

– Pradėkime štai čia. – Arpadas rodo į stambaus vyro kūną, gulintį už kokių dvidešimties pėdų. Iš tolo jis atrodo tarytum prigulęs snūstelėti, tačiau visa jo poza, dryksančios nejudrios rankos byloja apie būklę, kur kas ilgaamžiškesnę už miegą. Mes žingsniuojame jo link. Ronas lieka stoviniuoti prie vartų, netikėtai itin susidomėjęs kažkokia įrankių pašiūrės architektūrine detale.

Kaip ir daugumos Tenesio storapilvių, negyvėlio patogūs drabužiai: pilkos treninginės kelnės ir balti marškinėliai su viena kišene. Arpadas paaiškina, kad vienas iš baigiamojo kurso studentų tyrinėja, kaip irimo procesą veikia drabužiai. Nes šiaip lavonai čia guli nuogi.

Treninguotasis negyvėlis – naujausias iš čionai atvykusiųjų. Jis mums bus žmogaus kūno irimo pirmojo – „šviežienos" – etapo pavyzdys. (Sakant „šviežiena" reikėtų įsivaizduoti šviežią žuvį, o ne šviežią orą. Kitaip sakant, nors kūną gyvybė apleido neseniai, vis dėlto uostinėti jo iš arčiau kažko netraukia.) Šviežienos etapo irimo skiriamasis požymis yra procesas, vadinamas autolize, arba virškinimusi. Kūno ląstelės pasitelkia fermentus skaidyti molekulėms, ardyti dariniams į atskirus komponentus, kuriuos galėtų suvartoti. Kol žmogus gyvas, ląstelės tiems fermentams neleidžia ardyti ląstelių sienelių. O kai žmogus miršta, fermentai ima graužti ląstelės struktūrą, kartu leisdami ištekėti viduje susikaupusiam skysčiui.

– Ar matote štai čia, ant pirštų galiukų, odos lopinėlius? – klausia Arpadas. Ant dviejų negyvėlio pirštų tarytum užmaukšlinta po guminę movą – panašias kartais užsimauna buhalteriai, valdininkai. – Iš ląstelių ištekėjęs skystis kaupiasi tarp odos sluoksnių ir juos atpalaiduoja. Pamažu susiformuoja odos išnaros. – Lavoninės darbuotojai šį reiškinį vadina kitaip – „odos lupena". Pasitaiko, kad nusineria visa plaštakos oda. Lavoninės personalas tokiam reiškiniui pavadinimo nesugalvojo – užtat jį sugalvojo teismo ekspertizės darbuotojai. Jie tai vadina „numauta pirštine".

– Dar vėliau nuo viso kūno ima luptis didžiuliai odos plotai, – aiškina Arpadas ir kilsteli negyvėlio marškinėlių kraštą pasižiūrėti, ar oda lupasi ištisais lopais. Nesilupa – kol kas taip ir turi būti. Užtat vyksta kažkas kita. Negyvėlio bambos duobutėje knibžda visas tuntas tarsi ryžių grūdelių. Sakytum, dubenėlyje verda ryžiai. Tačiau ryžių kruopos vis dėlto taip nejuda. Vadinasi, čia ne kruopos – žinoma, kad ne. Tai – būsimosios musės. Entomologai turi terminą joms pavadinti, bet tas žodis bjaurus, įžeidžiantis. Tad verčiau ir nevadinkime jų lervomis. Galima rasti kur kas malonesnį žodį. Pavyzdžiui – „hasienda".

Arpadas aiškina, kad musės deda kiaušinėlius kūno kiaurymėse: akyse, burnoje, atvirose žaizdose, lyties organuose. Priešingai nei labiau subrendusios, stambesnės būsimųjų musių hasiendos, mažosios negali prasigraužti per odą. Dabar aš padarau klaidą: paklausiu Arpado, ko siekia mažosios hasiendos.

Arpadas prisiartina prie kairiosios lavono pėdos. Ji melzgana, oda perregima.

– Ar matote [hasiendas] po oda? Jos ėda poodinius riebalus. Jos nepaprastai mėgsta riebalus!

Matau. Jos per daug nesusigrūdusios, juda lėtai. Atrodo visai gražiai: žmogaus oda su prasismelkusiomis po pat paviršiumi smulkiomis baltomis skiedrelėmis. Netgi primena brangų japonišką ryžių popierių. Nori nenori imi įtikinėti save tokiais dalykais.

Tačiau grįžkime prie kūno irimo eigos. Skystis, besisunkiantis iš fermentų ardomų ląstelių, plinta po visą kūną. Labai greitai jis susiduria su kūne gyvuojančių bakterijų kolonijomis – pūdymo armijos kariais. Tos pačios bakterijos veisėsi ir gyvame kūne – virškinamajame trakte, plaučiuose, odos paviršiuje – kitaip sakant, visur ten, kur susisiejama su išoriniu pasauliu. Žmogui mirus, gyvenimas mūsų vienaląsčiams bičiuliams virsta tiesiog palaima tikruose rojaus soduose. Bakterijas, jau spėjusias pasimėgauti žmogaus imuninės veiklos sustojimo suteiktais privalumais, staiga užlieja gausus srautas maistui tinkamo lipnaus, tiršto skysčio. Jis plūsta iš pažeistų virškinamojo trakto apvalkalo ląstelių. Dabar bakterijoms tiesiog lyja maistu. Kaip visuomet ir atsitinka pertekliaus laikais, bakterijų populiacija sparčiai auga. Kai kurios bakterijos pasiekia tolimiausius kūno pakraščius – jos keliauja tikromis mariomis, plūduriuodamos tame skystyje, kuriuo maitinasi. Netrukus bakterijos pasklinda visur. Dabar scena jau paruošta antrajam veiksmui: lavono išsipūtimui.

Visas bakterijų gyvenimas telkiasi aplink maistą. Bakterijos neturi nei burnos, nei pirštų, neturi jokių viryklių, o vis tiek maitinasi. Jos virškina. Jos šalina atliekas. Lygiai kaip mes, jos suskaido maistą į paprastesnes sudedamąsias dalis. Fermentai mūsų skrandyje suskaido mėsą į proteinus. Savo ruožtu žarnų bakterijos suskaido juos į amino rūgštis: ten, kur mes darbą baigiame, jos pratęsia. O kai mirštame, bakterijos maitinasi jau nebe tuo, ką mes suvalgėme, o mumis pačiais. Ir – lygiai taip pat, kaip mumyse gyvuose – mums mirus jos toliau išskiria dujas. Viduriuose besikaupiančios dujos ir yra bakterijų metabolizmo atliekos.

Skirtumas tik toks, kad, būdami gyvi, tas dujas mes išleidžiame lauk. O numirėliai – ne: jie nebeturi nei veikiančių skrandžio raumenų, nei sutraukiamųjų raumenų, nei pagaliau kito žmogaus prie šono, kurį tomis dujomis būtų galima erzinti. Taigi atsikratyti dujų pertekliaus jie negali. Dujos kaupiasi, pilvas išsipučia. Klausiu Arpado, kodėl susikaupusių dujų iš organizmo galų gale neišstumia slėgis? Arpadas paaiškina, kad suglebusi plonoji žarna tiesiog užsikemša. Arba žarnose gali būti „kai ko", užkemšančio išėjimą. Gerai pakamantinėtas, jis galų gale pripažįsta, kad šiek tiek tų dvokių dujų neretai vis dėlto ištrūksta iš negyvėlio žarnyno, tad galima sakyti ir taip, kad lavonai kartais bezda. Šitaip nebūtinai turi atsitikti, bet įmanoma.

Arpadas mosteli man sekti paskui jį taku. Jis žino, kur galima rasti pirmarūšį išsipūtimo fazės pavyzdį.

Ronas vis dar tebestoviniuoja prie pašiūrės, nors ir be jokio reikalo, bet didžiai įsigilinęs knebinėja vėjapjovę, tvirtai pasiryžęs išvengti už vartų tvyrančių kvapų ir reginių. Pasišaukiu jį. Jaučiu, kad man trūks plyš reikia draugijos – žmogaus, kuris, kaip ir aš, nesidairo po visa tai kiekvieną mielą dieną. Ronas sliūkina artyn, žvilgsnį įbedęs į savo sportbačius. Praeiname šešių pėdų septynių colių ūgio griaučius, vilkinčius raudonu Harvardo treningu. Ronas neatitraukia akių nuo savo apavo. Praeiname moterį, kurios stambios krūtys jau suirusios, likusi tik oda – tarsi kokie subliūškę maišai, kadaruojantys ant krūtinės. Ronas neatitraukia akių nuo savo apavo.

– Užvis labiausiai išsipūtimas pastebimas pilvo srityje, – aiškina Arpadas, – kaip tik ten, kur būna susitelkę daugiausia bakterijų, tačiau esama ir daugiau „bakterinių" karštų taškų, pavyzdžiui, burnoje arba lyties organuose. Jei kūnas vyro, tai penis ir ypač sėklidės gali tikrai smarkiai padidėti.

– Iki kokio dydžio? (Atsiprašau.)

– Nežinau. Sėklidės tampa tikrai didelės.

– Kaip teniso kamuolys? Ar kaip arbūzas?

– Tarkime, kaip softbolo kamuolys. – Arpado Vaso kantrybės ištekliai, regis, neišsemiami, vis dėlto dugną tuojau pasieksime.

Arpadas kalba toliau:

– Bakterijų išskiriamos dujos išpučia lūpas ir liežuvį. Jį – tiek, kad kartais išsikiša iš burnos – visai kaip animaciniame filme. Akys netinsta dėl to, kad jų skystis seniai išdžiūvęs. Jų tiesiog nebėra. Galas. Visai kaip animaciniame filme.

Arpadas sustoja ir parodo žvilgsniu žemyn. Priešais mus guli vyriškis nepaprastai išpūstu juosmeniu. Apimtis tokia, kad veikiau pagalvotum apie galviją, ne žmogų. Kalbant apie slėpsnas, sunku net nusakyti, kas ten vyksta – visą šią kūno dalį vientisu sluoksniu dengia vabzdžiai, tarytum negyvėlis vilkėtų kokį drabužį. Panašiai uždengtas ir jo veidas. Lervos porą savaičių vyresnės už savo gentaines kalvos šlaito papėdėje. Ir gerokai stambesnės. Ten buvo ryžių kruopos, čia – jau išvirti ryžiai. Gyvena jos irgi kaip ryžiai, susispaudusios draugėn: vientisa drėgna mase. Jei pasilenktum prie puotos stalu virtusio negyvėlio taip, kad veidas atsidurtų per pėdą ar dvi nuo jo (tikrai nepatariu), tai išgirstum, kaip jos maitinasi. Arpadas tiksliai apibūdina garsą – pamini „Krispies" ryžius. Ronas susiraukia. Iki šiol jis traškius ryžių dribsnius mėgo.

Pūtimosi procesas trunka tol, kol kuri nors kūno dalis nebeatlaiko slėgio. Dažniausiai – viduriai. Kartais – ir pats juosmuo. Arpadas savo akimis nėra matęs, kad negyvėlio pilvas sprogtų, tačiau girdėjo bent apie du tokius atvejus. „Garsas toks, tarsi kas sproginėtų ir drykstų." Pūtimosi fazė paprastai trunka neilgai, maždaug savaitę – ir viskas. Tada ateina eilė paskutiniajam – puvimo, irimo – etapui, kuris trunka ilgiausiai.

Puvimas reiškia audinių irimą ir lėtą skystėjimą – dėl bakterijų veiklos. Tas pats procesas vyksta ir išsipūtimo fazėje, nes dujas, išpučiančias kūną, kaip tik ir išskiria irstantys audiniai, bet pūtimo fazėje irimo procesai dar nebūna tokie akivaizdūs.

Arpadas vėl nužingsniavo miškingos kalvos šlaitu aukštyn.

– Ta moteriškė štai ten, pažengusi dar toliau, – sako jis. Gražiai pasakyta. Mirusiųjų kūnai, ar bent jau nebalzamuoti kūnai, iš esmės suyra: jie smenga ir grimzta patys į save, kol galiausiai susigeria į žemę. Ar prisimenate Margaretos Hamilton mirtį *Ozo miesto burtininke?* („Aš tirpstu!") Puvimas iš esmės ir yra toks, tik gal kiek lėtesnis procesas. Moteris guli klanelyje purvo, kurį ir suformavo jos pačios kūnas. Jos liemuo atrodo suzmekęs, vidaus organų nebėra – ištižę jie tiesiog ištekėjo žemėn.

Virškinimo organai ir plaučiai suyra pirmiausia, mat kaip tik ten susitelkia gausiausios bakterijų kolonijos: kuo daugiau darbininkų brigadoje, tuo greičiau nugriaunamas pastatas. Smegenys – dar vienas organas, sunykstantis vienas pirmųjų.

– Taip yra todėl, kad burnoje įsikūrusios bakterijos prasigraužia per gomurį, – aiškina Arpadas.

O dar – ir dėl to, kad smegenys minkštos, jas lengva suėsti.

– Smegenys skystėja labai greitai. Jos tiesiog išteka pro ausis, išburbuliuoja pro burną, – toliau aiškina jis.

Pasak Arpado, maždaug tris savaites po mirties iš likučių vis dar įmanoma atpažinti organus.

– Vėliau visa, kas ten, viduje, virsta skysčiu, primenančiu sultinį.

Nujausdamas, kad paklausiu, Arpadas suskumba pridurti:

– Vištienos sultinį. Jis geltonas.

Ronas apsisuka ant kulno.

– Nuostabu.

Tarsi dar maža būtų to, kad dėl mūsų kaltės Ronas jau nebegalės nė pažvelgti į savo „Krispies" ryžius, dabar dar atėmėme iš jo ir vištienos sultinį.

Raumenis suėda ne tik bakterijos, bet dar ir grobuonys vabalai. Iki šiol aš nė nenutuokiau, kad apskritai būna vabalų mėsėdžių – še tau, pasirodo, yra ir tokių. Kartais jie odą nuėda, kartais – ne. Kitąsyk, priklausomai nuo oro, oda išdžiūsta, mumifikuojasi ir tampa pernelyg kieta bet kokiam skoniui. Kai jau traukiame atgal, Arpadas parodo kniūbsčius gulinčius griaučius su kaip tik tokia, mumifikuota, oda. Ji vis dar dengia lavono kojas iki pat čiurnų ir liemenį iki menčių. Odos kraštas ties mentėmis išlinkęs ir primena gilią šokėjos triko iškirptę. Nors nuogas, lavonas atrodo lyg apsirengęs. Jo apdaras nėra toks spalvingas ir, ko gero, ne toks šiltas kaip Harvardo treningas, vis dėlto šiai aplinkai, matyt, pats tinkamiausias.

Kokią minutę stoviniuojame, žiūrime į tą negyvėlį.

Budistų Atminimo sutrose yra toks epizodas, vadinamas Devyniais kapinių apmąstymais. Mokiniai, būsimieji vienuoliai, mokomi medituoti prie ištisos virtinės yrančių kūnų, suguldytų apie koplyčią iš eilės: nuo „išpampusio, pamėlusio, pūliuojančio" kūno ir toliau gulinčio „įvairiausių kirminų ėdamo" iki „be kraujo ir mėsos, vienų tik kaulų, kuriuos sausgyslės išlaiko drauge". Būsimiesiems vienuoliams liepdavo medituoti tol, kol apims visiška ramybė, o veidą nušvies šypsena. Papasakoju apie tai Arpadui ir Ronui, aiškinu, kad šitokių meditacijų paskirtis – susitaikyti su kūniškosios mūsų egzistencijos trumpaamžiškumu, įveikti bjaurėjimąsi ir baimę. Ar panašiai.

Visi trys stovime ir dėbsome į negyvėlį. Arpadas pritreškia vieną kitą musę.

– Na, ką? – prabyla Ronas. – Trauksime pietauti?

Išėję pro vartus, mes ilgai grandome batų padus į šaligatvio kraštą. Tam, kad su savimi nemenkai išsineštum įsigėrusio į batus mirties tvaiko, visiškai nebūtina įminti į lavoną. Dėl priežasčių, kurias ką tik išdėsčiau, visa žemė aplink negyvėlį būna prisisunkusi yrančio žmogaus kūno skysčių. Ištyrę dirvožemio pavyzdžių ir nustatę cheminę sudėtį, tokie kaip Arpadas gali pasakyti, ar surastasis lavonas nėra atgabentas iš kur kitur. Jeigu neaptinkama unikalių lakių riebiųjų rūgščių nei žmogaus kūno irimo liekanų, tai akivaizdu, kad kūnas iro kitur.

Viena iš Arpado studenčių doktorančių, Dženifer Lav, sukūrė kvapo skenavimo prietaisą, skirtą nustatyti apytiksliam mirties laikui. Sukurtas remiantis technologijomis, naudojamomis maisto pramonėje ir vyndarystėje, tas prietaisas, kurio tobulinimą dabar finansuoja FTB, turi tapti savotiška rankoje laikoma elektronine nosimi, kuria mostelėjus virš lavono būtų įmanoma tiksliai atpažinti konkretų kvapą, lavono skleidžiamą konkrečiame irimo etape.

Papasakoju jiems, kad *Ford Motor* kompanija irgi bandė kurti elektroninę nosį, užprogramuotą identifikuoti priimtiną „naujo automobilio kvapą". Tie, kurie perka naujus automobilius, paprastai tikisi ir tam tikro jų kvapo: salonas turi dvelkti oda ir naujumu, bet jokiu būdu ne viniplastu ir ne dujomis. „Nosis" padeda įsitikinti, kad automobilis kaip pridera tarnaus vairuotojui. Arpadas išsako nuomonę, kad naujo automobilio kvapą užuodžiančiai elektroninei nosiai veikiausiai naudojama panaši technologija kaip ir ta, kurios pagrindu kuriama elektroninė nosis uostyti lavonams.

– Tik jau pasistenkite tų nosių nesupainioti, – absoliučiai rimta mina pareiškia Ronas.

Jis įsivaizduoja jauną porą, ką tik grįžusią iš bandomojo pasivažinėjimo automobiliu; moteris štai atsigręžia į vyrą ir taria: „O tu žinai, automobilio salone trenkia lavonu".

Žodžiais apibūdinti yrančio žmogaus kūno skleidžiamą kvapą toli gražu nėra lengva. Tas kvapas sodrus ir keliantis šleikštulį, salstelėjęs, tačiau ne gėlių aromato saldumu. Kažkoks tarpinis tarp pūvančių vaisių ir pašvinkusios mėsos kvapų. Kiekvieną pavakarę eidama namo praeinu pro nedidelę produktų krautuvėlę, iš kurios sklindantis tvaikas daugmaž atitinka tą, kurį noriu apibūdinti – netgi taip, kad aš nejučia imu žvilgčioti už krepšių su papajomis – bene pamatysiu tysančią ranką ar porą basų pėdų? O jeigu koks lavonų kvapų smalsautojas nepanorėtų eiti uostyti tos mano krautuvėlės, tai pasiūlyčiau apsilankyti chemikalų tiekimo įmonėje, kur galima užsisakyti daugelio šių lakiųjų medžiagų sintetinius variantus. Arpado laboratorijoje rikiuojasi daug stiklinių buteliukų su etiketėmis: „Skatolas", „Indolas", „Putrescinas", „Kadaverinas". Visai gali būti, kad tą akimirką, kai aš jo kabinete atsukau puvėsiais trenkiančio putrescino buteliuką, Arpadas pradėjo nekantraudamas laukti, kada aš išsinešdinsiu. Net jei jums niekad neteko atsidurti netoli yrančio lavono, putrescino dvokas jums vis vien turėtų būti pažįstamas. Putresciną išskiria ir švinkstanti žuvis – tai sužinojau iš *Journal of Food Science* žurnale išspausdinto dėmesį patraukiančio straipsnio „Pomirtiniai lede laikomos stauridės raumenų pokyčiai".

Ši detalė kuo puikiausiai dera su kai kuo, ką man pasakojo Arpadas. Jis sakė žinąs kompaniją, gaminančią putrescino detektorių, kurį gydytojai gali naudoti vietoj tepinėlių ir pasėlių diagnozuoti vaginitui ir kuris, mano nuomone, gerokai praverstų ir stauridžių konservų fabrike.

Sintetinio putrescino ir kadaverino rinka nedidelė, bet patikima. Šiuos preparatus naudoja pratyboms.* Žmonių palaikų požymių ieškantys šunys iš esmės skiriasi nuo tų, kurie ieško pabėgusių nusikaltėlių ar tiesiog palaikų. Jie mokomi atkreipti šeimininko dėmesį tada, kai užuodžia specifinį yrančių žmogaus audinių kvapą. Suuodę vandens paviršiuje dujas ar riebalus, kylančius nuo pūvančio vandenyje lavono, jie gali tiksliai nurodyti, kur vandens telkinio dugne guli lavonas. Tokie šunys suuodžia užsilikusias yrančio kūno kvapo molekules, praėjus net keturiolikai mėnesių nuo palaikų pašalinimo iš nusikaltimo vietos.

Kai pirmąsyk tą išgirdau, nenorėjau patikėti. Tačiau dabar patikėti jau nebesunku. Po apsilankymo Noksvilyje mano batų padai trenkia lavonu ištisus mėnesius – plauk neplovęs, mirkyk nemirkęs kad ir „Clorox" preparatu.

---

* Tarp jų pasitaiko ir puristų, reikalaujančių nepasikliauti jokiais pakaitalais. Kartą praleidau popietę apleistame Mofeto oro pajėgų bazės bendrabutyje, stebėdama vienos iš tokių – Širlės Hemond – darbą: ji demonstravo, ką sugeba jos šunų nosys. Hemond nuolat sukiodavosi toje bazėje – ją nuolat matydavai vaikštinėjančią prie automobilio ir atgal su rausvu sportiniu krepšiu ir plastikiniu šaldytuvu. Jeigu paklaustumėte jos, ką ji ten nešiojasi, o ji ryžtųsi pasakyti tiesą, tuomet išvardytų jums maždaug štai ką: kruvinus marškinius, žemių, paimtų iš po pūvančio lavono, pavyzdėlį, žmogaus audinių gabaliuką, įmūrytą į betono luistą, skarmalą, kuriuo buvo trintas lavonas, žmogaus krūminį dantį. Taigi Širlės šunims – jokios sintetikos.

Ronas veža mus su dvoko debesėliu į nedidelį paupio restoranėlį pietų. Restoranėlio šeimininkė – jauna, rausvutė švarutė moteriškaitė. Jos putnios rankos ir glaudžiai aptempusi kūną oda – tikras stebuklas. Įsivaizduoju jos pudros ir šampūno kvapus – malonų, smagų gyvo žmogaus aromatą. Stoviniuojame kiek atokiau ir nuo šeimininkės, ir nuo kitų restorano lankytojų, tarsi būtume atsitempę kokį netikusio būdo šunpalaikį. Arpadas mostu parodo šeimininkei, kad mes trise. Priskaičiavus poną Kvapą – keturiese.

– Ar norėsite į vidų?..

Arpadas nutraukia ją per pusę žodžio:

– Sėdėsime lauke. Ir kuo atokiau nuo kitų.

Tai tiek apie žmogaus kūno irimą. Netgi ryžčiausi lažintis: jeigu gerieji aštuonioliktojo ir devynioliktojo amžių žmonės būtų žinoję apie negyvo kūno irimą visas tas smulkmenas, kurias dabar jau žinome jūs ir aš, tikriausiai skrodimas jų nebūtų šitaip bauginęs. Pamačius, kaip kūnai skrodžiami, ir pamačius, kaip kūnai pūva, pirmasis variantas atrodo net mažiau pasibaisėtinas. Na taip, aštuonioliktajame ir devynioliktajame amžiuose mirusiuosius laidojo, tačiau ši aplinkybė irimą tik šiek tiek sulėtina. Net ir gulėdamas karste, užkastame šešių pėdų gylyje, kūnas ilgainiui vis vien suyra. Ne visoms žmogaus kūne gyvuojančioms bakterijoms būtinas deguonis – su pūdymo užduotimi puikiausiai susidoroja ir gana gausi anaerobinių bakterijų kolonija.

Mūsų laikais, žinoma, galima ir balzamuotis. Bet ar mes tikrai jau galime apsisaugoti nuo ne itin patrauklios lėto virtimo skysčiu lemties? Ar šiuolaikinis laidojimo mokslas sugebėjo sukurti amžinybę, išlaisvintą nuo bjaurasties ir purvo dėmių? Ar mirusieji gali būti estetiškai patrauklūs? Nagi eime, pasižiūrėsime!

Akies gaubtukas yra paprasčiausias plastiko gabalėlis, dydžio sulig dešimties centų moneta. Šiek tiek didesnis už kontaktinį lęšį, ne toks lankstus ir, savaime aišku, ne toks patogus. Plastikas subadytas – tam, kad gaubtuko paviršius būtų šerpetotas mažulytėmis aštriomis nuoplaišomis. Šie neįžiūrimi nelygumai veikia tuo pačiu principu kaip ir padangų spygliai: akies vokas nusileidžia ant gaubtuko, bet, sykį užkliuvęs už šerpetoto paviršiaus, taip lengvai nebepakyla. Lavoninės darbuotojai ir išrado šituos akių gaubtukus tam, kad numirėliai nesumanytų atsimerkti.

Šįryt buvo ir tokių akimirkų, kai aš pasigailėjau, kad manęs niekas neaprūpino pora tokių akių gaubtukų. Mat visą rytą – aukštai pakeltais akių vokais – stoviniavau San Francisko laidojimo mokslo koledžo pusrūsyje – balzamavimo patalpoje.

Virš pusrūsio veikia lavoninė, o viršutiniuose aukštuose įsikūrusios koledžo – vieno iš seniausių ir garbingiausių šalyje* – auditorijos ir kabinetai. Už balzamavimo ir kitas laidotuvių paslaugas čia suteikiama nuolaida, jei klientai sutinka leisti studentams pamiklinti ranką su jų mylimais velioniais. Na, kažkas lyg ir panašaus į galimybę pusdykiai apsikirpti *Vidal Sassoon* akademijoje.

Paskambinau į koledžą šio to išsiaiškinti apie balzamavimą. Kiek balzamuotas lavonas išsilaiko ir kokiu pavidalu? Ar įmanoma kūną užkonservuoti taip, kad nebesuirtų? Koks balzamavimo poveikis? Man sutiko atsakyti į klausimus ir pakvietė ateiti savo akimis pasižiūrėti, kaip viskas daroma. Kad ir kaip manęs ten netraukė, man, žinoma, rūpėjo.

Prie balzamavimo stalo šiandien stojo baigiamojo semestro studentai – Teo Martinesas ir Nikolė D'Ambrodžijo. Teo – tamsiaplaukis, smulkaus sudėjimo trisdešimt devynerių metų vyras pailgu,

---

* Ir, deja, paties brangiausio ir surenkančio mažiausią kontingentą. 2002-ųjų gegužę, praėjus metams po mano apsilankymo, jis buvo uždarytas.

ryškių bruožų veidu; jis nutarė tapti laidotuvininku, pirmiau išbandęs darbus kredito susivienijimuose ir kelionių agentūrose. Pasak jo paties, jį suviliojo tai, kad įsidarbinus lavoninėje neretai pasiūlomas ir būstas. (Kol dar toli gražu nebuvo išrasti jokie žinučių gavikliai nei mobilieji telefonai, daugumoje laidojimo biurų būdavo įkuriamas ir butas – kad visuomet būtų galima rasti darbuotoją, net ir naktį.) O dailutei Nikolei lygiais blizgančiais plaukais susidomėjimo šia profesija žiežirbą įskėlė epizodai iš *Kvinsio,* kas šiek tiek keista, mat Kvinsis, jei tik prisimenu teisingai, buvo patologas. (Iš tiesų, kad ir kaip kiekvienas aiškintų savo pasirinkimą, joks paaiškinimas pakankamai neįtikina.) Abu balzamuotojai apsimuturiavę plastiku ir lateksu – taip pat kaip ir aš ar bet kas kitas, susiruošęs įžengti į „tiškalų teritoriją“. Jų darbe juk taškosi kraujas, tad drabužiai ir skirti apsisaugoti nuo visų kraujo keliamų pavojų: ŽIV, hepatito, dėmių ant marškinių.

Preparuotojų dėmesio objektas šiuo metu – septyniasdešimt penkerių metų vyriškis – arba trijų savaičių amžiaus lavonas. Čia jau kaip jums labiau patinka. Žmogus paaukojo savo kūną mokslui, tačiau po skrodimo mokslas mandagiai jo atsisakė. Anatomijos laboratorija išranki kaip kokia aukštakilmė panelė, ieškanti jaunikio: jai neįtinka nei per storas, nei per aukštas, o juo labiau – kokio nors užkrato nešiotojas. Tad šis lavonas, tris savaites pasisvečiavęs universiteto šaldytuve, galų gale atsidūrė čia. Sutikau, kad būtų užmaskuoti bet kokie bruožai, iš kurių jį būtų galima atpažinti, tačiau įtariu, kad tas vargas – be reikalo, mat dehidruojantis šaldytuvo oras tokią užduotį jau atliko. Negyvėlis atrodo perdžiūvęs, nusibadavęs. Kažkuo primena pastarnoką.

Prieš pradedant balzamavimą, kūnas švariai nuprausiamas ir sušukuojamas, tarsi jam būtų skirta gulėti pašarvotam atvirame karste ar būtų numatytas privatus šeimos atsisveikinimas. (Nors iš tikrųjų, kai studentai baigs darbą, šito negyvėlio nebematys niekas, tik krematoriumo darbuotojas.) Nikolė šluosto jo burną ir akis dezinfekciniu skysčiu sumirkytu tamponu, paskui nuskalauja tekančiu vandeniu. Nors ir puikiai žinau, kad tas žmogus negyvas, vis tikiuosi krūptelėjimo, kai vatos tamponas paliečia akį, ar kad sukosės, kai į gerklą trykšteli vanduo. Neįtikėtina negyvėlio ramybė. Pats negyvumas atrodo kažkaip siurrealistiškai.

Studentų judesiai tikslingi. Nikolė žvelgia negyvėliui į burną. Jos plaštaka meiliai guli jam ant krūtinės. Sutelkusi dėmesį į tai, ką mato, ji pasikviečia pažiūrėti Teo. Juodu pusbalsiu persimeta keliais žodžiais, paskui Teo atsigręžia į mane.

– Jo burnoje yra kažkokios medžiagos, – sako.

Aš linkteliu, įsivaizduodama velveto ar medvilninio audeklo skiautę.

– Medžiagos?

– Valosi, – bando spėti Nikolė. Nuo to man nėmaž ne aiškiau.

Hugas „Makas" Makmoniglas – koledžo dėstytojas, vadovaujantis šio ryto darbui – žengia artyn ir sustoja man už nugaros.

– Atsitiko štai kas: kažkas, buvęs jo skrandyje, rado kelią į burną.

Dujos, kurias išskiria irimo bakterijos, kaupiasi pilve ir vis didėjantis slėgis kartais išstumia skrandžio turinį atgal į stemplę ar net į burną. Atrodo, Teo ir Nikolė nėmaž nesutrikę, nors šitokių valymosi pavyzdžių balzamavimo patalpoje pasitaiko nedažnai.

Teo paaiškina man ketinąs panaudoti aspiratorių. Tarsi norėdamas nukreipti mano dėmesį nuo to, ką regi akys, jis draugiškai tauškia niekus:

– Ar žinote, kad ispaniškai „siurblys" vadinamas *aspiradora?*

Prieš įjungdamas aspiratorių, Teo prikiša audeklo skiautę negyvėliui prie smakro ir nušluosto kažkokią substanciją, kuri išvaizda, bet, savaime aišku, ne skoniu primena šokoladinį sirupą. Klausiu, kaip jis pakenčia šitokią bjaurastį, kai tenka tvarkyti visai jam nepažįstamo negyvėlio kūną ir visas šio išskyras. Teo, kaip ir Arpadas

Vasas, paaiškina bandąs sutelkti dėmesį į kuo malonesnius darbo aspektus.

– Jeigu esama kokių užsiveisusių parazitų arba jei negyvėlio dantys nešvarūs, arba jei jis prieš mirdamas nesuskubo išsipūsti nosies, tenka taisyti padėtį, kad lavonas bent jau atrodytų kiek padoriau. Teo viengungis. Klausiu, ar tik laidotuvininko amato mokslai nebus pragaištingai paveikę jo širdies reikalų. Teo išsitiesia ir pažvelgia į mane.

– Aš nedidelio ūgio, aš liesas, aš neturtingas. Tad, sakyčiau, profesijos pasirinkimas – tik ketvirta priežastis, ribojanti mano, kaip pageidaujamo jaunikio, patrauklumą. (Galimas dalykas, kaip tik šis amatas galiausiai jam ir padėjo. Po metų Teo jau buvo vedęs.)

Paskui Teo padengia negyvėlio veidą kažkokiu, mano nuomone, dezinfekciniu losjonu, kuris iš pažiūros labai primena skutimosi putas. Paaiškėja, kad skutimosi putas šis preparatas man primena ne veltui, nes kaip tik jos čia ir yra. Teo įstato į skustuvą naują peiliuką.

– Kai skusti tenka velionį – tai visiškai kas kita.

– Aš manau.

– Oda juk nebegalės sugyti, tad tenka labai saugotis, kad neįpjautum. Vienu skustuvu gali nuskusti tik vieną negyvėlį, paskui tenka išmesti.

„Kažin, – svarstau sau, – ar šis žmogus, prieš mirtį kada nors stovėdamas priešais veidrodį su skustuvu rankoje, ar susimąstė, kad skutasi galbūt paskutinį kartą, ir nė mintis jam nekyla apie tą iš tikrųjų paskutinį kartą, kurį jam dar parengė likimas.“

– O dabar tvarkysime veidą, – pareiškia Teo. Jis kilsteli vieną negyvėlio akies voką ir prikemša po juo vatos gumulėlių, užpildydamas jais akiduobę taip, kaip ją buvo užpildęs akies obuolys. Kad ir kaip keista, bet ta senovės kultūra, kuri man užvis labiausiai asocijuojasi su medvilne – egiptiečiai – išvarvėjusioms akims prikimšti nenaudodavo garsiosios Egipto medvilnės. Senovės egiptiečiai po vokais pakišdavo perlinius svogūnus. *Svogūnus.* Tiesą sakant, jei man jau būtinai kas nors turėtų pakišti po vokais kokį garnyrui naudojamą prieskonį, aš rinkčiaus alyvuoges.

Vatos gumulėlį akyje Teo uždengia akies gaubtuku.

– Žmonės gerokai sutriktų, aptikę velionį atmerktomis akimis, – paaiškina Teo ir užspaudžia vokus.

Sąmonė demonstruoja man kažkur vaizdo ekrano kamputyje nepaprastą animacijos epizodą stambiu planu: štai kam skirti tie plaušeliai, kuriais šerpetotas gaubtukas. *Madre de dio! Aspiradora!* Kaip kažin ką, kai išmuš mano valanda, manęs atvirame karste nė už ką nepamatysite.

Paprotys šarvoti paprastą žmogų atvirame karste prigijo ne taip jau seniai – maždaug prieš šimtą penkiasdešimt metų. Mako tvirtinimu, jį lėmė bent kelios priežastys – neminint tos, kad šitaip gedėtojams suteikiama galimybė, pasak laidotuvininkų, „atminimo fotografijai". Velionio artimieji, regėdami kūną atvirame karste, viena, įsitikina, kad jų šeimos narys tikrai miręs ir nebus palaidotas gyvas, o antra, – kad karste išties guli jų mylimo giminaičio kūnas, o ne koks kitas atšalęs tipas iš gretimos šaldytuvo kameros. O *Balzamavimo principuose ir praktikoje* perskaičiau, kad tokią madą nulėmė balzamuotojų noras pademonstruoti visus savo sugebėjimus. Makas nesutinka: jis tvirtina, kad žymiai anksčiau, nei paplito balzamavimas, lavonai jau būdavo šarvojami atviruose, ledo pridėtuose karstuose. (Linkstu tikėti Mako nuomone, mat minėtoje knygoje galima aptikti kad ir tokių epizodų: „Daugumą kūno audinių tam tikra prasme galima vadinti nemirtingais, jei tik išlaikysime juos tinkamomis sąlygomis... Teoriškai tokiomis priemonėmis viščiuko širdį galima išauginti iki planetos dydžio".)

– Ar jau sutvarkei nosį? – Nikolė laiko iškėlusi mažytes chromo žirklutes.

Teo atsako, kad ne, ir nosies imasi Nikolė: pirmiausia iškarpo plaukelius, paskui dezinfekuoja.

– Šitaip suteikiame velioniui bent šiek tiek orumo, – aiškina ji ir subruka dezinfekciniame skiedinyje sumirkytą vatos gabalėlį jam į kairiąją šnervę, o paskui vėl ištraukia.

Man patinka tas žodis – „velionis". Beveik gali manyti, kad kalbama ne apie numirėlį, o apie kokį užsitęsusių teisinių disputų objektą. Dėl akivaizdžių priežasčių laidojimo apeigų terminologijoje knibždėte knibžda eufemizmų. „Negalima vadinti jų atšalusiais, lavonais, negyvėliais, – barasi *Balzamavimo principai ir praktika*. – Reikia sakyti, pavyzdžiui, velionis arba pono Tokio Ir Tokio palaikai. Nesakykite „apsaugoti nuo gedimo", sakykite „palaikyti būklę"..." Šitaip raukšlės virsta „įgytomis veido žymėmis". O sutižusios smegenys, besismelkiančios pro prakirstą kaukolę ir burbuliuojančios iš nosies, – „putojančiu valymosi procesu".

Paskutinė detalė, kurią būtina sutvarkyti, yra burna – patikimai jos neužčiaupus, negyvėlis gulės bjauriai išsižiojęs. Nikolė darbuojasi lenkta adata su įvertu ypač tvirtu siūlu, kad žandikauliai neprasiskėstų; Teo tuo tarpu mala liežuviu.

– Užduotis yra pakartotinai įverti siūlą pro tą pačią skylę taip, kad viduje lįstų už dantų, – aiškina jis. – Štai dabar ji ištraukia siūlą pro vieną šnervių, praduria pertvarą ir vėl kiš į burną. Patikimai užčiaupti burną galima keliais būdais, – priduria jis ir tada imasi porinti apie kažką, vadinamą adatiniu čiurkšliniu siurbliu.

Aš nutaisau tokią miną, kuri turėtų byloti apie be žodžių išgyvenamą siaubą – ir to pakanka užčiaupti Teo. Toliau siuvama tyloje.

Paskui Teo ir Nikolė per žingsnį atsitraukia apžiūrėti savo darbo rezultatų. Makas linkteli. Ponas Toks Ir Toks jau paruoštas balzamavimui.

Šiuolaikiniam balzamavimui naudojamasi kraujotakos sistema – į ją suleistas konservuojantis skystis išnešiojamas po ląsteles ir ten sustabdo autolizę, o kartu – ir irimo procesus. Taip pat kaip gyvam žmogui kraujas stambiosiomis kraujagyslėmis ir kapiliarais išnešioja po ląsteles deguonį ir maisto medžiagas, dabar tomis pačiomis kraujagyslėmis, kuriose kraujo nebėra, srovena balzamavimo tirpalas. Pirmieji žinomi asmenys, išmėginę arterinį balzamavimą*, buvo trys olandų biologai ir anatomai – Dž. Svamerdamas, F. Ruišas ir Blančardas (J. Swammerdam, F. Ruysch ir Blanchard), gyvenę septynioliktojo amžiaus pabaigoje. Anų laikų anatomai nuolat susidurdavo su skrodimui skirtų kūnų stygiaus problema, tad nenuostabu, kad turėjo itin rimtą pagrindą ieškoti priemonių kuo ilgiau išsaugoti tuos, kuriuos pavykdavo gauti. Blančardo užrašuose aptinkame pirmąjį arterinio balzamavimo aprašą. Anatomas pasakoja atverdavęs arterijas, išplaudavęs kraują vandens srove ir pripumpuodavęs alkoholio. Man iš karto kilo asociacijų su kai kuriais matytais studentiškais vakarėliais.

Arterinis balzamavimas paplito ne iš karto, jis išpopuliarėjo tik Amerikos pilietinio karo metais. Iki tol žuvę Jungtinių Valstijų kariai būdavo laidojami daugiausia ten, kur krisdavo. Jų artimiesiems tekdavo siųsti raštišką prašymą dėl ekshumacijos ir nugabenti į artimiausią intendanto štabą tokį karstą, kurį būtų galima hermetiškai uždaryti. Tada karininkas intendantas paskirdavo grupę karių iškasti palaikus ir pristatyti artimiesiems. Neretai atsiųstieji karstai toli gražu neuž-

---

* Anaiptol nenoriu pasakyti, kad toks buvo pirmasis bandymas apsaugoti kūną nuo puvimo. Tarp kitų kūno konservavimo pradininkų paminėtinas septynioliktojo amžiaus italų gydytojas, Džirolamo Segato (Girolamo Segato), kuris išrado būdą paversti kūną akmeniu, ir medicinos daktaras iš Londono Tomasas Maršalas (Thomas Marshall), 1839-aisiais išspausdinęs straipsnį, kuriame aprašė štai tokį balzamavimo būdą: kūno paviršius tiesiog subadomas žirklėmis ir visas kūnas ištrinamas actu – labai panašiai viena linksma draugija nurodydavo šeimininkėms subadyti kepsnį, kad geriau susigertų marinatas.

sidarydavo hermetiškai – argi tada kas nors dorai suprato, ką reiškia „hermetiškas"? Ir ar žino dabar? Tad netrukus iš karsto pradėdavo sunktis lavono skysčiai, visas krovinys gerokai prašvinkdavo. Nusikamavusiems pasiuntiniams primygtinai prašant, armija galiausiai ėmėsi savo žuvusiuosius balzamuoti – iš viso buvo balzamuota bene 35 000 palaikų.

Vieną gražią 1861-ųjų dieną peršautas mirė dvidešimt ketverių metų pulkininkas Elmeris Elsvortas – jis bandė nuimti ant viešbučio iškeltą Konfederatų vėliavą. Į paskutinę kelionę jį palydėjo kaip didvyrį, jo kūno laukė aukščiausios klasės balzamavimas – to ėmėsi pats Tomasas Holmsas (Thomas Holmes), vadinamas balzamavimo pradininku. Ištisos minios susirinko atsisveikinti su Elmeriu, kuris gulėdamas karste visa kuo priminė tikrą karį ir niekuo nepriminė irstančio kūno. Dar vieno postūmio balzamavimas sulaukė po ketverių metų, kai balzamuotas Abės Linkolno kūnas parkeliavo iš Vašingtono į gimtąjį miestelį Ilinojuje. Jo kelionė traukiniu kuo puikiausiai prilygo laidojimo apeigoms skirto balzamavimo reklamai, mat kiekvienoje stotelėje atsisveikinti su Linkolnu suplūsdavo minia žmonių ir, ko gero, dauguma pastebėjo, kad Linkolnas karste atrodo kur kas geriau nei to ar ano senelė. Žinia apie balzamuotąjį pasklido ir balzamavimo paklausa ėmė augti kaip ant mielių – visai kaip ana viščiuko širdis; ilgai netrukus jau visa tauta įjunko brukti savo mirusiuosius specialistams, kad šie juos išdailintų ir konservuotų.

Karui pasibaigus, Holmsas ėmėsi verslo: pradėjo balzamuotojams pardavinėti savąjį bevardį – *Innominata* – patentuotą balzamavimo tirpalą, bet visais kitais atžvilgiais nuo laidotvininko amato atitolo. Jis atidarė vaistinę, ėmėsi gaminti šakniavaisių alų, investavo pinigų į mineralinių vandenų kurortą – ir galų gale ištirpo gana nemenkos jo santaupos. Holmsas taip ir nevedė, neturėjo vaikų, tačiau tvirtinti, kad jis gyveno vienas, būtų netikslu. Pasak Kristinos Kvigli (Christine Quigley) knygos *Lavonas: istorija* autorės, jo namuose Brukline drauge gyvavo ir karo metų triūso pavyzdžiai: spintose grūdosi balzamuoti kūnai, svetainėje ant staliukų kėpsojo galvos. Taigi nenuostabu, kad ilgainiui Holmsui ėmė temti protas, paskutiniuosius gyvenimo metus jis praleido važinėdamas iš vieno beprotnamio į kitą. Sulaukęs septyniasdešimties, Holmsas protarpiais dėdavo reklamas į laidotuvininkų paslaugas pristatančius leidinius, siūlydamas drobinį, guma aptrauktą maišą, skirtą negyvėliui supakuoti, kurį, pasak jo, galima panaudoti ir kitaip – kaip miegmaišį. Kalbama, neva prieš pat mirtį Holmsas neleidęs jo kūno balzamuoti, bet taip ir neaišku, ar galutinį apsisprendimą nulėmė sveikas protas, ar beprotybė.

Teo grabinėja pono Tokio Ir Tokio kaklą.

– Bandome surasti miego arteriją, – praneša jis ir išilgai prapjauna negyvėlio kaklą.

Kadangi žaizda nekraujuoja, lengva stebėti operaciją – nesunku save įtikinti, kad balzamuotojas – tiesiog specialistas, dirbantis savo darbą, panašiai kaip statybininkas, pjaunantis lentas sijoms ar raižantis putplastį. Tiesiog nė nesusimąstai, kad kitomis aplinkybėmis šis veiksmas neabejotinai reikštų žmogžudystę. Dabar kakle atsiveria vidinė kišenė; Teo įkiša į ją pirštą. Kiek pagrabaliojęs užčiuopia ir iškelia išorėn kraujagyslę ir čia pat perpjauna skalpelio ašmenimis. Laisvasis galas rausvas, tarytum guminis – atrodo jis beveik lygiai taip pat kaip ir žarnelė, skirta pripūsti pagalvėlei.

Balzamuotojai įkiša į arteriją vamzdelį, žarnele sujungtą su balzamavimo skysčio talpa. Makas imasi pumpuoti.

Galų gale sulaukiu akivaizdžių rezultatų. Praeina vos kelios minutės, o negyvėlio veidas jau atrodo gerokai atjaunėjęs. Balzamavimo skystis sudrėkino audinius, pripildė įdubusius skruostus, išlygino odos raukšles. Dabar jo oda rausva (balzamavimo skystyje yra raudonai dažančios medžiagos), nebesuglebusi, nebeatrodo traški lyg popierius. Velionis trykšte trykšta sveikata, atrodo stulbinamai gyvas. Tai štai kodėl prieš šarvodami atvirame karste vengiame kišti kūną į šaldytuvą.

Makas papasakoja man apie devyniasdešimt septynerių metų moterį, kuri balzamuota atrodė lyg šešiasdešimties.

– Teko dirbtinai nupiešti jai raukšles, kitaip artimieji nebūtų jos pažinę.

Nors šįryt mūsų ponas Toks Ir Toks stulbinamai žvalus ir jaunatviškas, ilgainiui jo kūnas vis vien suirs. Balzamavimas laidojimo biure skirtas tam, kad lavonas atrodytų gaivus ir nelavoniškas tik tol, kol pasibaigs laidotuvių ceremonija – o ne kažin kiek ilgiau. (Kai prireikia, anatomijos skyriai procesą sustiprina, panaudodami daugiau ir didesnės koncentracijos formalino; šitaip balzamuoti lavonai gali išlikti nesuirę kelerius metus, nors ilgainiui vis tiek pradeda atrodyti lyg marinuoti – tarsi nužengę iš siaubo filmo.)

– Kai tik vandens lygis pakyla ir karstas sušlampa, – pripažįsta Makas, – prasideda paprasčiausias irimo procesas – toks pat, lyg nė nebūtų buvę jokio balzamavimo. – Vanduo neutralizuoja balzamavimo chemines reakcijas.

Laidojimo biurai siūlo sandarias kriptas, į kurias neprasismelkia nei oras, nei vanduo, tačiau net tokiomis sąlygomis lavono galimybės per amžius išsaugoti akiai malonią išvaizdą labai miglotos. Kūne beveik visuomet būna kokių nors bakterijų sporų, itin atsparių neveiklos būsenos DNR kokonų, galinčių ištverti ekstremalias temperatūras, sausrą ir bet kokį chemikalų poveikį – įskaitant balzamavimą. Galų gale formaldehidas vis vien išsikvepia, o jau tada sporoms niekas nebetrukdo išleisti bakterijas.

– Kadaise balzamuotojai skelbdavo, neva jų konservuoti kūnai išlieka visą amžinybę, – sako Makas.

– Patikėkite, balzamuotojas, užuodęs galimybę įsiūlyti savo prekę, galėdavo pažadėti bet ką, ko tik geidė kliento širdis, – antrina jam Tomas Čembersas, kilęs iš laidotuvininkų dinastijos.

Kadaise jo senelis smarkokai prasilenkė su geru skoniu, išplatinęs reklaminius kalendorius, kuriuose virš laidojimo biuro iškabos „Gražūs kūnai – kreipkitės į Čembersą" buvo pavaizduotas nuogos dailios moters siluetas. (Nors vis dėlto moteris kalendoriuje nebuvo tame laidojimo biure balzamuotas lavonas, kaip Džesika Mitford (Jessica Mitford), regis, bando puse lūpų užsiminti apie tai knygoje *Amerikietiškas būdas numirti*, – toks pokštas nepritinka net ir senoliui Čembersui.)

Balzamavimo skystį gaminančios kompanijos neretai skatindavo eksperimentuoti, pavyzdžiui, rengdamos geriausiai išsilaikiusio kūno konkursus. Jos vylėsi, kad anksčiau ar vėliau koks nors laidojimo biuro savininkas patirties ar įžvalgumo dėka sugebės sukurti tobulą konservantų ir hidratorių derinį, kurį panaudojus taps įmanoma užkonservuoti kūną daugeliui metų, jo nemumifikuojant. Konkursų dalyviai buvo kviečiami pateikti itin gerai išsilaikiusių velionių nuotraukas drauge su balzamavimo formulėmis ir metodų aprašais. Laimėtojų straipsnius su nuotraukomis publikuodavo laidotuvininkystės žurnaluose. Remtasi dar prieš Džesiką Mitford gyvavusia nuostata, kad šį verslą reikia išmanyti, nes ne veltui vienas biznierius pražudė laidotuvininkystės leidinį *Casket and Sunnyside*.

Paklausiau Mako, kas vis dėlto privertė laidojimo biurų savininkus atsisakyti pažadų, neva jie sugebą užkonservuoti kūną amžiams. Pasirodo, priežastis paprasta – kaip kad neretai atsitinka, pakako vienintelio teismo proceso.

– Vienas toks žmogus prižnybo jiems uodegą. Nusipirko kampelį mauzoliejuje ir kartą per šešis mėnesius nešdavosi ten priešpiečius – per pietų pertrauką aplankydavo savo motiną. Vieną ypač lietingą pavasarį vidun prasismelkė šiek tiek drėgmės – ir ką gi išvydo mūsų žmogus? Ogi kad jo mamytė apžėlusi barzda! Visa buvo apėjusi pelėsiais. Žmogus padavė ieškinį ir prisiteisė iš laidojimo biuro dvidešimt penkis tūkstančius dolerių. Paskui laidotuvininkai jau privengė taip narsiai žarstytis pažadais.

Be to, balzamuoti atgrasino ir 1982-aisiais Federalinės prekybos komisijos išleistas Laidojimo įsakas, draudžiantis laidojimo biurų savininkams reklamuotis, kad jų pardavinėjami karstai užtikrina amžiną apsaugą nuo irimo.

Tai štai kaip su tuo balzamavimu. Dėl jo būsi per savo laidotuves neabejotinai patrauklios išvaizdos, bet anksčiau ar vėliau vis vien imsi težti ir dvokti, kol virsi Helovyno kapinių šmėkla. Balzamavimo tirpalas – konservantas neamžinas, panašiai kaip ir nitritai dešroje. Kad ir ką su mėsa darytum, ilgainiui vis vien pašvinks.

Štai kur šuo pakastas: kad ir kokių kiltų minčių, kaip pasielgti su savo kūnu po mirties, nė vienas variantas nepasirodys labai patrauklus. Jei svarstote galimybę paaukoti savo kūną mokslui, neskubėkite bjaurėtis išmėsinėjimu ar pjaustymu gabalais. Mano nuomone, tai, nors ir ne geriau, vis dėlto ir ne blogiau nei tiesiog supūti ar pakliūti į nagus balzamuotojams, kurie šermenims susiūs jums žandikaulius, durdami adatą per nosį. Net ir kremacija anaiptol nebeatrodys toks švarus ir tvarkingas procesas, jei pažvelgsime į ją iš arčiau – kaip 1963-iaisiais išleistos knygos *Mirties chemija* autorius V. Evensas (W. E. D. Evans), buvęs Londono universiteto patologinės anatomijos vyresnysis dėstytojas:

> Oda ir plaukai iš karto ima svilti, dega ir anglėja. Šiuo etapu gali tapti akivaizdus raumenų proteinų tirštėjimas nuo karščio, dėl to raumenys lėtai susitraukia ir gali imti tolydžiai skėstis šlaunys, kartu rankos ir kojos pamažu susilenkia. Gana paplitusi yra nuomonė, kad kremacijos proceso pradžioje liemuo gali staigiai susiriesti – kūnas dėl to neva „atsisėdąs" su tokia jėga, kad net atplėšia karsto dangtį, nors šito savo akimis nesu matęs...

Kartais dar iki suanglėjant ir sutrūkinėjant odai ir pilvo raumenims, pilvas gali smarkiai išsipūsti; taip atsitinka dėl to, kad skrandžio turinyje kaupiasi garai ir plečiasi dujos. Kol ugnis naikina minkštuosius audinius, apsinuogina paeiliui atskiros griaučių dalys. Netrukus nebelieka jokio kaukolės dangalo, paskui pasimato ir rankų, kojų kaulai... Viduriai dega gana lėtai, plaučiai – netgi dar lėčiau. Pastebėta, kad smegenys neretai būna ypač atsparios karščiui ir niekaip nenori visiškai sudegti. Netgi tada, kai nutrupa kaukolės skliautas, apnuogintos smegenys kartais atrodo kaip tamsi, sulydyta, gana tąsios konsistencijos masė... Galiausiai, kai išnyksta viduriai, pasirodo stuburas; kaulai liepsnose žvilga baltumu ir pagaliau griaučiai subyra.

Nikolės antveidžio vidinė pusė išrasojusi prakaito karoliukais. Balzamuotojai plūkiasi jau daugiau nei valandą. Darbas beveik baigtas. Teo dirsteli į Maką.

– Ar užsiuvinėsime išangę? – klausia, paskui atsisuka į mane: – To nepadarius, tekančios lauk atliekos gali prasisunkti į įkapes, o tai jau bjaurastis kaip reikiant.

Neimu į galvą, kad Teo kalba taip dalykiškai. Viskas čia – tiesiai iš gyvenimo: atliekos ir tamponai, ir nuotėkos, ir visokiausi skysčiai: pūliai, snargliai, gleivės ir kitos išskyros. Mes esame biologiniai padarai. Apie tai mums primenama pačioje pradžioje ir pačioje pabaigoje: gimstant ir mirštant. O tarpe tarp vieno ir kito mes darome viską, kas tik įmanoma, kad tik apie tai nereikėtų galvoti.

Kadangi mūsiškio velionio jokios laidotuvių apeigos nelaukia, Mako valia spręsti, ar studentams būtina atlikti šią paskutinę užduotį. Jis nutaria, kad nebeverta vargintis. Nebent viešnia norėtų dar pamatyti ir tai. Visi sužiūra į mane.

– Ačiū, nereikia. – Šiandien biologijos man jau per akis.

4

LAVONAS PRIE VAIRO

Numirėliai ir manekenai – automobilių avarijų
padarinių bandytojai ir šiurpus, bet
reikalingas atsparumo smūgiams mokslas

Iš esmės tai numirėlių sugebėjimai ne per didžiausi. Jie nesugeba
nei žaisti vandensvydžio, nei susivarstyti batų raištelių, nei išpešti
bent kokios naudos iš akcijų. Jie negali papasakoti anekdoto nei
šokti iki nukritimo. Tačiau vieną dalyką numirėliai sugeba tobulai:
ištverti skausmą.

Pavyzdžiui, kad ir *UM 006*. *UM 006* yra lavonas, kuris visai ne-
seniai per Detroitą atkeliavo iš Mičigano universiteto į Veino vals-
tybinio universiteto bioinžinerijos pastatą. Šįvakar, apie septintą
valandą, jo laukia darbas: patirti tiesioginį stiprų smūgį į petį. Gali
atsitikti taip, kad skils jo raktikaulis ar mentikaulis, tačiau jis ničnieko
nė nepajus, be to, sužalojimai nėmaž nesutrukdys jam ir toliau eiti
kasdienių pareigų. Savo sutikimu gauti smūgį į petį lavonas *UM 006*
padeda tyrinėtojams išsiaiškinti, kokio stiprumo šoninį smūgį auto-
mobilio avarijoje gali pakelti žmogaus petys, nepatirdamas rimtos
traumos.

Per pastaruosius šešerius metus negyvėliai nemažai padėjo gyvie-
siems išsiaiškinti žmogaus kūno atsparumo ribas: kokio stiprumo
smūgį atlaiko kaukolė, kokia jėga reikia trenkti, kad įskiltų krūtinė,
sutrupėtų kelis, jovalu virstų viduriai – kitaip sakant, negyvėliai pa-
dėjo išbandyti visus tokius bjaurius ir grėsmingus dalykus, kurie

gali ištikti žmogų automobilio avarijoje. Automobilių gamintojai, išsiaiškinę, kokio stiprumo smūgį pajėgia atlaikyti žmogaus kaukolė, stuburas ar petys, gali mėginti kurti tokius automobilius, kad avarijos smūgis vairuotojui ar keleiviams būtų kuo menkiausias.

Tikriausiai jums, kaip ir man, kyla klausimas: kodėl avarijų bandymams netiktų manekenai? Naudojami ir jie, bet tik antrajam etapui. Pasitelkus manekeną, irgi galima matuoti, kokia smūgio jėga tenka įvairioms kūno dalims, tačiau ši informacija lieka visai bevertė nežinant, kokio stiprumo smūgį gali atlaikyti tikro žmogaus kūno dalys. Pirmų pirmiausia būtina, pasitelkus lavoną, susižinoti, kad, pavyzdžiui, įlenkti krūtinės ląstą, nesužalojant jos viduje esančių minkštų ir drėgnų organų, galima daugiausia 7 centimetrus. O tada jau prie naujo automobilio vairo sodinamas manekenas ir, jei nuo smūgio į vairą jo krūtinė įlinksta 10 centimetrų, iškart aišku, kad Nacionalinė eismo saugumo greitkeliuose valdyba tuo automobiliu anaiptol nesusižavės.

Pirmą kartą numirėliai pasitarnavo eismo saugumui, kai dalyvavo bandymuose su priekiniu automobilio stiklu – siekiant pagaminti jį tokį, kad nesuraižytų veido. Pirmieji fordai buvo gaminami išvis be priekinio stiklo – štai kodėl piešiniuose matome jų vairuotojus su apsauginiais akiniais. Jie tikrai nesiekė mėgdžioti grėsmingos Pirmojo pasaulinio karo lakūno išvaizdos – tiesiog akiniai saugojo akis nuo vėjo ir vabzdžių. Pirmieji priekiniai automobilio stiklai buvo gaminami iš paprasčiausio langų stiklo – užstojo vėją, bet, deja, kartu ir pjaustė veidus patyrusiems avariją. Net pradėjus naudoti pirmuosius langus iš laminuoto stiklo – tokie buvo dedami nuo ketvirtojo dešimtmečio iki septintojo dešimtmečio vidurio – priekyje sėdėjęs keleivis po avarijos atrodydavo apverktinai: nuo kaktos iki pat smakro giliai perrėžtu veidu. Automobiliui įsirėžus į kliūtį, keleivis atsitrenkdavo į priekinį stiklą, galva išdauždavo jame galvos formos skylę, paskui atatranka įstumdavo galvą pro tą pačią skylę atgal, dantyti stiklo kraštai vėl rėždavo veidą.

Kita naujovė – grūdintas stiklas – buvo jau gana tvirtas, su galva jo nebepradauši, tačiau iškilo nauja problema: nuo smarkaus smūgio į stipresnį stiklą susitrenkdavo smegenys. (Kuo tvirtesnė medžiaga, tuo liūdnesni žmogui smūgio į ją padariniai: palyginkime, ką reiškia griūti ant ledo ir ant vejos.) Neurologai žinojo, kad smegenų sukrėtimą dėl smūgio stačia galva paprastai lydi ir didesni ar mažesni kaukolės įtrūkiai. Žinoma, numirėliui smegenų sukrėtimo nesukelsi, tačiau kaukolės įskilimų ties plaukų linija paieškoti galima, tad tyrinėtojai kaip tik taip ir padarė. Veino (Wayne) valstybiniame universitete lavonai būdavo nulenkiami virš automobilio lango stiklo maketo ir metami iš įvairaus aukščio (kaitaliojamas suartėjimo greitis) taip, kad kakta atsitrenktų į stiklą. (Priešingai įsišaknijusiai nuomonei, per smūgių bandymus lavonų paprastai niekas nesodina prie riedančio automobilio vairo, mat vairavimas yra viena iš tų užduočių, su kuriomis lavonai nelabai susidoroja. Todėl dažniausiai negyvėliai metami žemyn iš tam tikro aukščio arba sėdi priešais atlekiantį valdomą smūgio įnagį.) Bandymai atskleidė, kad grūdinto stiklo lakštas, jei tik nėra pernelyg storas, smegenų sukrėtimo nesukelia. Dabartiniai priekiniai stiklai yra dar tampesni, tad jei įsirėžiame kaktomuša į sieną, važiuodami 50 kilometrų per valandą greičiu ir neprisisegę saugos diržo, galva neturėtų dėl ko labai skųstis: nebent tik dėl mėlynės ir dar savininko, kuris vairuoja ne geriau už vidutinį lavoną.

Nepaisant tampių priekinių stiklų ir minkštai išmuštų, aptakių, be jokių atsikišimų prietaisų skydelių, dažniausia mirties priežastis avarijose vis vien išlieka smegenų sužalojimas. Pats smūgis galva iš tiesų labai retai tebūna ypač stiprus. Lemtingus smegenų sužalojimus dažniausiai sukelia dviejų aplinkybių kombinacija: galva, į ką nors trenkdamasi, kartu dar ir labai staigiai krypteli į šalį ir tuoj atgal (tai vadinama rotacija).

– Jeigu galvą tik šiaip trenktum, nepasuktą, tai tam, kad kristum be sąmonės, smūgis turėtų būti nepaprastai stiprus, – sako Veino valstybinio bioinžinerijos centro direktorius Albertas Kingas. – Lygiai taip pat, kad ir kaip staigiai sukiotum galvą, jei ji į nieką neatsitrenktų, tai sunkesnio smegenų sužalojimo beveik neabejotinai pavyktų išvengti. – (Beje, tiems, kurie didžiuliu greičiu įsirėžia į kito automobilio užpakalį, kartais kaip tik šitaip ir atsitinka: smegenys blaškomos pirmyn atgal taip, kad neatlaikiusios spaudimo sprogsta paviršinės jų venos.) – Įprastoje avarijoje paprastai patiriamas ir smūgis, ir rotacija: nei vienas, nei kitas dalykas nebūna labai smarkus, tačiau galva neretai sužalojama labai sunkiai.

Galvos blaškymas į šalis po smūgio į automobilio šoną yra liūdnai pagarsėjęs kaip dažniausia komos priežastis.

Drauge su keliais kitais kolegomis Kingas stengiasi kuo tiksliau išsiaiškinti, kas atsitinka smegenims, patiriančioms smūgio ir blaškymo į šonus derinį. Kitame miesto gale, Henrio Fordo ligoninėje, jų grupė kurdavo avarijų imitacijas ir filmuodavo bandomus lavonus itin didelio greičio rentgeno spindulių vaizdo kameromis, kad sužinotų, kas dėl avarijos veiksnių dedasi kaukolės ertmėje. Paaiškėjo, kad rotacija pasireiškia kur kas labiau, nei manyta iki šiol – tyrinėtojai užfiksavo stiprų, pasak Kingo, „smegenų ištaškymą".

– Smegenys blaškosi kaukolėje kone aštuoniuke, – aiškina Kingas.

O tokias figūras verčiau jau tegul atlikinėja pačiūžų mėgėjai: kai šitaip tampomos smegenys, jas ištinka trauma, vadinama aksonine difuzija – potencialiai mirtini plyšimai bei įtrūkiai smegenų aksonų mikrokanalėliuose.

Krūtinės sužalojimai – dar vienas rimtas avarijos padarinys, neretai nusinešantis žmogaus gyvybę. (Tą buvo galima pasakyti jau tada, kai apie automobilius dar niekas nė nesvajojo: didysis anatomas Vezalijus 1557-aisiais aprašė atvejį, kai aorta plyšo žmogui, nukritusiam nuo arklio.) Kol nebuvo išrasti saugos diržai, pats pavojingiausias gyvybei automobilio interjero atributas buvo vairas.

Susidūrus kaktomuša su kliūtimi, vairuotojo kūnas bloškiasi pirmyn ir krūtine įsirėžia į vairą, neretai – tokia jėga, kad vairo ratą tarsi skėtį suskliaudžia, prilenkia prie kolonėlės.

– Kartą, automobiliui įsirėžus į medį, vairuotojo krūtinės centre liko nuo vairo įsispaudusi raidė „N" – automobilis buvo „Nash", – prisimena Donas Huelkė, automobilių saugumo tyrinėtojas, kuris nuo 1961-ųjų iki 1970-ųjų apžiūrinėdavo visas žmonių aukų nusinešusių avarijų vietas Mičigano universiteto apylinkėse, smulkiai fiksuodamas, kas ir kaip ten įvyko.

Vairo kolonėlė septintojo dešimtmečio automobiliuose būdavo laiba, kartais jos skersmuo tesiekdavo vos šešis ar septynis colius. Lygiai kaip slidžių lazda be atraminio skrituliuko susminga į sniegą, taip ir vairo kolonėlė, atsitrenkus į vairą, perskrosdavo vairuotojo kūną. Nelemtas projektuotojų sprendimas lėmė, kad įprastinio automobilio vairo kolonėlė pataikydavo vairuotojui tiesiai į širdį.* Tad kaktomuša įsirėžus į kliūtį, smūgis pataikytų kaip tik į tą kūno vietą, į kurią užvis mažiausiai norėtumėte jo susilaukti. Net jei metalas neperverdavo krūtinės, vien smūgis neretai žmogų pribaigdavo. Nors aortos sienelės neplonos, vis dėlto ji plyšta gana lengvai. Taip atsitinka

---

* Vertinant iš saugumo pozicijų, užvis geriausia būtų atsisakyti vairo ir abipus vairuotojo sėdynės įtaisyti po rankeną. Taip ir buvo padaryta „Išgyvenimo automobilyje" – parodomajame modelyje, kurį septintojo dešimtmečio pradžioje sukonstravo *Liberty Mutual Insurance Company* draudimo kompanija, siekdama pademonstruoti pasauliui, kokie automobiliai padeda išsaugoti gyvybę (o kartu ir sumažina draudimo kompanijų išmokas). Buvo ir daugiau saugumą užtikrinančių elementų, pavyzdžiui, antraip atsukta keleivio sėdynė – kaip kažin ką, toks elementas automobilio perkamumą galėjo padidinti taip pat sėkmingai, kaip ir tos vairalazdės. Žinoma, saugumas nėmaž neprisidėjo prie automobilio populiarumo, viską lėmė stilius, tad „Išgyvenimo automobiliui" taip ir nepavyko pakeisti pasaulio.

todėl, kad kas antrą sekundę iš jos išpumpuojama apie svarą kraujo: jo prisipildo žmogaus širdis. Tad jei smogsime buku daiktu pakankamai stipriai – o kaip tik taip ir atsitinka, kai į krūtinę įsirėžia vairas – įtampos nebeatlaikys net pats stambiausias kūne kraujo indas. Taigi jei užsispirsite ir atkakliai važinėsite senoviniais automobiliais be saugos diržų, bent pasistenkite pakliūti į avariją sistolinės fazės metu – tai yra tokiu metu, kai aortoje nelieka kraujo.

Bioinžinieriai ir automobilių gamintojai (ypač – *General Motors*), turėdami visa tai omenyje, pradėjo kurti avarijų imitacijas, prie vairo sodindami negyvėlius – tai būdavo priekinė automobilio pusė, pritvirtinta ant automatiškai greitinamos pavažos, kurią staigiai stabdant galima gauti tokias pat atoveiksmio jėgas, kokios pasireiškia automobiliui kaktomuša trenkiantis į kliūtį. Tikslas – ar bent vienas tikslų – buvo sukurti tokią vairo kolonėlę, kuri nuo smūgio susistumtų, sugerdama didžiąją smūgio jėgos dalį ir pamažintų širdies ir kraujagyslių sužalojimą. (Dabar analogiškai konstruojamas ir automobilio stogas – kad išsiriestų net nuo nedidelio avarijos smūgio; sumanymas toks: kuo labiau susilamdo mašina, tuo mažiau nukenčia esantys joje žmonės.) Pirmoji, dar septintojo dešimtmečio pradžioje *GM* įdiegta susistumianti vairo kolonėlė sumažino žūties pavojų, automobiliui kaktomuša susidūrus su kliūtimi, perpus.

Štai taip viskas ir klostėsi. Visa lavonų draugija nemažai prisidėjo prie to, kad vyriausybės įsaku būtų padaryti privalomi saugos diržai, įdiegtos oro pagalvės, sukurtas apsauginis gaubtas prietaisų skydeliui, taip pat gerokai sumažintos prietaisų skydelio rankenėlės (šeštojo ir septintojo dešimtmečio autopsijos bylose galima aptikti ne taip jau mažai rentgeno nuotraukų, kuriose aiškiai matyti į žmogaus galvą susmigusios automobilio radijo rankenėlės). Lavonai atliko daugybę darbų, toli gražu nepatrauklių akiai. Tarkime, saugos diržai išmėginti visais įmanomais būdais – mat automobilių gamintojai, siekdami mažinti gamybos išlaidas, metų metais įrodinėjo, kad saugos diržai kur kas dažniau būna kalti dėl sužalojimų, nei nuo jų apsaugo, tad neturėtų būti privalomi. Taigi lavonas būdavo sodinamas į automobilį, apjuosiamas saugos diržais ir – patirdavo avariją. O paskui būdavo tyrinėjama, kur jam kas nuo smūgio lūžę ar sumaigyta. Siekiant išsiaiškinti žmogaus veido atsparumo ribas, lavonai būdavo sodinami taip, kad jų skruostikauliai atsidurtų kaip tik „sukamojo daužiklio" ugnies linijoje. Jų blauzdikaulius laužydavo imituojamais buferio smūgiais, o šlaunikaulius trupino į krūtines grūdami prietaisų skydeliai.

Visa tai atrodo išties nelabai patraukliai, tačiau nekyla abejonių, kad tokie bandymai davė naudos. Dėl techninių patobulinimų, kuriuos padaryti įgalino atliktieji bandymai su lavonais, dabar jau įmanoma likti gyvam kaktomuša įsirėžus į sieną net ir šimto kilometrų per valandą greičiu. 1995-aisiais *Journal of Trauma* žurnale išspausdintame straipsnyje „Bandymų su lavonais sužalojimų prevencijos srityje nauda" Albertas Kingas (Albert King) pateikia tokius apskaičiavimus: visi pakeitimai, įvesti remiantis bandymų su lavonais rezultatais, siekiant padidinti automobilio saugumą, nuo 1987-ųjų kasmet išgelbsti po 8500 gyvybių. Kiekvienas lavonas, važiavęs avarijos pavaža, išbandant tris smūgio taškus prisisegus saugos diržais, išgelbsti po 61 gyvybę per metus. Kiekvieno lavono, savo kailiu patyrusio išsipūtusią oro pagalvę, dėka kasmet gyvi lieka 147 žmonės, kurie būtų mirtinai susitrenkę galvą. Kiekvienas negyvėlis, galva įsirėžęs į priekinį stiklą, per metus išsaugo 68 gyvybes.

Deja, Kingas visų šių skaičių neturėjo po ranka 1978-aisiais, kai Parlamento priežiūros ir tyrimų pakomitečio pirmininkas Džonas Mosas sušaukė pasitarimą, skirtą apsvarstyti lavonų panaudojimui automobilių avarijų bandymuose. Atstovų rūmų narys Mosas pareiškė jaučiąs „asmeninį pasibjaurėjimą šitokia praktika". Ir pridūrė, neva eismo saugumo valdyboje esąs susiformavęs „tam tikras kultas, neabejojant, kad tokios priemonės būtinos". Mosas tikėjo, kad įmanoma ir kitaip. Jis pareikalavo įrodymų, kad negyvėliai automobilyje, patekusiame į avariją, patiria lygiai tą patį, ką tomis aplinkybėmis patirtų gyvieji – įrodymų, kurių, kaip paaiškino susierzinę tyrinėtojai, gauti neįmanoma, nes reikėtų su lavonais atliekamus galingų smūgių bandymus kartoti su gyvais žmonėmis.

Gaila, bet atstovų rūmų narys Mosas dideliu palankumu lavonams nepasižymėjo. Prieš pasukdamas į politiką, jis pats kurį laiką dirbo laidojimo paslaugų biure. Tiesa, nebuvo jis ir ypač konservatyvus. Jis buvo demokratas, linkęs į reformas, turinčias užtikrinti saugumą. Tad, pasak Kingo (kuris dalyvavo svarstyme), Mosui užkliuvo štai kas. Jis įdėjo nemaža pastangų mėgindamas pasiekti, kad būtų priimtas įstatymas, kuris padarytų privalomas automobilyje oro pagalves. Tad nenuostabu, kad gerokai užsiuto, kai bandymai su lavonais atskleidė, jog oro pagalvės sukelia sužalojimų dažniau nei saugos diržai. (Oro pagalvė kartais iš tikrųjų gali žmogų sužaloti, net nužudyti, ypač jei keleivis automobilyje pasilenkęs ar yra kaip kitaip nukrypęs nuo įprastos padėties. Vis dėlto šiuo atveju, jei Moso atžvilgiu elgsimės sąžiningai, teks pripažinti, kad oro pagalvės prispaustas lavonas buvo senesnis ir galbūt trapesnis.) Mosas buvo tikra keistenybė: bandė prastumti įstatymą, turintį užtikrinti automobilio saugumą, o stojo prieš bandymus su lavonais!

Galų gale baigėsi tuo, kad komitetas, sulaukęs paramos iš Nacionalinės mokslų akademijos, Džordžtauno bioetikos centro, Nacionalinės katalikų konferencijos, žinomos medicinos mokyklos anatomijos fakulteto dekano, kuris pareiškė, esą „šitokie eksperimentai yra gerbtini lygiai taip pat [kaip ir skrodimai per medicinos mokyklos anatomijos pratybas], be to, jie sužaloja žmogaus palaikus kur kas mažiau", kvakerių, hinduistų ir reformuoto judaizmo religijos atstovų, priėjo išvadą, kad Mosas, ko gero, būsiąs mažumą „nukrypęs nuo įprastos padėties". Automobilio avarijoje gyvo žmogaus niekas negali pavaduoti geriau už tą, kuris jau gatavai miręs.

Dievaži, juk visos įmanomos alternatyvos irgi buvo išmėgintos. Vos tik pradėjus tyrinėti smūgio poveikį, mokslininkai neretai ryždavosi eksperimentuoti patys su savimi. Lorensas Patrikas – Alberto Kingo pirmtakas Bioinžinerijos centre – daugelį metų savanoriškai dalyvaudavo avarijų bandymuose, pats ir būdamas tuo bandomuoju triušiu. Avariją patiriančioje važiuoklėje jis sėdėjo bene keturis šimtus kartų, maža to, buvo trankomas į krūtinę dvidešimt dviejų svarų metaline švytuokle. Vienu keliu jis spardydavo metalinį strypą su pritaisytu apkrovos davikliu. Tokie pat narsūs – jei tik čia tinka šis žodis – buvo ir kai kurie Patriko studentai. 1965-aisiais straipsnyje apie smūgius į kelį jis rašo, kad studentai savanoriai avarijų rogėse ištvėrė tokius smūgius į kelius, kurių galia prilygsta tūkstančiui svarų. Taigi sužalojimų slenkstis buvo įvertintas tūkstančiu keturiais šimtais svarų. Jo 1963-iųjų studijoje „Veido sužalojimai – priežastys ir prevencija", be kita ko, aptinkame ir nufotografuotą jaunuolį – iš pažiūros ramiai besiilsintį užsimerkus. Vis dėlto pažvelgus įdėmiau krinta į akis, kad ramybės jo veide ne kažin kiek. Pirmiausia – atramai po galva jaunuolis pasikišęs knygą „Galvos traumos" (gal ir nelabai patogu, tačiau šią knygą turbūt maloniau pasikišti po galva nei skaityti). O virš pat jaunuolio skruosto kabo grėsmingai atrodantis strypas, aiškinamajame užraše įvardytas kaip „gravitacinis daužiklis". Tekstas informuoja mus, kad „savanoriui teko palaukti keletą dienų, kol atslūgs tinimas, o tada bandymai buvo tęsiami iki tos ribos, kiek jis įstengė ištverti". Štai čia ir slypi problema. Smūgio duomenys, neperžengiantys sužalojimų slenksčio, lieka beveik beverčiai. Bandymams būtini tokie žmonės, kurie nejaučia skausmo. Kitaip sakant, – lavonai.

Mosas domėjosi, kodėl automobilių avarijų bandymuose negalima būtų naudotis gyvūnais. Nors iš tiesų jais naudojamasi. Aštuntosios automobilių avarijų lauko demonstracijų konferencijos aprašymo įžanga gerokai primena vaiko prisiminimus apie apsilankymą cirke:

„Matėme šimpanzes, važiuojančias reaktyvinėmis pavažomis, lokį, pakibusį ant smogiamosios švytuoklės... Stebėjome kiaulę, kaip ji anestezuota ir apraizgyta diržais, sėdima poza pritvirtinta prie švytuoklės, iš visų jėgų rėžiasi į giliai įgaubtą vairą..."

Kiaulėms dažnai tekdavo dalyvauti šitokio pobūdžio bandymuose, kadangi, kaip pasakė vienas tokių bandymų organizatorių, „turint omenyje vidaus organų išsidėstymą", jos gana panašios į žmones, be to, jas įmanoma patupdyti beveik tokia pat poza, kokia automobilyje sėdi žmogus. Mano išmanymu, lygiai taip pat jos panašios į sėdintį prie vairo žmogų ir protu, ir elgsena, ir beveik visa kuo, išskyrus nebent pomėgį naudotis puodelio laikikliu ar radijo rankenėlėmis, bet tas tai juk mums nesvarbu. Vėliau gyvūnai avarijų imitacijose dalyvaudavo tik tada, kai prireikdavo funkcionuojančių organų, ko lavonai pasiūlyti negali. Pavyzdžiui, su babuinais išbandytas staigus galvos sukiojimas į šonus – siekta išsiaiškinti, kodėl po avarijoje patirto šoninio smūgio žmogų taip dažnai ištinka koma. (Savo ruožtu tyrinėtojams teko atlaikyti nuožmius gyvūnų teisių gynėjų išpuolius.) Tyrinėti aortos plyšimui buvo pasitelkti šunys; nežinia kodėl, bet, kaip rodė bandymai, pažeisti lavono aortą labai sunku.

Išlieka vienintelė automobilių avarijų sritis, kur tyrinėjimams vis dar būtini gyvūnai, nors lavonai padėtų surinkti kur kas tikslesnių duomenų – tai smūgio vaikui padariniai. Vaikai patys savo palaikų mokslui neaukoja, o mokslininkams nesinori lįsti sielvartaujantiems tėvams į akis su savo prašinėjimais, nors žinoti apie vaikus ir kaip juos gali sužaloti oro pagalvė tiesiog būtina.

– Problema tikrai rimta, – pasakė man Albertas Kingas. – Bandome numatyti rezultatus iš poveikio babuinams, tačiau sužalojimų sunkumas neabejotinai labai skiriasi. Juk vaiko kaukolė dar net nėra galutinai susiformavusi, augant keičiasi.

1993-iaisiais Heidelbergo universiteto Medicinos fakulteto tyrinėtojų grupė ryžosi surengti seriją smūgio bandymų su vaikais – tyrinėtojams pakako drąsos ne tik šitam. Jie išteko įžūlumo organizuoti projektą be leidimo. Tačiau spauda paviešino, įsikišo dvasininkija, ir projektą teko nutraukti.

Išskyrus vaikų duomenis, visų kitų gyvybiškai svarbių žmogaus kūno dalių atsparumas smūgiams buku daiktu seniai nustatytas, tad dabar numirėliai pasitelkiami daugiausia tik siekiant išsiaiškinti smūgio poveikį ne tokioms svarbioms kūno dalims: čiurnoms, keliams, pėdoms, pečiams.

– Kadaise, – sakė man Kingas, – žmonės, pakliuvę į didesnę avariją, iškart atsidurdavo lavoninėje. – Savaime aišku, niekam neparūpdavo, kad žuvusiajam sutrupinta dar ir čiurna. – O dabar, oro pagalvių dėka, netgi po didelių avarijų žmonės lieka gyvi, tad reikia pasirūpinti ir tokiais dalykais. Jei žmogui sužalojamos abi čiurnos ir abu keliai, jis jau tikrai nebegalės normaliai vaikščioti. Tokios traumos dabar pasitaiko itin dažnai.

Šįvakar Veino valstybinio universiteto smūgių laboratorijoje lavonui teks ištverti smūgį į petį, o Kingas buvo toks malonus, kad pakvietė mane stebėti. Na, ne visai taip. Tiesą sakant, nepakvietė. Aš pati pasiprašiau stebėtoja, o jis tik neprieštaravo. Vis dėlto, turint omenyje tai, ką man teks pamatyti, ir dar tai, kokia jautri šiais klausimais viešoji nuomonė, ir dar prisiminus, kad Albertui Kingui teko skaityti mano rašinius, vadinasi, supranta, kad mano straipsnis bus ne kaip *International Journal of Crashworthness* žurnale, – reikia pripažinti, kad pasielgė jis iš tiesų labai gražiai.

Veino valstybinis dalyvauja smūgių tyrinėjime jau nuo 1939-ųjų – ilgiau nei bet kuris kitas universitetas. Ant sienos virš paradinių laiptų, vedančių į Bioinžinerijos centrą, kabo transparantas, skelbiantis: „Švenčiame judėjimo į priekį su susidūrimais penkiasdešimtmetį". Dabar – 2001-ieji, o tai reiškia, kad jau ištisus dvylika metų niekas nepasivargina transparanto nukabinti, ko iš inžinierių lyg ir tikėtumeis.

Kingas skuba į oro uostą, tad palieka mane savo kolegai, bioinžinerijos profesoriui Džonui Kavanaugui (John Cavanaugh), kuris vadovaus šio vakaro smūgiui. Kavanaugas atrodo ir kaip inžinierius, ir kartu kaip kadaise jaunas aktorius Džonas Voitas, jei tik galite tokį derinį įsivaizduoti. Jo veidas atrodo taip, kaip ir turi atrodyti veidas to, kuris ištisas dienas pratūno laboratorijoje: pablyškęs, be jokios raukšlelės; plaukai lygūs, rusvi. Kai jis kalba ar dirsčioja į šalis, jo antakiai kilsteli, vidur kaktos susimeta raukšlė – dėl to jis visą laiką atrodo šiek tiek susirūpinęs. Kavanaugas nusiveda mane laiptais žemyn, į smūgių laboratoriją. Tai tipiška universiteto laboratorija, prigrūsta senovinės, neįmantriai sukurptos įrangos. Bendrą vaizdą papildo didžiosiomis raidėmis išvedžioti perspėjimai dėl saugumo. Kavanaugas supažindina mane su šiandieninio bandymo asistentu Metu Meisonu ir su Debe Mart, kurios disertacijai mokslo daktaro laipsniui gauti ir skirtas šis smūgio bandymas, o pats vėl užlipa laiptais viršun ir dingsta.

Apsidairau po patalpą, žvilgsniu ieškodama *UM 006* – panašiai vaikystėje apžiūrėdavau rūsį, ar kur netyko pabaisa, besigviešianti pro laiptų turėklus stverti man už kojos. Ne, jo čia kol kas nėra. Ant važiuoklės bėgių kėpso bandomosios avarijos manekenas. Viršutinė jo kūno dalis glaudžiasi prie šlaunų, galva padėta ant kelių, tarsi jis būtų susmukęs iš nevilties. Rankų manekenas išvis neturi – galbūt kaip tik ši aplinkybė ir yra jo nevilties priežastis.

Metas prijunginėja itin didelio greičio vaizdo kameras prie poros kompiuterių ir prie linijinio smūgiuotuvo. Smūgiuotuvas yra grėsmingo dydžio stūmoklis, pritvirtintas ant plieninio pagrindo, didumo sulig mugės poniu; jis iššaunamas suslėgto oro srautu. Iš koridoriaus atsklinda ratukų tarškėjimas.

– O štai ir jis, – tarsteli Debė.

UM 006 guli ant ratukinių neštuvų, juos stumia toks raumeningas žilaplaukis vyrukas vešliais antakiais, apsirengęs, kaip ir Mart, tarsi chirurgas.

– Aš – Ruhanas, – prisistato vyriškis su antakių šabakštynu. – Rūpinuosi lavonais. – Jis ištiesia man pirštinėtą ranką. Aš mosteliu rodydama, kad pati pirštinių nedėviu. Ruhanas kilęs iš Turkijos, ten dirbo gydytoju. Kaip buvęs gydytojas, dabar dirbantis su lavonais, be kita ko, juos rengiantis ir maukšlinantis jiems sauskelnes, jis atrodo stulbinamai žvalus, optimistiškas. Klausiu jo, ar labai sunku aprengti negyvėlį ir kaip jis tai daro. Ruhanas pradeda pasakoti, bet staiga paklausia:

– Ar jums kada nors teko lankytis slaugos namuose? Visiškai tas pats.

UM 006 šįvakar vilki žydru triko ir prie jo derančiomis aptemptomis glaustinukėmis. Po jomis – sauskelnės, sugeriančios išskyras. Triko apykaklė plati, lenkta – visai kaip šokėjos. Ruhanas patvirtina, kad triko lavonams iš tiesų perkami iš šokėjų aprangos tiekėjo.

– Jiems vidurius susuktų, jei sužinotų!

Siekiant užtikrinti anonimiškumą, negyvėlio veidas pridengtas prigludusiu baltu medvilniniu gobtuvu. Jis primena plėšiką, susiruošusį apgrobti banką ir todėl ketinusį užsimaukšlinti ant galvos moteriškas pėdkelnes, tačiau per klaidą užsimovusį sportinę kojinę.

Metas pasideda nešiojamąjį kompiuterį ir kimba padėti Ruhanui perkelti lavoną ant automobilio sėdynės, įtaisytos ant staliuko greta smūgiuotuvo. Ruhanas sakė tiesą: darbas čia – išties kaip slaugos namuose: reikia aprengti, pakelti, sutvarkyti. Skirtumas tarp labai seno, ligoto, trapaus žmogaus ir negyvėlio – visai nedidelis; skiriamoji riba tarp jų kitąsyk visai apnyksta. Kuo daugiau laiko tenka praleisti su leisgyviais, ligų kamuojamais senukais (šitokios būklės man teko regėti abu savo tėvus), tuo labiau garbų amžių imi suvokti ne kitaip, o tik kaip nuoseklų grimzdimą į mirtį. Merdėjantys senukai miega vis daugiau, kol galiausiai vieną gražią dieną „užminga" ir visai nebeprabunda. Neretai jie vis menkiau sugeba judėti; pagaliau išaušta tokia diena, kai jie tepajėgia tik gulėti ar sėdėti tokia poza, kokia juos kas nors įkurdino. Su UM 006 jie susiję nė kiek ne mažiau nei su jumis ar manimi. Pradedu įsitikinti, kad su mirusiuoju – kur kas lengviau, nei su mirštančiuoju. Numirėliams nieko neskauda, jie nebijo mirties. Niekad nestoja nejauki tyla, jei kalba pasisuktų apie tai, kas neišvengiama. Numirėliai visai nebaisūs. Tas pusvalandis, kurį praleidau su savo mirusia motina, buvo kur kas paprastesnis už daugelį valandų, kai sėdėdavau greta jos gyvos – merdinčios, kamuojamos skausmų. Nenoriu pasakyti, kad jos mirties laukiau. Tiesiog su mirusia buvo lengviau. Būti netoli lavono, kai tik su juo apsipranti – o apsipranti labai greitai – iš tiesų nuostabiai lengva.

Ir gerai, kadangi šiuo metu patalpoje mes likome vienu du: jis ir aš. Metas krapštosi gretimame kambaryje, Debė išėjo kažko ieškoti. UM 006 buvo aukštas, stambus vyras – toks jis tebėra ir dabar. Jo glaustinukės truputį išteptos. Per aptemptą triko ryškėja suzmekęs, kauburiuotas juosmuo. Tiesiog senstantis superdidvyris, kurio ramybės nevalia drumsti tokiais niekais kaip kostiumo skalbimas. Jo rankas slepia pirštinės iš tokios pat baltos medvilnės kaip ir gobtuvas ant galvos. Tikriausiai jis taip apmaukšlintas siekiant nuasmeninti – taip pat elgiamasi ir su anatomijos laboratorijos lavonų rankomis – tačiau man atrodo priešingai. Pirštinėtas, gobtuvuotas negyvėlis atrodo pažeidžiamas, bejėgis kaip kūdikis.

Praslenka dešimt minučių. Sėdėti viename kambaryje su lavonu – beveik tas pats, kas sėdėti vienam. Čia pat gulintis negyvėlis – daugmaž tokia pat draugija, kaip kitoje vagono pusėje sėdintys bendrakeleiviai arba priešais jus įsitaisę keliautojai oro uosto laukiamajame – jie tarsi ir yra, bet kartu – jų lyg ir nėra. Žvilgsnis nejučia nuslysta į juos, kadangi daugiau nėra nieko įdomaus, į ką žiūrėti, bet tuojau pat susigėsti, nes pasijunti per daug smalsaująs.

Sugrįžo Debė. Dabar ji tikrina akcelerometrus, kuriuos ne be vargo pritvirtino prie atvirų negyvėlio kaulų sričių: mentikaulių, raktikaulių, stuburo slankstelių, krūtinkaulio ir galvos. Matuojant, kokį greitį kūnas pasiekia smūgio akimirką, prietaisai pateikia smūgio jėgą sunkio vienetais – g. Atlikus bandymą, Debės lauks peties srities autopsija – ji užfiksuos visus sužalojimus, lavono patirtus nuo smūgio tam tikru greičiu. Debė siekia išsiaiškinti sužalojimo slenkstį ir kokio stiprumo jėga jį pasiekia; gauta informacija bus panaudota konstruojant bandyminį petį šoninio smūgio manekenui.

Šoninio smūgio avarija yra tokia, kai automobiliai susiduria devyniasdešimties laipsnių kampu: bamperiu į dureles; šitaip neretai atsitinka sankryžose, kai kuris nors eismo dalyvis nepasivargina sustoti įsijungus geltonai šviesai arba numoja ranka į „Stop" ženklą. Kryžmai užsijuosiami saugos diržai ir salono priekyje įtaisytos oro pagalvės sušvelnina pirmyn bloškiančią jėgą – šios priemonės yra skirtos apsaugoti nuo sužalojimų susidūrus kaktomuša. Tačiau jei smūgis tenka iš šono, visa tai ne kažin kiek tegelbsti. Šoninis smūgis yra pavojingesnis ir dar dėl vienos nepalankios aplinkybės: smūgiuojantis automobilis niekuo nuo žmogaus neatskirtas – smūgio nesušvelnina variklis nei bagažinė, nei užpakalinė sėdynė. Nuo įsirėžiančio bamperio jus skiria vos kelių centimetrų storumo durelės. Kaip tik dėl šios priežasties taip ilgai nebuvo sukurta ir oro pagalvių, kurios dabar pradeda saugoti ir nuo šoninio smūgio. Nesant jokios užkardos, oro pagalvių jutikliai privalo sureaguoti į smūgį akimoju, o tokių dar tiesiog nebuvo.

Debė apie tai žino viską, nes dirba konstruktore inžiniere Fordo gamykloje – kaip tik ji ir įdiegė šonines oro pagalves 1998-ųjų laidos *Town Car* automobilyje. Iš pažiūros ji nėmaž nepanaši į inžinierę. Atrodo tarsi ką tik nužengusi iš madų žurnalo viršelio: lygutėlė oda, plati, baltumu švytinti šypsena, žvilgantys tamsrudžiai plaukai, suimti į laisvoką „arklio uodegą". Jei Džulija Roberts ir Sandra Bulok galėtų turėti bendrą dukterį, tai dukra atrodytų kaip tik šitaip – kaip Debė Mart.

Kitam lavonui, *UM 006* pirmtakui, buvo smogta didesniu – 24 kilometrų per valandą – greičiu (jeigu avarija būtų tikra, tai tam tikrą dalį šoninio smūgio sugertų keleivio durelės, tad bandomojo smūgio jėga prilygsta tai, kokia atsitrenktų maždaug 40 ar 50 kilometrų per valandą važiuojantis automobilis). Nuo smūgio jam lūžo raktikaulis ir mentikaulis, įskilo penki šonkauliai. Šonkauliai yra kur kas svarbesnis dalykas nei gali pasirodyti. Kai kvėpuojame, būtina ne vien tik judinti diafragmą, kad įtrauktume oro į plaučius; ne mažiau reikalingi yra ir raumenys, prisitvirtinę prie šonkaulių, ir patys šonkauliai. Jeigu jums lūžta visi šonkauliai, krūtinės ląsta nebepajėgia pakankamai padėti vėdinti plaučius. Jei plaučiai nebegalės išsipūsti, jums kvėpuoti bus labai sunku. Šitokia būklė vadinama „suplota krūtine", pasitaiko, kad žmogus nuo to miršta.

„Suplota krūtinė" yra viena iš kelių didžiųjų šoninio smūgio keliamų grėsmių. Nuo smūgio iš šono šonkauliai lūžta kur kas greičiau. Krūtinės ląstos sandara tokia, kad spaudimui iš priekio ji pasiruošusi: krūtinkaulis spaudžiamas stuburo link mums kvėpuojant. (Žinoma, iki tam tikros ribos. Suspausk krūtinės ląstą smarkiau – ir, Dono Huelkės žodžiais tariant, „širdį gali pertrėkšti pusiau kaip kokią kriaušę".) O slėgiui iš šono krūtinės ląsta visai netinkama. Smarkiau trinktelėjus, visi jos virbai sutrupės.

Metas vis dar krapštosi su įranga. Debė visą dėmesį sutelkusi į akcelerometrus. Paprastai akcelerometrai pritvirtinami varžtais, bet Debė šitaip elgtis negali: jei netyčia prakiurdins kaulą, šis gerokai susilpnės ir kur kas lengviau lūš. Tad ji tvirtina prie kaulų prietaisus vieliniais žiedais, o po jais paskui dar įkiša medinį pleištą, kad akcelerometrai laikytųsi pakankamai tvirtai. Dirbdama ji vis pasideda žirkles vielai karpyti į pirštinėtą lavono delną – tarsi jis būtų chirurgui talkinanti operacinės seselė. Taigi čia jums dar vienas atvejis, kai lavonas padeda gyvajam.

Patalpoje groja radijas, mes, visi trys, šnekučiuojamės; mus vienija ne taip jau retai vėlyvą naktį užplūstanti sielų giminystė. Nejučia pagalvoju, kad UM 006, ko gero, visai patenkintas turėti draugiją. Mat lavono vienatvė – pati tikriausia vienatvė iš visų įmanomų. O čia, laboratorijoje, jis priklauso bendruomenei, priklauso grupei, jis – visų dėmesio centre. Žinoma, tokios mintys kvailos, juk UM 006 dabar – tik krūva audinių ir kaulų, ir vienišas jis gali jaustis ne labiau, nei jaučia Mart pirštus, minkančius jo mėsą aplink raktikaulį. Tačiau šią akimirką man vis vien atrodo kaip tik taip.

Jau po devynių. UM 006 pradeda skleisti vos juntamą švinkstančios mėsos kvapą – visai nestiprų, bet tuoj pat atpažįstamą mėsininko krautuvėlės tvaiką karštą popietę.

– Kiek laiko, – klausiu aš, – jis gali pragulėti kambario temperatūroje, kol pradės... – Mart laukia, kol užbaigsiu sakinį, –...keistis?

– Maždaug pusdienį.

Ji atrodo suirzusi. Jos vieliniai raiščiai niekaip nenori patikimai užsiveržti, o „Krazy Glue" klijai neklijuoja, nors jiems ką nori daryk. Naktis bus ilga.

Džonas Kavanaugas šūkteli, kad viršuje esama picos; mes visi trys: Debė, Metas Meisonas ir aš – paliekame numirėlį vieną. Negaliu atsikratyti jausmo, kad elgiamės šiek tiek nemandagiai.

Kai užkopiame viršun užkąsti, klausiu Debės, kaip atsitiko, kad jai tenka užsidirbti duonai rakinėjant negyvėlius.

– O, aš taip troškau tyrinėti lavonus, – sako ji su entuziazmu ir visiškai nuoširdžiai.

Koks nors įprastesnio sukirpimo individas galėtų lygiai tokia pat intonacija pasakyti: „Aš taip troškau tapti archeologu" arba: „Aš taip svajojau gyventi prie jūros".

– Džonas kone pašėlo. Niekas nenori imtis tų lavonų. – Užsukusi
į savo kabinetą, iš rašomojo stalo stalčiaus ji išsitraukia flakonėlį
kvepalų „Happy" ir paaiškina: – Kad kvepėčiau kuo nors kitu.

Ji žadėjo parodyti man kažkokius dokumentus, tad, kol ieško, aš
užmetu akį į krūvelę nuotraukų ant jos stalo. Ir tučtuojau nusisuku.
Tos nuotraukos – iš labai arti daryti kadrai, kuriuose užfiksuotas
ankstesniojo lavono peties skrodimas: mėsingas raudonis, prasižiojusi
oda... Metas irgi dirsteli į tą krūvą.

– Tikiuosi, nuotraukos ne iš tavo atostogų, ką, Debe?

Pusę vienuolikos pasiruošimo darbai beveik baigti: liko tik įkurdinti
UM 006 prie vairo. Negyvėlis kiek susmukęs, svyra į šalį. Tarsi greta
tavęs lėktuve sėdįs vyrukas, kuris prisnūdęs nejučia svarina galvą
tau ant peties.

Džonas Kavanaugas sugriebia lavoną už čiurnų ir smarkiai
stumteli, kad šis atsisėstų sėdynėje tiesiau. Paskui žingteli atatups-
tas. Negyvėlis atkakliai slysta atgal. Džonas dar kartą pastumia. Šįsyk
prilaiko kūną, kol Metas lipnia juostele apvynioja *UM 006* kelius ir
visą sėdynę.

– Kažin ar tai įtraukta į sąrašą „101 juostelės panaudojimo bū-
das", – tarsteli.

– Galvą jis vis dar laiko ne taip, kaip reikia, – sako Džonas. – Tu-
rėtų žiūrėti tiesiai į priekį.

Vėl pasitelkiama lipdė. Radijas transliuoja „Romantics" dainą
„Štai kuo tu man patinki".

– Ir vėl zmenka.

– Gal pabandysim suktuvą? – Debė apsuka apie negyvėlį po pa-
žastimis storos drobės atraižą ir nuspaudžia mygtuką.

Įsijungia prie lubų pritvirtintas motorinis suktuvas. Lavonas lėtai
kilsteli pečius – ir nebenuleidžia, kaip koks žydų restorano „Borscht

Belt" komikas. Jis vos vos pasikelia nuo sėdynės, o vėl nuleistas sėdi jau tiesiau.

– Gerai, nuostabu, – taria Džonas.

Visi per žingsnį atsitraukia. Čia pat įsitikiname, kad *UM 006,* kaip tikras komikas, puikiai žino, kiek reikia išlaikyti pauzę. Palaukia kokius du širdies dūžius, o tada vėl kniubteli pirmyn. Pokštas – reikia juoktis. Scena tokia absurdiška, o ir valanda vėlyva, visi pavargę, tad neužsikvatoti išties nelengva. Debė atsineša kelis gabalėlius putplasčio, paramsto jais negyvėlio nugarą – galų gale pavyksta. Metas paskutinį kartą tikrina visas jungtis. Radijas – tikrai tikrai, aš neišsigalvoju! – transliuoja dainą „Smok man kiek išgalėdamas". Praslenka dar penkios minutės. Metas užtaiso stūmoklį. Kurtinamai žvangtelėjęs šis nuskrieja pirmyn, tačiau pats smūgis – tylus. *UM 006* griūva – ne kaip koks nušautas galvažudys iš Holivudo filmo, o lėtai nuvirsta lyg skalbinių maišas. Jis griūva ant putplasčio čiužinio, patiesto kaip tik tam reikalui; Džonas ir Debė žengia artyn jo prilaikyti. Štai ir viskas. Jokio slystančių padangų žviegimo, jokio maigomo metalo džeržgimo – be šių avariją paprastai lydinčių garsų smūgis neatrodo nei labai smarkus, nei labai baisus. Išgrynintas iki pačios esmės, valdomas ir kruopščiai suplanuotas, bandymas tampa grynojo mokslo daiktu, o nebe tragedija.

UM 006 artimieji nežino, kas jį ištiko šį vakarą. Jie žino tik tiek, kad jis paaukojo savo palaikus panaudoti medicininiam mokymui arba tyrinėjimams. Esama ne vienos priežasties, kodėl nepranešami tokie dalykai negyvėlio artimiesiems. Kai asmuo arba jo artimieji apsisprendžia paaukoti palaikus, tai niekas nežino – nei kam tie palaikai bus panaudoti, nei netgi kokiame universitete. Nors kūnas iš karto nukeliauja į universiteto, kuriam buvo paaukotas, lavoninę, vis dėlto paskui gali būti perkeltas iš ten į kurį nors kitą, kaip tai ir atsitiko su *UM 006.*

Norint išsamiai informuoti artimuosius apie tai, kas daroma su jų mylimo velionio palaikais, tą pranešti turėtų patys tyrinėtojai – jau gavę kūną (arba kūno dalį), bet dar prieš atlikdami bandymus. Po pakomitečio svarstymų kartais būdavo taip ir padaroma. Tais atvejais, kai kūno paaukojimo dokumentuose nebūdavo tiksliai suformuluota, kad palaikus galima naudoti moksliniams tyrinėjimams, federalinės eismo saugumo valdybos finansavimą gaunantys avarijų smūgių tyrinėtojai įpareigoti prieš eksperimentą susisiekti su velionio artimaisiais. Pasak šios valdybos Biomechanikos tyrinėjimų centro viršininko Rolfo Epingerio (Rolf Eppinger), retai kada atsitikdavo taip, kad kūną paaukojusio velionio šeimos nariai išsižadėdavo jo valios.

Man teko kalbėtis su Maiku Volšu, kuris dirbo pas vieną iš pagrindinių valdybos rangovų, Kalspaną. Volšas ir buvo tas asmuo, kuris, pristačius kūną, skambindavo mirusiojo artimiesiems susitarti dėl susitikimo – pageidautina, ne vėliau nei po dienos ar dviejų, nes nebalzamuoti palaikai linkę labai jau sparčiai gesti. Galima pamanyti, kad Volšas, būdamas vadovaujančiu asmeniu šiuose tyrinėjimuose, tokią itin nepatogią užduotį stengėsi perleisti kam nors kitam. Tačiau nieko panašaus – šito jis imdavosi pats. Volšas artimiesiems tiksliai nupasakodavo, kaip ir kam bus panaudotas jų mylimo velionio kūnas.

– Išaiškindavau jiems visą programą. Kai kurie bandymai būdavo atliekami smūgiuojant kūną su važiuokle į kliūtį, kitais buvo nustatomi smūgių padariniai pėstiesiems*, o kartais imituojama visa automobilio

---

* Pacituosiu Stapo automobilių avarijų konferencijos ataskaitą šia tema: „Paprastai automobilis ne „pervažiuoja" pėsčiąjį, o „užsimeta". Dažniausiai viskas atsitinka šitaip: bamperis trenkiasi į pėsčiojo blauzdas, o kapoto priekis – į klubus; žmogui

avarija. Matyt, Volšas turėjo tam Dievo dovaną. Iš keturiasdešimt dviejų šeimų, su kuriomis jam teko kalbėtis, tik dvi nebesutiko paaukoti kūno – ir ne dėl tyrinėjimų pobūdžio, dėl specifikos, o tik todėl, kad įtarė kūną būsiant panaudotą organų donorystei.

Paklausiau Volšo, ar velionio artimieji kartais nepageidauja pamatyti atspausdintų bandymų rezultatų. Jis patikino, kad šito neprašė niekas.

– Tiesą sakant, susidaro įspūdis, kad mes brukame žmonėms informacijos daugiau, nei jie nori žinoti.

Anglijoje ir kitose Britanijos tautų sandraugos šalyse tyrinėtojai ir anatomijos dėstytojai stengiasi išvengti galimybės susilaukti artimųjų ar visuomenės nepritarimo, todėl vietoj viso lavono tenkinasi jo dalimis, prozekcijomis, tai yra balzamuotais segmentais. Anglijos antivivisekcininkai – taip Anglijoje vadinami gyvūnų teisių gynėjai – yra tokie pat gerklingi kaip ir jų bendraminčiai Amerikoje, o plyšodami kartais gerokai perlenkia lazdą, kitąsyk pasiusdami dėl, drįstu tvirtinti, net visai absurdiškų dalykų. Štai kad ir toks pavyzdys: 1916-aisiais grupė gyvūnų teisių gynėjų sėkmingai pareiškė protestą Anglijos laidotuvininkų asociacijai dėl tokio papiktinančio dalyko, kad katafalkus traukiantys arkliai verčiami tempti ant galvų plunksnų kokardas.

---

išmušama iš po kojų žemė, kojos švysteli aukštyn net virš galvos. Virsdamas kūliais pėsčiasis galva arba krūtine rėžiasi į kapotą arba priekinį stiklą. Priklausomai nuo automobilio greičio, gali atsitikti ir taip, kad žmogus riedės kūliais toliau, vėl jo kojos virs per galvą, ir jis visu ūgiu užgrius ant automobilio stogo, o nuo ten nuslys ant šaligatvio. Gali atsitikti ir taip, kad jis liks tysoti ant kapoto su įstrigusia išdaužtame priekiniame stikle galva. Vairuotojui belieka skubiai kviesti greitąją pagalbą – jei tik jis ne iš tokių kaip Fortverto (Teksasas) slaugė Čentė Malard, kuri, panašiai susidūrusi su pėsčiuoju, ramiai parvažiavo namo ir pastatė automobilį į garažą – su visu partrenktu nelaimėliu, įstrigusiu priekiniame stikle; palikta be pagalbos auka mirtinai nukraujavo. Taip atsitiko 2001-ųjų spalio mėnesį. Malard buvo suimta ir teisiama už žmogžudystę.

Britų tyrinėtojai perprato tai, ką jau seniai žinojo mėsininkai: jei nori, kad negyvėlius mėsinėjantys žmonės jaustųsi jaukiau, supjaustyk kūną į gabalus. Štai kad ir karvės skerdienos vaizdas – toli gražu nėra malonus, tačiau krūtininės gabalas jau sukelia minčių apie pietus. Žmogaus koja neturi veido nei akių, neturi rankų, kadaise sūpavusių kūdikį ar glosčiusių mylimosios skruostą. Atskirą koją jau sunku susieti su gyvu žmogumi, kuriam ji kadaise priklausė. Kūno dalių anonimiškumas palengvina lavonų tyrinėjimui būtiną atsietumą: tai – ne asmuo. Tiesiog audiniai. Jie nieko nejaučia – ir niekas nieko nejaučia jiems. Tad su jais visiškai pateisinamas ir toks elgesys, kuris, jeigu kieno būtų taikomas mąstančiai būtybei, būtų laikomas pačiu tikriausiu kankinimu.

Vis dėlto pamėginkime pasitelkti sveiką protą. Kodėl turėtume manyti, esą nieko čia baisaus, jeigu kas nors rankiniu pjūklu perdžyrina senelio šlaunį, supakuoja koją ir išsiunčia į laboratoriją, kur į ją, pakabintą ant kablio, įsirėš imituotas automobilio bamperis – o štai jei persiunčiamas ir panaudojamas visas kūnas, tai jau nedovanotina? Dėl kokių priežasčių turėtume manyti, kad, pirmiau nupjovus koją, visas procesas tampa ne toks bjaurus ir ne toks nepagarbus? 1901-aisiais prancūzų chirurgas Renė Le Foras (René Le Fort) sugaišo begalę laiko tyrinėdamas smūgio buku daiktu poveikį veido kaulams. Kartais galvas jis nupjaudavo: „Nurėžtą galvą iš visų jėgų bloškėme į apskrito marmurinio staliuko briauną…" – skaitome eksperimento aprašą *Renė Le Foro viršutinio žandikaulio tyrinėjimuose*. Tačiau kitais atvejais jis palikdavo galvą ant pečių: „Visas lavonas paguldytas aukštielninkas… atlošta galva nusvirusi nuo stalo. Mediniu vėzdu smarkiai smogta į dešinįjį viršutinį žandikaulį…" Argi žmogus, pasipiktinęs pastaruoju atveju, nepprieštarautų ir pirmajam? Koks gi skirtumas tiek etiniu, tiek estetiniu požiūriu?

Maža to, neretai biomechaninio patikimumo požiūriu pageidautina eksperimentui naudoti kūną, kurio visos dalys tebėra savo vietose.

Tarkime, petys, pritvirtintas ant stovo ir trinktelėtas smūgiuotuvu, judės kitaip ir patirs kitokias traumas nei petys, sėkmingai tebesąs prie liemens. Kai ant stovų užmautiems pečiams bus pradėta išduoti vairuotojo pažymėjimus, tada gal ir atsiras prasmės juos tyrinėti. Šiek tiek pastangų prireikia net ir atsakyti į tokį iš pažiūros tiesmuką mokslinį klausimą: *kiek maisto galima talpinti į žmogaus skrandį, kol šis sprogs?* 1891-aisiais vienas smalsus vokiečių gydytojas, pavarde Key-Abergas, ėmėsi kartoti bandymus, kuriuos prieš šešerius metus jau buvo atlikę prancūzai: išimtus iš kūno skrandžius jie užpildydavo taip, kad galiausiai šie plyšdavo. Key-Abergo bandymai nuo pirmtakų prancūzų skyrėsi tuo, kad jis skrandžius palikdavo savininkų kūnuose. Tikriausiai jis suprato šitaip kur kas labiau priartėsiąs prie tikrovės, mat išties sunku įsivaizduoti pokylį, kuriame prie stalo sėdėtų vien tik pliki skrandžiai. Sakoma, kad saviesiems bandymams jis sugebėdavęs lavonus net susodinti. Vis dėlto šiuo atveju biomechaninis tikslas, kaip paaiškėjo, didesnės reikšmės neturėjo. Pasak straipsnio, 1979-aisiais išspausdinto *The American Journal of Surgery* žurnale, ir vienu, ir kitu atveju žmogaus skrandis plyšta maždaug nuo puspenkto litro maisto.*

---

* Kaip tikriausiai numano senų Gineso pasaulio rekordų knygos leidimų valgymo skyrelių gerbėjai, šis kiekis buvo viršytas, ir anaiptol ne vieną kartą. Kai kurie skrandžiai – dėl paveldėjimo ar dėl ilgalaikio pomėgio kasdien skaniai ir sočiai prisivalgyti – būna kur kas talpesni už vidutinius. Vieno tokių skrandžių savininkas buvo Orsonas Velesas. Pasak *Pink's* dešrainių kiosko Los Andžele šeimininko, stambusis režisierius kartą vienu prisėdimu sudorojo aštuoniolika parūkytų dešrelių.

Atrodo, kad visų laikų rekordininke reikėtų laikyti dvidešimt trejų metų Londono manekenę, kurios atvejis aprašytas 1985-ųjų balandžio mėnesio *Lancet* numeryje. Sėdusi – kaip netrukus paaiškėjo, paskutinį kartą – pasistiprinti, mergina sugebėjo sukimšti į save devyniolika svarų maisto: svarą kepenų, du svarus inkstų, pusę svaro kepsnio, svarą sūrio, du kiaušinius, dvi storas riekes duonos, vieną žiedinį kopūstą, dešimt persikų, keturias kriaušes, du obuolius, keturis bananus, po du svarus slyvų, morkų ir vynuogių, dvi stiklines pieno. Nuo

Žinoma, dažnai tyrinėtojui viso kūno nereikia – reikalinga tik jo dalis. Chirurgai ortopedai, kuriantys naujus gydymo metodus ar dirbtinius sąnarius, naudoja ne visus lavonus, o tik rankas ir kojas. Taip pat ir gaminio saugumo tyrinėtojai. Juk visiškai nereikia tampyti viso negyvėlio, kai sumanoma išsiaiškinti, kas nutinka pirštui, privėrus jį tam tikra jėga. Bandymui visiškai pakanka keleto pirštų. Taip pat visas kūnas nereikalingas ir tada, kai bandai sužinoti, ar minkštesni beisbolo kamuoliukai tikrai mažiau žaloja akis Mažosios lygos žaidėjams. Tereikia tik kelias akis patalpinti skaidriose plastikinėse akiduobių imitacijose, ir didelio greičio kameros tiksliai užfiksuos, kas atsitinka, kai į jas pataiko beisbolo kamuoliukas.**

Bet štai kur šuo pakastas: niekas, tiesą sakant, *nenori* dirbti su visu kūnu. Ir nedirba, jei tik šito būtinai nereikia tyrimui. Kurdamas

---

tokio kiekio skrandis sprogo, mergina mirė. (Žmogaus virškinamasis traktas yra trilijonų bakterijų perykla, o šios, jeigu ištrūksta iš dvokiančių, klaidžių savo gyvenamųjų labirintų, gali sukelti stiprią ir neretai mirtiną infekciją.)

Antroji vieta rijimo varžybose priklauso trisdešimt vienerių metų psichologei iš Floridos; ji buvo rasta susmukusi virtuvėje. Deido apygardos medicininio tyrimo išvadose išvardyti paskutinių – lemtingųjų jos pietų patiekalai: „8,7 litro prastai sukramtytų ir nesuvirškintų dešrainių, brokolių ir kruopų – visa tai plaukioja žalzganame skystyje su begale mažyčių burbuliukų". Žaliojo skysčio kilmė lieka paslaptis. Taip pat yra paslaptis, kodėl šiuolaikiniai rajūnai kimštis puola dešrainius (iš Salon.com).

** Dėl kamuoliuko minkštumo tarp oftalmologų kilo daug karštų diskusijų. Vieni samprotavo, kad minkštesnis kamuoliukas nuo smūgio labiau deformuotųsi, taigi ir giliau suįstų į akiduobę, vadinasi, sužalotų akį ne mažiau, o netgi dar labiau. Regėjimo apsaugos ir saugumo tarnybos tyrinėtojų atliktas eksperimentas Tafto universiteto Medicinos fakultete atskleidė, kad minkštesni kamuoliukai iš tiesų giliau prasmenga akiduobėje, bet akies nesužaloja taip smarkiai. Jiems netgi būtų sunku lygintis su kietaisiais, nes šie išdaužia akį „nuo ragenos krašto iki regos nervo". Tikėkimės, kad mėgėjams skirtų sporto prekių gamintojai perskaitė 1999-ųjų kovo mėnesio *Oftalmologijos archyvų* numerį ir atsisakė kietų beisbolo kamuoliukų. Šiaip ar taip, saugoti akis Mažosios lygos žaidėjams – iš tiesų puikus sumanymas.

plaukikų imitacijas užbortinių variklių sraigtų saugumo kameros bandymams, Taileris Kresas (Tyler Kress), vadovaujantis sporto biomechanikos laboratorijai Tenesio traumų ir sužalojimų prevencijos inžineriniame institute, užuot naudojęs visą kūną, nepabūgo vargo dirbtinai atkurti klubo sąnarį su galvute ir duobute, o paskui chirurginiu cementu priklijuoti jį prie lavono kojų ir galiausiai visą tą lavono kojų ir dirbtinio klubų sąnario derinį pritvirtinti prie avarijų bandymams skirto manekeno liemens.

Kresas tvirtina, kad šitaip elgtis jį verčia anaiptol ne viešosios nuomonės baimė, o paprasčiausias praktiškumas.

– Vien tik su koja, – sakė jis man, – kur kas paprasčiau ir dirbti, ir tvarkytis.

Žinoma, atskirą kūno dalį žymiai lengviau kilnoti ir ja manipuliuoti. Ir užima mažiau vietos šaldytuve. Kresui teko dirbti kone su visomis kūno dalimis: galvomis, stuburais, blauzdomis, plaštakomis, pirštais. O daugiausia, pasak jo, su kojomis. Praėjusią vasarą jis tyrinėjo išnarintų ir lūžusių čiurnų biomechaniką. Šią vasarą drauge su bendradarbiais atlieka dokumentuojamus bandymus, mėtydami kojas žemyn iš tam tikro aukščio, ir tyrinėja traumas, būdingas nukritus vertikaliai, – tokių neretai patiria kalnų dviratininkai ir snieglentininkai.

– Gal norėtumėte bent pamėginti surasti ką nors, sulaužiusį daugiau kojų nei mes?

Susirašinėdama su Kresu elektroniniu paštu, kartą paklausiau, ar jam kada nėra tekę įtraukti į sporto varžybas lavono tarpukojo – apsvaidyti jį beisbolo kamuoliukais, ledo ritulio rituliais ar dar kuo. Ne, šito daryti jam netekę, jis netgi nežinąs nė vieno sporto traumų tyrinėtojo, kuris būtų bandęs. „Lyg ir reikėtų manyti, kad… itin skausmingoms traumoms – tai yra smūgiams į tarpukojį – turėtų būti skiriama itin daug dėmesio, – parašė jis. – Bet man atrodo, kad šios kūno dalies laboratorijoje niekas nenori imtis."

Tiesa, tai dar nereiškia, kad mokslas protarpiais neprikiša nagų ir ten. Vietinės medicinos mokyklos bibliotekoje pabandžiau paleisti *Pub Med* paieškos programą ir paieškoti medicininių žurnalų straipsnių, kuriuose būtų paminėti žodžiai „lavono" ir „penis". Nustūmusi monitorių į pačią kabinos gilumą, kad kas nors iš aplinkinių nedirstelėtų į ekraną ir nesukeltų ant kojų bibliotekos darbuotojų, atkapsčiau dvidešimt penkis pavadinimus, daugiausia – anatominių tyrinėjimų ataskaitų. Urologai iš Sietlo tyrinėjo dorsalinių nervų išsidėstymo piešinį išilgai penio kamieno (dvidešimt aštuonių lavonų peniai).* Prancūzų anatomai leido skystą raudoną lateksą į penio arterijas, norėdami ištirti kraujagyslių takumą (dvidešimt lavonų penių). O belgai pabandė apskaičiuoti sėdimųjų akytkūnio raumenų įtaką penio kietumui erekcijos metu (trisdešimt lavonų penių). Per pastaruosius dvidešimt metų viso pasaulio darbuotojai baltais chalatais ir girgždančiu apavu ramiai ir metodiškai atlikdavo pjūvį, kurio ir pavadinimą nedrąsu tarti. Palyginti su jais, Taileris Kresas atrodo kaip tikras nekaltybės įsikūnijimas.

Nutariau paieškoti ir kitos lyties, tačiau *Pub Med* paieškos programa pasiūlė man tik vieną straipsnį, kuriame būtų minima „klitoris" ir „lavono". Anatomė iš Australijos Helena O'Konel (Helen O'Connell), straipsnio „Anatominis šlaplės sąryšis su klitoriu" autorė (dešimt lavonų tarpviečių), piktinasi tokia nelygybe: „Šiuolaikinės anatomijos tekstai, – rašo ji, – moters tarpvietės anatomijai skiria vos kelias menkas pastraipas, pridurtas po išsamiu vyriškosios anatomijos aprašu". Bandau įsivaizduoti O'Konel: veikiausiai tokia moksliško sukirpimo Glorija Steinem – staigių judesių, uoli ir optimistiškai

---

* Šiame eksperimente suvienytomis pajėgomis dalyvavo ir mirusieji, ir gyvieji, nors pirmumo teisė teko negyvėliams. Kai buvo išskrosti negyvi peniai, „dešimt sveikų vyrų" ryžosi padėti patvirtinti gautus duomenis ir sutiko, kad jiems elektra būtų stimuliuojamas dorsalinis nervas – tiesą sakant, joks sveikas vyras neturėtų su tuo sutikti.

nusiteikusi feministė laboratoriniu chalatu. Taip pat ji – pirmoji tyrinėtoja iš visų tų mokslininkų, su kuriais atsitiktinai šniukštinėdama susidūriau, kurie atliko bandymų ir su vaikų lavonais. (To ji ėmėsi todėl, kad lyginamieji vyriškųjų erekcinių audinių tyrimai dėl nepaaiškintų priežasčių buvo daromi ir vaikams.) Straipsnyje O'Konel teigia gavusi tam etinį palaiminimą iš Viktorijos teismo patologijos instituto ir karališkosios Melburno ligoninės medicininių tyrinėjimų valdybos, kuri, suprantama, nevykdo savo pareigų – daugiausia tik dėl savo darbuotojų susikurtos baimės šmėklos: kad juos ims mėsinėti žiniasklaida.

5

KO NEATSKLEIDŽIA „JUODOJI DĖŽĖ"

Apie tai, kaip lėktuvo katastrofos istoriją
kartais gali papasakoti vien tik aukų kūnai

Denisas Šenahanas (Dennis Shanahan) dirba erdviuose antrojo aukšto apartamentuose savo name, kuriame gyvena su žmona Morin, dešimt minučių kelio į rytus nuo Karlsbado miestelio (Kalifornija) centro. Biuras tykus, saulėtas – įėjęs visai nepajusi tos terlionės, kurios nestokoja čia vykstantys darbai. Šenahanas – sužalojimų specialistas. Dažniausiai jis tyrinėja gyvųjų žaizdas ir kaulų lūžius. Konsultuoja automobilių bendroves, kurios paduodamos į teismą, pasirėmus abejotinais tvirtinimais, tokiais kaip, tarkime: „Nutrūko saugos diržas" arba „Vairavau ne aš" ir panašiai. Šitokius pareiškimus nesunku paneigti, įvertinus nukentėjusiojo žaizdas. Bet kartais atsitinka ir taip, kad Šenahanui tenka tirti sužalotus negyvėlius. Pavyzdžiui, kaip tą kartą, kai katastrofą patyrė *TWA* reisas 800.

1996 metų liepos 17-ąją išskridęs iš Tarptautinio Kenedžio oro uosto reisu 800, lėktuvas subyrėjo ore, virš Atlanto vandenyno, kiek į rytus nuo Moričo (Niujorko valstija). Liudininkų parodymai buvo prieštaringi. Kai kurie tvirtino matę, kaip į lėktuvą pataikė užtaisas. Surinktose nuolaužose pavyko aptikti sprogmenų pėdsakų, tačiau taip ir nerasta jokių pačios bombos likučių. (Vėliau paaiškės, kad sprogstamųjų medžiagų į lėktuvą pateko gerokai anksčiau – per specialiai sprogmenų ieškoti apmokomų šunų pratybas.) Sklido įvairiausi gandai, sąmokslo teorijos augo kaip ant mielių. Tyrimas šiaip ne taip vilkosi į priekį, bet niekas taip ir nedavė įtikinamo atsakymo į visiems rūpimą klausimą: kas – kokios aplinkybės ar kokie piktadariai – aštuonišimtuoju reisu skridusį lėktuvą nubloškė žemėn?

Praėjus vos kelioms dienoms po katastrofos, Šenahanas nuskrido į Niujorką apžiūrėti žuvusiųjų kūnų – išklausyti, ką jam pasakys jie. Praėjusį pavasarį jau aš pati skridau į Karlsbadą aplankyti Šenahano. Norėjau išsiaiškinti, kaip žmogus susidoroja su šitokiu darbu – ir iš mokslinių, ir iš emocinių pozicijų. Vyliausi išklausinėsianti jį ir apie kai kuriuos kitus dalykus. Šenahanas – tas žmogus, kuris žino, kokia tikrovė slypi už košmaro. Jis su visomis niūriomis medicininėmis smulkmenomis perpranta, kas atsitiko žmonėms įvairiausio pobūdžio katastrofose. Jis žino konkrečias priežastis, dėl kurių žmogų ištinka mirtis, nustato, ar paskutiniosiomis akimirkomis tie žmonės dar galėjo sąmoningai suvokti, kas dedasi, įvertina, ar – bent jau skrendant nedideliame aukštyje – aukos turėjo kokių nors galimybių likti gyvos ir kaip tas galimybes galima būtų padidinti. Pasižadėjau atimsianti tik valandą brangaus jo laiko, o užtrukau ištisas penkias.

Katastrofą patyręs lėktuvas paprastai pats papasakoja savo istoriją. Kartais – tiesiogine prasme, kabinos aparatūros įrašytais lakūnų balsais, kartais – tik nuorodomis, surinktomis ištyrus nukritusio lėktuvo nuolaužas ar degėsius. Tačiau jei avarija ištinka lėktuvą, skrendantį virš vandenyno, tokios katastrofos eigą atsekti gana sunku – ji taip ir lieka nevientisa, sunkiai perprantama. O jei vandenynas toje vietoje labai gilus arba povandeninės srovės greitos ir besikaitaliojančios krypties, tai gali atsitikti ir taip, kad juodųjų dėžių taip ir nepavyks surasti, o ir nuskendusių nuolaužų bus išgriebta per mažai, kad būtų įmanoma tiksliai atkurti, kas per paskutiniąsias kelias minutes vyko lėktuve. Tokiais atvejais tyrinėtojams lieka tik tai, kas aviacijos patologijos vadovėliuose vadinama „žmogiškosiomis liekanomis" – žuvusių keleivių kūnai. Mat jie, kitaip nei lėktuvo sparnas ar fiuzeliažo nuolauža, paprastai išplaukia į vandens paviršių. Analizuodami aukų sužalojimus – jų tipą, sunkumą, kuriai kūno daliai kliuvo – sužalojimų specialistai gali po kruopelę sudėlioti kraupią įvykių eigą.

Šenahanas pasitinka mane oro uoste. Jis vilki kroviko kombinezoną, marškinėlius trumpomis rankovėmis, ant nosies užsikabinęs lakūno akinius. Plaukai tvarkingai sušukuoti abipus idealiai lygaus skyrimo. Beveik galėtum palaikyti peruku, nors taip nėra. Šenahanas – mandagus, ramus, iš karto sukeliantis simpatiją. Jis primena man vieną pažįstamą vaistininką, Maiką.

Taigi visai ne toks, kokį jį vaizdavausi. Vaizduotėje jau buvau susikūrusi šiurkštų, lavoninių atbukintą žmogų, nevengiantį ir šiurkštesnių žodelių. Įsivaizdavau, kad interviu imsiu įvykio vietoje: štai mudu traukiame į kokią improvizuotą lavoninę mažo miestelio šokių ar mokyklos sporto salėje; jis apsivilkęs dėmėtu, kruvinu laboratorijos chalatu, aš – su užrašine rankose... Tik šiek tiek vėliau supratau, kad Šenahanas pats net neatlieka savo tiriamos katastrofos aukų skrodimo. Šį darbą paprastai dirba artimiausių apygardos lavoninių darbuotojai. Nors Šenahanui pasitaiko ir pačiam lankytis įvykio vietoje, dėl vienos ar kitos priežasties tenka apžiūrėti ir aukų kūnus, vis dėlto dažniausiai jis dirba pasitelkęs autopsijos ataskaitas ir lėktuvo vidaus brėžinius: iš brėžinių ir nustato dažniausiai pasitaikančius iškalbingus sužalojimus. Jis paaiškino, kad jei norėčiau savo akimis pamatyti jį dirbantį įvykio vietoje, man, ko gero, tektų laukti bent keletą metų, mat daugumos katastrofų priežastys būna aiškios iš karto, tad tyrinėti aukų kūnų net neprireikia.

Kai prisipažįstu, kad jaučiuosi šiek tiek nusivylusi dėl to, kad negaliu parengti reportažo iš katastrofos vietos, Šenahanas įteikia man knygą „Aerokosminė patologija" – joje išspausdintose nuotraukose, kaip užtikrina, yra užfiksuota visa tai, ką galėčiau pamatyti. Atsiverčiu skyrių apie „kūnų sužymėjimą schemoje". Matau tarp nukritusio lėktuvo nuolaužų išsibarsčiusius juodus taškelius. Nuo jų išvestos linijos prie lentelių su paaiškinimais: „rudi odiniai bateliai", „antrasis lakūnas", „nugarkaulio dalis", „stiuardesė". Kai pagaliau pasiekiu knygos dalį, kurioje aprašytas Šenahano darbas – „Lėktuvų katastrofų aukų sužalojimų pavyzdžiai", kur užrašai po nuotraukomis primena tyrinėtojams turėti omenyje tokius dalykus, kaip, pavyzdžiui, tai, kad „intensyvus karštis gali sukelti kaukolės vidinį garavimą – jei šis pralaužia kaukolės skliautą, sužalojimą nesunku supainioti su sužalojimu nuo smūgio" – man jau aišku, kad artimiau susipažinti su randamomis po katastrofos žmonių kūnų liekanomis, nei vien tik matyti tuos juoduosius taškus su aiškinamaisiais užrašais, man tikrai nesinori.

Tirdamas TWA aštuonišimtojo reiso katastrofą, Šenahanas ieškojo kokių nors požymių, kurie leistų spėti, kad lėktuve buvo susprogdinta bomba. Jis tyrinėjo aukų kūnus tikėdamasis, kad sužalojimų pobūdis padės įrodyti, jog salone įvyko sprogimas. Jeigu pavyktų tokių įrodymų surasti, tada jis mėgintų nustatyti, kurioje lėktuvo vietoje buvo paslėpta bomba. Iš stalčiaus su bylomis jis išsitraukia storą aplanką, iš jo išima savo grupės ataskaitą. Čia visas didelio keleivinio lainerio avarijos chaosas su visais kraujo klanais tvarkingai surašytas ir suskaičiuotas: išreikštas skaičiais, lentelėmis, schemomis, kraupus reginys paverstas sausa statistika, kurią galima prie kavos puodelio aptarti Nacionalinės transporto saugumo komisijos rytiniame posėdyje. „4.19: Plūduriuojančių kūnų sužalojimai: dešiniosios pusės dominavimas prieš kairiosios." „4.28: Šlaunikaulio lūžiai salono viduryje ir horizontalūs, priekinės krypties sėdynių rėmo pažeidimai." Klausiu Šenahano, ar tokie sausi statistiniai duomenys ir beaistriai aprašai padeda jam išsaugoti tą, mano nuomone, būtiną emocinį atsiribojimą nuo žmogiškosios tragedijos, slypinčios po nuolaužų tyrimu. Šenahanas valandėlę tylėdamas žvelgia į savo rankas, kurios, sunertais pirštais, guli ant aštuonišimtojo reiso dokumentų aplanko.

– Morin gali jums papasakoti, kad mano reakcija į aštuonišimtojo reiso bylą buvo nevienareikšmė. Emociškai tai buvo itin sunkus atvejis, ypač dėl to, kad lėktuvu skrido daug paauglių – vidurinės mokyklos prancūzų kalbos klubo nariai, į Paryžių... jaunos poros... Visi mes buvome gana niūriai nusiteikę. – Šenahanas papasakoja, kad nuotaika, tvyranti katastrofų vietose, paprastai tokia nebūna. – Paprastai stengiesi neįsijausti, reaguoji labai paviršutiniškai, tad neretai tokiais atvejais ir pajuokaujama, visi būna nusiteikę gana nerūpestingai. Tačiau šį kartą – nieko panašaus.

Aštuonišimtojo reiso byloje Šenahanui užvis sunkiausia buvo tai, kad kūnai liko beveik nesudarkyti.

– Apysveikiai lavonai trikdo mane kur kas labiau nei suplėšyti į skutus, – tvirtina jis.

Šenahanas jaučiasi kur kas tvirčiau, kai tenka pamatyti tokių dalykų, į kokius dauguma mūsų, ko gero, negalėtų net pažiūrėti: nuplėštas rankas ar kojas, išblaškytus mėsgabalius.

– Jei tenka tirti išplėštą kūno dalį, tiesiog dirbi vien su audiniais. Ne taip sunku save tuo įtikinti ir gali ramiai dirbti savo darbą. Taip, tas darbas kruvinas, bet jis bent neliūdina. Prie kruvinų mėsgalių įmanoma priprasti. O prie sudaužytų gyvenimų – ne.

Šenahanas pasitelkia tą patį metodą kaip ir patologai:

– Jie sutelkia dėmesį į kūno dalis, o ne į asmenį. Skrodimo metu aprašinėja akis, paskui – burną. Niekam ir į galvą nešautų atsitraukti, apžvelgti visą kūną ir įvertinti štai šitaip: „Čia guli keturių vaikų tėvas". Tik išskirstydamas kūną dalimis gali emociškai ištverti.

Gal atrodys paradoksalu, bet kaip tik menkas kūno sudarkymas ir gali suteikti naudingiausios informacijos, kai bandoma nustatyti, ar buvo susprogdinta bomba. Atsiverčiame ataskaitos šešioliktą puslapį, įrašas „4.7: Kūnų sudarkymas".

– Žmonės prie pat sprogimo centro sudraskomi į skutus, – pusbalsiu sako Šenahanas.

Denisas rado tinkamiausią būdą kalbėti apie tokius dalykus: nei jis kalba pernelyg jautriai, pūsdamas miglas, nei mėgaujasi visomis bjauriomis smulkmenomis. Jei aštuonišimtuoju reisu skridusio lėktuvo salone būtų padėta bomba, Šenahanas būtų aptikęs krūvą „visiškai sudraskytų kūnų" prie tų krėslų, kurie buvo arčiausiai sprogimo centro. Bet iš tikrųjų dauguma kūnų liko sužaloti visai menkai – norint tuo įsitikinti, pakanka žvilgtelėti į kodinį kūnų sužalojimo aprašą. Siekdami supaprastinti darbą tokiems kaip Šenahanas, kuriems tenka išanalizuoti daugybę ataskaitų, pirminę apžiūrą atliekantys medikai dažniausiai pasitelkia spalvinius kodus. Pavyzdžiui, aštuonišimtuoju reisu skridusių keleivių kūnai buvo šių kategorijų: žalios (kūnas sveikas), geltonos (sutraiškyta galva arba nutraukta viena ranka ar koja), mėlynos (nutrauktos dvi galūnės, galva sutraiškyta arba ne) ir raudonos (nutrauktos trys ar visos galūnės arba kūnas visai perplėštas pusiau).

Kitas būdas, kuriuo negyvėliai gali padėti nustatyti, ar lėktuve susprogdinta bomba, yra juose įstrigusių „svetimkūnių" skaičius ir numanoma skriejimo trajektorija. Šiuos „svetimkūnius" aptikti padeda rentgeno nuotraukos, kurios visada daromos skrodžiant katastrofų aukas. Bombų, taip pat arčiausiai esančių daiktų skeveldros susminga į netoliese sėdinčių žmonių kūnus; skeveldrų išsidėstymas kiekviename kūne atskirai ir visuose bendrai gali padėti atskleisti tiesą: ar iš tikrųjų sprogo bomba, o jeigu taip, tai – kurioje vietoje. Pavyzdžiui, jeigu bomba sprogsta dešiniajame tualete, tai per sprogimą sėdėjusiųjų į tą pusę atgręžtuose krėsluose kūnuose bus gausu iš priekio susmigusių nuolaužų. Kitapus praėjimo sėdėjusiems žmonėms panašiai bus sužalotas dešinysis šonas. Kaip

Šenahanas ir tikėjosi, jokio akivaizdaus modelio jam taip ir nepavyko sudaryti. Toliau jis ėmėsi tyrinėti pastebėtus kai kurių kūnų cheminius nudegimus. Šie nudegimai davė peno prielaidai, kad užtaisas galėjo praplėšti lėktuvo korpusą. Dėl lėktuvo avarijos cheminių nudegimų paprastai sukelia stipraus šarmo degalai, tačiau Šenahanas įtarė, kad šiuo atveju kūnai apdegė tik jau lėktuvui rėžusis į vandenį. Išsiliėję vandens paviršiuje reaktyviniai degalai gali apdeginti plūduriuojančio kūno nugarą, bet ne priekį. Šenahanas patikrino surinktą medžiagą išsiaiškinti, ar visi tie, kuriems nustatyta cheminių nudegimų, ir buvo „plaukikai" – plūduriavo vandens paviršiuje. Be to, ar jie nudegusiomis vien tik nugaromis. Paaiškėjo, kad taip ir yra. Jei užtaisas būtų perplėšęs lėktuvo korpusą, nudegimai nuo išsitaškiusių degalų būtų priekinėje kūno dalyje arba šone – priklausomai nuo vietos, kurioje sėdėjo keleivis, – bet tik ne ant nugaros, nes šią būtų apsaugojęs sėdynės atlošas. Taigi kol kas – jokių požymių, kad būtų sprogusi bomba.

Nudegimų ieškojo Šenahanas ir šiluminių – tai yra tokių, kokie lieka nusideginus ugnimi. Čia taip pat pastebėjo tam tikrą dėsningumą. Apžiūrėjęs kiekvieno kūno nudegimų išsidėstymą – daugiausia apdegė priekis – Šenahanas atsekė, kokiu keliu per lėktuvo saloną ūžė liepsna. Paskui jis peržiūrėjo duomenis, kaip apdegė šių keleivių krėslai. Tai, kad krėslai apdegė žymiai smarkiau nei keleiviai, akivaizdžiai bylojo, kad žmonės buvo išsviesti ir iš krėslų, ir iš paties lėktuvo, prabėgus vos kelioms sekundėms po ugnies siūbtelėjimo. Vyresnybei kilo įtarimų, kad galėjo sparne sprogti degalų rezervuaras. Sprogimas nugriaudėjo pakankamai toli nuo keleivių – šių kūnai liko beveik nesumaitoti – tačiau buvo pakankamai galingas pažeisti lėktuvo fiuzeliažui taip, kad šis lūžtų perpus ir keleiviai išlėktų laukan.

Paklausiau Šenahano, kodėl kūnai išlėkė iš lėktuvo, jeigu žmonės sėdėjo prisisegę saugos diržais. Jis paaiškino šitaip: kai lėktuvas byra, pradeda veikti nepaprastai galingos jėgos. Priešingai nei bombos sprogimas, kurio galia išsikvepia per sekundės dalį, byrančio lėktuvo sukeltos jėgos, nors nesuplėšo žmonių į skutus, tikrai gali išplėšti juos iš krėslų.

– Įsivaizduokime lėktuvą, skrendantį trijų šimtų mylių per valandą greičiu, – aiškina man Šenahanas. – Pažeidus fiuzeliažą, lėktuvas praranda aerodinamines savybes. Tiesa, varikliai vis dar stumia jį pirmyn, tačiau stabilumo lėktuvas jau neturi. Taigi jis ims suktis vilkeliu. Įtrūkiai plečiasi nepaprastai greitai – per penkias ar šešias sekundes lėktuvas subyra į gabalėlius. Taigi mano hipotezė tokia: lėktuvas byrėjo labai greitai, krėslų atlošai susmuko ir žmonės tiesiog išslydo iš saugos diržų.

Sužalojimai, būdingi daugeliui aštuonišimtuoju reisu skridusių keleivių, puikiausiai atitinka Deniso hipotezę. Daugumai žmonių buvo sumaitoti vidaus organai – kaip tik tokie sužalojimai ir būna būdingi, pasak Šenahano, „ypač smarkaus smūgio į vandenį" atvejais. Atsitrenkęs į vandenį, kūnas staiga sustoja, o vidaus organai sekundės dalelytę iš inercijos tebejuda pirmyn ir rėžiasi į išorinę kūno sieną, kuri nuo smūgio į vandenį jau būna ėmusi judėti priešinga kryptimi. Aorta dažnai plyšta dėl to, kad dalis jos yra prisitvirtinusi kūno ertmėje, taigi sustoja su visu kūnu, o štai kita jos dalis, ta, kuri arčiau širdies, kadaruoja palaida, tad sustoja akimirksniu vėliau; taigi atsitinka taip, kad dvi aortos pusės sekundės dalelytę juda priešingomis kryptimis, ir kraujagyslė, priešingų jėgų veikiama, plyšta. Net septyniasdešimt trims procentams keleivių, skridusių aštuonišimtuoju reisu, nustatyta sunkių aortos sužalojimų.

Dar vienas sužalojimas, patikimai įrodantis, kad kūnas ilgai kritęs atsitrenkė į vandenį, yra šonkaulių lūžiai. Šį faktą aprašė dar ankstesnieji Civilinės aeromedicinos instituto tyrinėtojai Ričardas Snaideris (Richard Snyder) ir Klaidas Snou (Clyde Snow). 1968-aisiais Snaideris peržiūrėjo 169 savižudžių, nušokusių nuo Auksinių vartų tilto, skrodimo išvadas. Aštuoniasdešimt penkiems procentams kūnų nustatyta šonkaulių lūžių ir tik penkiolikai – skilęs stuburas, vos trečdaliui lūžusios rankos ar kojos. Šonkaulių lūžiai savaime nėra labai sunkus sužalojimas, tačiau kai kūnas, lėkdamas dideliu greičiu, smarkiai į ką nors trenkiasi, tai šonkauliai, kaip aštrūs, dantyti ginklai, perveria ir sudrasko tai, kas slypi krūtinės ląstoje: širdį, plaučius, aortą. Septyniasdešimt šešiems procentams iš Snaiderio ir Snou peržiūrėtų lavonų lūžę šonkauliai buvo perplėšę plaučius. Aštuonišimtojo reiso aukų statistika panaši: dauguma vidaus organų sužalojimų bylojo apie ypač smarkų susidūrimą su vandeniu. Visų kūnų krūtinės buvo sužalotos smūgiu buku daiktu: 99 procentams – daugybiniai šonkaulių lūžiai, 88 procentams – perplėšti plaučiai, 73 procentams – trūkusi aorta.

Jei dauguma keleivių žuvo nuo smūgio į vandenį, ar iš to galima daryti išvadą, kad iki tol jie buvo gyvi ir ištisas tris minutes, kol krito iki jūros paviršiaus, suvokė, kokioje padėtyje atsidūrė? Taip, gyvi jie galėjo būti.

– Jei plakančią širdį ir kvėpavimą apibrėšime kaip gyvybės požymius, – sako Šenahanas, – tuomet – taip, tikriausiai daugelis jų buvo gyvi. – O kaip su sąmone? – Denisas nemano, kad jie galėjo būti sąmoningi. – Tokia tikimybė, mano nuomone, labai menka. Krėslai ir keleiviai svaidomi į visas puses... Tikriausiai jie buvo visiškai apduję. – Šenahanas tyčia apklausė šimtus žmonių, išgyvenusių po lėktuvų ir automobilių katastrofų, ir visiems uždavė tą patį klausimą: ką jie jautę ir matę avarijos metu. – Manau, galima drąsiai skelbti bendrą išvadą, kad keleiviai tokiu atveju patiria labai didelį šoką, ir jų suvokimas, kas dedasi, būna labai menkas. Žmonės pasijunta tarsi atsiriboję. Nors nemažai iš to, kas dedasi, lyg ir suvokia, vis dėlto jų atsakymai į klausimus labai migloti, pavyzdžiui, tokie: „Supratau, kas vyksta, bet iš tikrųjų nesuvokiau, kas vyksta. Nesijaučiau ir pats dalyvaująs įvykyje, bet, kita vertus, lyg ir supratau, kad tai vyksta su manimi".

Kadangi tiek daug aštuonišimtojo reiso keleivių buvo tiesiog išsviesti iš subyrėjusio lėktuvo, man nejučia iškilo klausimas: gal jie vis dėlto turėjo galimybę, kad ir labai menką, likti gyvi? Jei rėžtumeis į vandenį kaip koks šuolių nuo tramplino olimpinis čempionas, galbūt išgyventum net nukritęs iš aukštai skrendančio lėktuvo? Taip iš tikrųjų yra buvę – bent vieną kartą tai tikrai. 1963-iaisiais jau minėtasis vertikalaus pikiravimo iš didelio aukščio tyrinėtojas Ričardas Snaideris atkreipė dėmesį į žmones, kurie liko gyvi nukritę iš tokio aukščio, iš kokio nukritęs žmogus šiaip tai neišvengiamai užsimuša. Straipsnyje „Žmogaus galimybės išgyventi susidūrus su kietu paviršiumi po laisvojo kritimo iš didelio aukščio" jis mini žmogų, kuris iškritęs iš lėktuvo lėkė žemyn septynias mylias – ir sugebėjo likti gyvas; tiesa, išgyveno jis tik pusdienį. Ir dar tam nelaimėliui krentančiam niekas nepakišo vandens telkinio. Jis nukrito ant kietos žemės. (Tiesa, kai krenti iš tokio aukščio, ne kažin koks skirtumas, į ką įsirėši.) Vis dėlto Snaideris išsiaiškino, kad greitis, kuriuo nukrinta žmogus ant paviršiaus, dar anaiptol nebūtinai apibrėžia sužalojimų sunkumą. Jam teko kalbėtis su jaunavedžiais, kurie, nešdami kudašių, nudribo nuo kopėčių ir patyrė sunkesnių traumų nei vienas trisdešimt šešerių metų savižudis, kuris krito du šimtus šešiolika metrų ir žnektelėjo ant betono. Jis atsistojo ir nuėjo sau, vos su keliomis mėlynėmis – iš gydytojų jam labiausiai prireikė psichiatro.

Vis dėlto apibendrinant galima tvirtinti, kad žmogus, krintantis iš lėktuvo, bilietą turi tik į vieną pusę. Minėtame straipsnyje Snaideris tvirtina, kad didžiausias greitis, kuriuo krisdamas į vandenį kojomis pirmyn (tai saugiausia padėtis) žmogus dar gali tikėtis likti gyvas, yra maždaug 113 kilometrų per valandą. Kadangi galutinis krintančio kūno greitis yra maždaug 190 kilometrų per valandą, be to, tam greičiui pasiekti pakanka vos šimto penkiasdešimt metrų aukščio, tikriausiai jums vis dėlto nepavyks kritus penkias mylias iš subyrėjusio lėktuvo išgyventi taip ilgai, kad dar spėtumėte duoti interviu Denisui Šenahanui. Ar tirdamas aštuonišimtojo reiso avarijos priežastis Šenahanas prisikasė iki tiesos? Taip. Vėliau pavyko iš dugno ištraukti stambesnių lėktuvo nuolaužų ir paaiškėjusi tiesa visiškai sutapo su Šenahano versija. Galutinė išvada buvo tokia: pro išdilusią siūlę prasiskverbusios žiežirbos įskėlė ugnį degalų garuose. Dėl to sprogo vienas degalų rezervuarų.

Ne itin malonaus sužalojimų analizės mokslo pagrindai buvo padėti 1954-aisiais – tais pačiais metais, kai paslaptingai vienas po kito iš dangaus į jūrą nukrito du „British Comet" lėktuvai. Pirmasis pradingo sausio mėnesį, skrisdamas virš Elbos salos, antrasis – po trijų mėnesių, netoli Neapolio. Abiem atvejais lėktuvai krito į gilius vandenis, tad taip ir nepavyko ištraukti pakankamai nuolaužų; katastrofos priežasčių teko ieškoti remiantis „medicininiais duomenimis" – sužalojimais, kuriuos patyrė dvidešimt vienas keleivis, rastas plūduriuojantis jūros paviršiuje.

Tyrinėjimus atliko Britanijos Karališkųjų oro pajėgų Farnboro aviacijos medicinos institutas; darbams vadovavo organizacijos grupės kapitonas V. K. Stiuartas, bendradarbiaudamas su seru Haroldu E. Vitinghamu, Britanijos transokeaninių oro linijų korporacijos medicininės tarnybos viršininku. Kadangi kaip tik serui Haroldui priskirta daugiausia titulų – išspausdintame straipsnyje suskaičiavau net penkis, neminint paties kilmės titulo – tad, bent jau iš pagarbos, manysiu, kad grupei vadovavo kaip tik jis.

Serui Haroldui ir jo bendradarbiams iš karto krito į akį, kad rastųjų kūnų sužalojimai visų labai panašūs. Visi dvidešimt vienas lavonas išorinių sužalojimų beveik nepatyrė, o vidiniai sužalojimai buvo dideli – ypač smarkiai nukentėjo plaučiai. Žinomos buvo trys priežastys, galėjusios sukelti tokius plaučių pažeidimus, kokie nustatyti „Comet" lėktuvu skridusiems keleiviams: bombos sprogimas, staigus slėgio pasikeitimas – taip atsitinka dėl lėktuvo salono dehermetizacijos – arba kritimas iš labai didelio aukščio. Šitokioje lėktuvo katastrofoje įmanomi buvo visi šie trys atvejai. Vis dėlto negyvėliai neskubėjo praskleisti paslapties skraistės.

Pirmiausia buvo atmesta sprogusios bombos prielaida. Nė vienas kūnų nebuvo apdegęs, nė vienas nebuvo išvarpytas bombos skeveldrų nei kitokių nuolaužų; nė vienas nebuvo ir – kaip pasakytų Denisas Šenahanas – itin smarkiai suplėšytas. Taigi hipotezę, kad čia pirštus prikišo koks kuoktelėjęs, dantį griežiantis buvęs „Comet" darbuotojas, teko išmesti į šiukšlyną.

Atmetę šį variantą, grupės nariai ėmėsi svarstyti staigios lėktuvo salono dehermetizacijos prielaidą. Ar staigus slėgio pokytis galėjo sukelti tokius rimtus plaučių sužalojimus? Norėdami tai išsiaiškinti, Farnboro grupės nariai pasitelkė būrį jūros kiaulyčių. Joms sukūrė analogiškas staigaus slėgio kritimo sąlygas – nuo jūros lygio iki 10 670 metrų aukščio. Pacituokime serą Haroldą: „Jūrų kiaulytės atrodė šiek tiek išsigandusios, tačiau slėgio pokytis nesukėlė jokių kvėpavimo sutrikimų". Iš kitur surinkti duomenys, gauti remiantis ir eksperimentais su gyvūnais, ir žmonių patirtimi, patvirtino, kad žalingas slėgio pokyčio sveikatai poveikis – labai jau menkas, jo nė lyginti negalima su tais sužalojimais, kurie aptikti „Comet" keleivių plaučiuose.

Šitaip liko paskutinė prielaida – mums jau pažįstamas „itin smarkus susidūrimas su vandeniu": tikriausiai kaip tik tokia ir buvo keleivių žūties priežastis, o katastrofa gal įvyko lėktuvui subyrėjus dideliame aukštyje – veikiausiai dėl kokios nors pačios konstrukcijos ydos. Kadangi straipsnį „Mirtini sužalojimai, sukelti itin smarkaus susidūrimo su vandeniu" Ričardas Snaideris parašė dar tik po keturiolikos metų, Farnboro grupei teko vėl pasitelkti jūros kiaulytes. Seras Haroldas siekė tiksliai išsiaiškinti, kas atsitinka plaučiams, kai kūnas galutiniu greičiu rėžiasi į vandenį. Kai pirmąsyk pamačiau minint gyvūnus, įsivaizdavau serą Haroldą, kopiantį į Duvro uolas, apsikrovusį narveliais su graužikais – ir svaidantį nieko pikto neįtarusius padarėlius į apačioje tyvuliuojančią jūrą, kur jų laukia valtyse, apsiginklavę tinklais, sero Haroldo bendradarbiai. Tačiau paaiškėjo, kad seras Haroldas kur kas išradingesnis: su savąja grupe jis susimeistravo „vertikalią katapultą", tad reikiamai smūgio jėgai gauti pakako kur kas mažesnio nuotolio. „Jūrų kiaulytes, – rašė jis, – lipnia juostele ne per daug tvirtai pririšome prie apatinio laikiklio paviršiaus taip, kad, šį sustabdžius ties grįžtamai slenkamojo judėjimo apatine riba, jūrų kiaulytės pilvais pirmyn nulėktų maždaug dar septyniasdešimt šešis centimetrus ir tada rėžtųsi į vandenį." Numanau, koks seras Haroldas turėjo būti vaikystėje – tokius tiesiog pažįstu kaip nuluptus.

Trumpiau tariant, iš katapultos sviestų jūros kiaulyčių plaučiai atrodė labai panašiai kaip ir „Comet" keleivių. Tyrinėtojai priėjo išvadą, kad lėktuvai subyrėjo dideliame aukštyje ir daugumą žmonių išbėrė į jūrą. Siekiant tiksliai išsiaiškinti fiuzeliažo įtrūkio vietą, buvo atkreiptas dėmesys į tai, ar iš vandens ištraukti negyvėliai nebuvo nuogi. Pasak sero Haroldo suformuluotos teorijos, krentant iš kelių kilometrų aukščio, dėl smūgio į jūros paviršių turėtų nuplyšti visi drabužiai. Tačiau tik iškritusiems iš lėktuvo keleiviams. Tie, kurie krito likę beveik nepažeistoje lėktuvo uodegoje, turėjo likti apsirengę. Remiantis šia prielaida, galima spėti, kad fiuzeliažo skilimo linija turėtų sutapti su riba, skiriančia nuogus lavonus nuo apsirengusių. Mat abiejose katastrofų vietose (tas buvo patikrinta pagal keleivių sąrašus) sėdėjusieji salonų galuose buvo rasti plūduriuojantys su drabužiais, o nuo tam tikros ribos sėdėjusieji salono viduryje ir priekyje surasti plūduriuojantys nuogi ar beveik nuogi.

Šiai teorijai įrodyti serui Haroldui trūko vienos esminės detalės: jis neturėjo duomenų, ar kūnui, iškritusiam iš lėktuvo ir įkritusiam į jūrą, tikrai nuplyšta drabužiai. Kaip tikras tyrinėjimų pionierius, seras Haroldas atsakymo į šį klausimą ėmėsi ieškoti pats. Nors man ir labai magėtų su visomis detalėmis papasakoti jums apie dar vieną Farnboro eksperimentą su jūrų kiaulytėmis – šįsyk aprašyti mažuosius graužikus, išpuoštus šukuotinės vilnos kostiumais ir šeštojo dešimtmečio suknelėmis – vis dėlto šį kartą jūrų kiaulytės bandymuose nedalyvavo. Karališkosioms oro pajėgoms buvo duotas nurodymas įsisodinti į lėktuvą būrį aprengtų manekenų, pakilti į kreiserinį aukštį ir išmesti juos į jūrą.*

Kaip seras Haroldas ir tikėjosi, dėl smūgio iš tiesų nulėkė visi drabužiai; šį reiškinį patvirtino ir Marino apygardos koroneris Garis Eriksonas – tas pats, kuris skrodžia savižudžių, šokinėjančių nuo Auksinių vartų tilto, lavonus. Nukritus vos iš 76 metrų aukščio, kaip sakė man jis, „paprastai nulekia nuo kojų batai, tarpukojis išpurtomas iš kelnių, nuplėšiama viena arba abi užpakalinės kišenės".

Galų gale pavyko ištraukti pakankamai abiejų „Comet" lėktuvų nuolaužų ir sero Haroldo hipotezės pasitvirtino. Paaiškėjo, kad dėl netobulos konstrukcijos abu lėktuvai iš tiesų patys subyrėjo ore. Tad mums belieka nukelti skrybėlę prieš serą Haroldą ir Farnboro jūrų kiaulytes.

---

* Tikriausiai jums, kaip ir man, iškilo klausimas, ar, siekiant ištirti per nelaimingą atsitikimą iš didelio aukščio nukritusių žmonių sužalojimus, nebuvo pasitelkiama lavonų. Iš visų aprašymų, kuriuos man pavyko aptikti, arčiausiai šios temos būtų, matyt, Dž. K. Erlio (J. C. Erley) „Krentančio kūno galutinis greitis", 1964 m., ir Dž. S. Kotnerio (J. S. Cotner) „Oro pasipriešinimo poveikio krintančio žmogaus kūno greičiui analizė", 1962 m.; deja, abu straipsniai taip ir nebuvo išspausdinti. Vis dėlto tikrai žinau, kad Dž. K. Erlis, naudodamas tyrinėjimams manekenus, pabrėždavo, kad naudoja „manekenus", tad įtariu, kad skrydį iš aukštybių mokslo labui vis dėlto gal atliko ir bent keletas paaukotų lavonų.

Mudu su Denisu priešpiečiauti traukiame į pakrantėje įsikūrusį italų restoraną. Esame vieninteliai svečiai – restorane gerokai per tylu tokiam pokalbiui, koks vyksta prie mūsų staliuko. Kai tik prisiartina padavėjas pripildyti mums taurių, aš staiga nutylu, tarsi mes aptarinėtume kokias nors baisias paslaptis ar kalbėtume itin asmeniškomis temomis. Savo ruožtu Šenahanui tai, regis, nė motais. Padavėjas smulkina pipirus mano salotoms, užtrunka (man atrodo) ištisą amžinybę, o Denisas sau porina: „…smulkesnes nuolaužas traukė pasitelkę žvejų laivus – tokius, kokiais žvejojamos austrės…"

Neiškenčiu nepaklaususi Deniso, kaip jis, žinodamas visa tai, ką žino, nuolat susidurdamas su tokiais vaizdais, išvis ryžtasi retsykiais lipti į lėktuvą. Jis paaiškina, kad tik labai nedaugelis katastrofų patiriančių lėktuvų sminga į žemę iš devynių šimtų keturiolikos metrų aukščio. Daugiausia avarijų įvyksta kylant arba leidžiantis – arba labai nedideliame aukštyje, arba išvis dar žemėje. Šenahanas tvirtina, kad nuo 80 iki 85 procentų visų lėktuvų katastrofų palieka galimybę išgyventi.

„Palieka galimybę" – štai kur šuo pakastas. Tai reiškia, kad jei viskas vyks kaip tik taip, kaip vyko Federalinės aviacijos administracijos salono evakuacijos bandymuose, jūs tikriausiai liksite gyvi. Federaliniai nuostatai iš lėktuvų konstruktorių reikalauja: pro pusę visų lėktuvo avarinių išėjimų evakuoti visus keleivius ne vėliau kaip per devyniasdešimt sekundžių. Deja, tikrovėje evakuacija paprastai vyksta toli gražu ne taip, kaip treniruotėse.

– Jei peržiūrėtum visų įmanomų žmonėms išgyventi avarijų duomenis, pamatytum, kad bent pusė avarinių išėjimų atsidaro labai retai, – pasakoja Šenahanas. – Be to, žmonės puola į paniką, kyla siaubinga sumaištis.

Šenahanas pateikia pavyzdį – „Delta" aviakompanijos lėktuvo avariją Dalase.

– Avarija nebuvo labai kebli išsigelbėti – teoriškai daugybė žmonių turėjo likti gyvi. Trauminių sužalojimų būta visai nedaug. Tačiau labai daug žmonių pražudė gaisras. Visi jie buvo rasti susigrūdę prie avarinių išėjimų. Tiesiog negalėjo jų atidaryti.

Lėktuvų avarijose kaip tik ugnis ir būna pats nuožmiausias žudikas. Sprogti degalų rezervuarui itin smarkaus smūgio nė nereikia, ir tada užsiliepsnoja visas lėktuvas. Keleiviai žūsta įkvėpę svilinamai karšto oro, taip pat juos pražudo ir nuodingi dūmai, virstantys nuo liepsnojančių apmušalų ar izoliacinių medžiagų. Žmonės žūsta todėl, kad atsitrenkia į priekinį krėslą ir susilaužo kojas, nebeįstengia nušliaužti iki išėjimo. Žūsta todėl, kad iš degančio lėktuvo paprastai niekas nelipa ramiai ir tvarkingai: žmonės puola prie angos paniškai, skindamiesi kelią alkūnėmis ir trypdami visa, kas tik papuola ant tako.*

Galbūt oro linijos galėtų dar ką nors nuveikti, kad padidintų skrydžių saugumą? Kaip kažin ką – galėtų. Galėtų įrengti daugiau avarinių išėjimų – bet šito nedaro todėl, kad tam reikėtų sumažinti keleivių vietų skaičių, o kartu – ir savo pajamas. Galėtų įtaisyti gesinimo sistemas ar sukonstruoti tokias degalų sistemas, kokioms nebūtų baisi jokia katastrofa – kaip karinių sraigtasparnių. Tačiau nedaro ir to: ir vienas, ir kitas variantas reikštų papildomą lėktuvo svorį. O kuo didesnis svoris – tuo brangiau atsieina degalai.

Kas nusprendžia, kad galima aukoti žmonių gyvybes, kad būtų sutaupyta pinigų? Lyg ir Federalinė aviacijos administracija *(FAA)*. Problema yra ta, kad dauguma skrydžio saugumą turinčių užtikrin-

---

* Atskleisiu paslaptį, kaip išsigelbėti, jei patekote į tokią lėktuvo avariją: elkitės vyriškai. 1970-aisiais Civilinės aeromedicinos institute buvo atlikti trijų katastrofų tyrimai – per kiekvieną iš tų katastrofų buvo imtasi avarinės evakuacijos. Paaiškėjo, kad svarbiausias išgyvenimą lemiantis veiksnys yra lytis (šiek tiek mažiau svarbus yra atstumas iki avarinio išėjimo). Suaugę vyrai turi kur kas daugiau galimybių išgyventi nei visi kiti žmonės. Kodėl? Reikia manyti, kad jie tiesiog prasiveržia pro visus kitus.

ti priemonių vertinamos kainų požiūriu. Kai norima apskaičiuoti „kainą", kiekvienai išgelbėtai žmogaus gyvybei priskiriama tam tikra suma doleriais. 1991-aisiais Urbanistikos institutas apskaičiavo, kad kiekvienas iš mūsų yra vertas 2,7 milijono dolerių.

– Tai kieno nors mirties ir jos poveikio visuomenei ekonominės vertės išraiška, – paaiškino Vanas Goudis – *FAA* darbuotojas, su kuriuo man teko kalbėtis.

Nors ši suma gerokai pranoksta žaliavų perpardavimo vertę, skaičius naudos eilutėje vis dėlto retai kada būna toks didelis, kad viršytų aviakompanijų apskaičiuotas išlaidas. Goudis pateikė pavyzdį – tuos pačius pečių saugos diržus, apie kuriuos jo klausiau aš.

– Štai ką pasakytų bendrovė: „Gerai, tarkime, jei įdiegtumėte pečių saugos diržus, tai per artimiausius dvidešimt metų išgelbėtumėte penkiolika gyvybių – tai bus penkiolika kart du milijonai dolerių, iš viso – trisdešimt milijonų".

Ir štai čia vėl žodį taria pramonė: „O mums tokių diržų įdiegimas kainuos šešis šimtus šešiasdešimt devynis milijonus". Taigi tiek ir tematysime pečių saugos diržus.

O kodėl tuomet nutyla *FAA*? Kodėl nekerta atgal: „Pakaks strykčioti, diržus vis vien įdiegsite"? Priežastis ta pati, dėl kurios praėjo ištisi penkiolika metų, kol JAV vyriausybė pradėjo reikalauti, kad automobiliuose būtinai būtų montuojamos oro pagalvės. Kontrolės institucijos – visiškai bedantės.

– Jei *FAA* siekia įteisinti potvarkį, tai privalo sudaryti išlaidų ir numatomo pelno analizę ir pateikti pramonininkams svarstyti, – paaiškino Šenahanas. – O jei gamintojui tai, ką jis pamatys, nepatiks, tai jis tuojau pat kreipsis į savo atstovą Kongrese. O jei vadiniesi „Boeing", tai tavo įtaką Kongrese sunku būtų pervertinti…"*

---

* Nekyla nė menkiausių abejonių, dėl kokių priežasčių šiuolaikiniai lėktuvai nėra aprūpinti oro pagalvėmis. Norite – tikėkite, norite – ne, bet kai kas išties suprojektavo oro pagalvių sistemą lėktuvams – ji vadinasi Apsaugos sustojimo ore

Vis dėlto vieną *FAA* nuopelną reikia pripažinti: visai neseniai ši organizacija patvirtino naują „inertizuojančią" sistemą, į degalų rezervuarus pumpuojančią azotu praturtintą orą, šitaip sumažindama itin degaus deguonies lygį, o drauge – ir tikimybę tokio sprogimo, kuris sunaikino aštuonišimtuoju reisu skridusį lėktuvą.

Klausiu Deniso, ar jis galėtų ką nors patarti tiems, kurie perskaitys šią knygą ir, kad ir kada liptų į lėktuvą, nebegalės atsikratyti minčių, ar tik jiems nelemta baigti gyvenimo tarp kūnų, susmukusių prie avarinio išėjimo liuko. Jis atsako, kad visiškai pakanka pasitelkti sveiką protą – tiesiog atsisėskite kuo arčiau avarinio išėjimo. O kai tik kas įvyks – kriskite ant grindų, kad atsidurtumėte po karščio ir dūmų banga. Kuo ilgiau sulaikykite kvėpavimą, kad neiškeptų plaučiai nuo karšto oro ir neprisikvėpuotumėte nuodingų dūmų.

Šenahanas mieliau sėdasi prie lango, nes sėdintiems prie praėjimo didesnė tikimybė būti užgriūtiems lagaminų iš bagažinių virš galvos – jų durelės neatlaiko net gana nestipraus smūgio.

Kol laukiame priešpiečių sąskaitos, užduodu Šenahanui tą patį klausimą, kurio jis pastaruosius dvidešimt metų susilaukia kiekviename kokteilių vakarėlyje, kuriame tik tenka jam dalyvauti: kur tikimybė išgyventi didesnė: sėdint lėktuvo priekyje ar lėktuvo gale?

– Priklauso nuo to, – kantriai aiškina jis, – kokia bus ta katastrofa. Tada aš jo klausiu kitaip: jeigu turėtų galimybę lėktuve sėstis bet kur, kokią vietą pasirinktų?

– Rinkčiausi pirmąją klasę.

---

atveju sistema, ją sudaro kombinuotos trijų dalių oro pagalvės: po kojomis, po krėslu ir ties krūtine. *FAA* net išmėgino šią sistemą su manekenais – 1964-aisiais, „DC-7" lėktuve, tyčia įsirėžusiame į kalvą netoli Fynikso, Arizonoje. Kontrolinis manekenas, prisegtas įprastu saugos diržu – suveržtu žemai, ties juosmeniu – nuo smūgio staigiai metėsi pirmyn ir neteko galvos, o štai oro pagalvių sistema apsaugotas manekenas liko sveikutėlis. Sistemos kūrėjus įkvėpė pasakojimai apie Antrojo pasaulinio karo naikintuvų lakūnus, kurie prieš pat katastrofą išpūsdavo gelbėjimosi liemenes.

6

LAVONAS TARNAUJA ARMIJOJE

Keblios kulkų ir bombų moralės normos

Tris 1893-iųjų sausio mėnesio dienas, o paskui – dar keturias dienas kovo mėnesį JAV armijos medicinos korpuso kapitonas Luisas La Gardas apsiginklavęs šautuvu stojo prieš labai jau neįprastą priešą. Tai buvo lig tol neregėtos negirdėtos karinės pratybos – kaip tik dėl jų kapitono La Gardo vardas visiems laikams išlikęs atmintyje. La Gardas buvo chirurgas, tačiau ginkluotuose susirėmimuose irgi nebuvo naujokas. Dalyvavęs 1876-ųjų ekspedicijoje prie Parako upės, jis buvo apdovanotas už narsą susirėmimuose su priešiškai nusiteikusių indėnų sijų gentimis. La Gardas vadovavo žygiui prieš vadą Atšipusį Peilį, kurio vardas, reikia manyti, toli gražu neatitiko nei jo paties protinės bei karinės įžvalgos, nei jo ginkluotės būklės bei kokybės.

1892-ųjų liepos mėnesį La Gardas sulaukė to keisto ir lemtingo įsakymo. Laišku jam buvo pranešta apie ketinamą atsiųsti naują, eksperimentinį 0,30 kalibro „Springfield" šautuvą. Šį naują ginklą jis turėjo išbandyti, lygindamas su standartiniu, 0,45 kalibro „Springfield" modeliu, ir kitą žiemą pranešti rezultatus Frankfordo Arsenalui Pensilvanijoje. Šautuvus ketinta bandyti su žmonėmis: su daug žmonių, nuogų ir neginkluotų. Tačiau tai, kad jie nuogi ir neginkluoti – dar ne pati keisčiausia jų savybė. Svarbiausias jų bruožas buvo tas, kad visi jie jau buvo negyvi. Mirę natūralia mirtimi, jie buvo surinkti – iš kur, nepranešama – kaip subjektai kariuomenės amunicijos skyriaus eksperimentui. Jiems buvo skirta kadaruoti pakabintiems ant kablių, įtaisytų šaudyklos lubose, o bandymo dalyviai turėjo šaudyti jiems į skirtingas kūno vietas bene tuzinu įvairaus stiprumo užtaisų (imituoti įvairiam šūvio nuotoliui); paskui negyvėliai turėjo būti skrodžiami. La Gardo užduotis buvo palyginti dviejų ginklų fiziologinį poveikį žmogaus kaulams ir vidaus organams.

Jungtinių Valstijų armija toli gražu ne pirmoji sugalvojo bandymams pasitelkti civilių lavonus. La Gardas knygoje *Šautinės žaizdos* rašo, kad prancūzų armija jau devynioliktojo amžiaus pradžioje „šaudydavo per apmokymus į negyvėlius – susipažinimui su šaunamųjų ginklų poveikiu kare". Taip pat elgėsi ir vokiečiai, nepabūgę vargo sustatyti priešus imituojančius lavonus kuo natūraliau, maždaug tokiu atstumu nuo šaulių, koks būna tikrame mūšio lauke. Net savo neutralumu garsėjantys šveicarai pačioje devynioliktojo amžiaus pabaigoje sankcionavo nemažai eksperimentų su lavonais – kare patirtų sužalojimų balistiniams tyrinėjimams. Teodoras Kocheris, chirurgijos profesorius ir šveicarų nereguliariosios armijos karininkas (šveicarai kariauti nelinkę, tačiau jie ginkluoti – ir net kur kas rimtesniais už raudonus kišeninius peiliukus ginklais), vienerius metus eksperimentavo su šveicariškais „Vetterli" šautuvais, šaudydamas į pačius įvairiausius taikinius: butelius, knygas, vandens pripildytus kiaulės vidurius, jaučio kaulus, žmogaus kaukoles ir pagaliau – į porą sveikų lavonų; jis siekė perprasti kulkų sukeliamų sužalojimų mechanizmą.

Kocheris – o tam tikra prasme ir La Gardas – išreiškė pageidavimą, kad jų balistiniai tyrinėjimai su lavonais įneštų bent šiek tiek žmoniškumo į mūšius šaunamaisiais ginklais. Kocheris bandė įpiršti mintį, kad kovos tikslas turėtų būti ne priešą pribaigti, o tiesiog padaryti nebepajėgų kautis. Siekdamas šio tikslo, jis siūlė riboti kulkų dydį ir gaminti jas iš aukštesnės lydymosi temperatūros nei švinas medžiagos – tam, kad kulkos mažiau deformuotųsi ir ne taip smarkiai išdraskytų audinius.

Tikslas padaryti priešą nepajėgų kautis – arba kaunamoji galia, kaip tai imta vadinti ginkluotės specialistų aplinkoje – tapo balistikos tyrinėjimų Šventuoju Graliu. Kaip sukaustyti žmogų, kad nebepajėgtų judėti, bet, pageidautina, liktų gyvas ir nelabai sužalotas – ir, žinoma, kad kuo anksčiau, nei jis nužudys ar sužalos tave? Ir iš tiesų, kai kapitonas La Gardas ir jo pagalbininkų – kadaruojančių negyvėlių – būrys vėl išėjo į sceną 1904-aisiais, tai iš paskutiniųjų siekė tobulinti kaunamąją galią. Šiam tikslui buvo teikiama pirmenybė ir generolų nuveiktinų darbų sąrašuose po susirėmimų Filipinuose paskutiniuoju ispanų su amerikiečiais karo etapu, kai labai jau daugeliu atvejų 0,38 kalibro koltu sutramdyti priešo nepavyko. Šio kalibro koltas buvo laikomas pačiu tinkamiausiu ginklu „civilizuotame" kare – jis puikiausiai sutramdydavo „net stoiškąjį japonų kareivį". Šis, kaip rašė La Gardas *Šautinėse žaizdose,* „visuomet griūdavo kaip pakirstas jau nuo pirmojo šūvio". Tačiau susidūrus su „laukinių gentimis arba fanatišku priešu" šis ginklas jau nebepadėdavo. O Filipinų morų genties kariai kaip tik ir buvo laikomi ir šiek tiek laukiniais, ir šiek tiek fanatikais. „Tokį fanatiką kaip morą, abiejose rankose sukantį po bolą ir artėjantį didžiuliais šuoliais... būtina parblokšti maksimalios kaunamosios galios užtaisu", – rašė La Gardas. (Vis dėlto morų gentis labiausiai išgarsėjo ne bolų, o peilių valdymu; sakoma, jie didžiavosi sugebėjimu perkirsti priešą pusiau vieninteliu taikliu smūgiu.) La Gardas remiasi pasakojimu apie vieną vien tik mūšio įkarščiu buvusį gyvą genties laukinį, puolusį JAV sargybos dalinį. „Kai jis priartėjo 100 jardų atstumu, ugnį į jį atidengė visas dalinys." Ir vis vien iš tų 100 jardų jis sugebėjo įveikti dar bent devyniasdešimt penkis, kol galutinai susmuko ant žemės.

Karo ministerijos raginamas, La Gardas ėmėsi tyrinėti įvairius armijos šaunamuosius ginklus bei kulkas ir jų reliatyvųjį efektyvumą, kad būtų galima kuo greičiau sutramdyti priešą. La Gardas nutarė pabandyti šaudyti į pakabintus lavonus, atkreipiant dėmesį į "sukrėtimą", vertinamą pagal "patirtus sutrikimus". Kitais žodžiais tariant, kaip toli lóštelės nuo šūvio kabantis kūnas arba ranka, arba koja? "Remtasi prielaida, kad skirtingo svorio kabančių kūnų inerciją įmanoma kaip nors įvertinti ir apskaičiuoti – ir paskui susieti su kaunamąja galia", – tvirtina Evanas Maršalas, parašęs knygą apie pistoletų ir revolverių kaunamąją galią (taip ji ir vadinasi – *Pistoletų ir revolverių galia*). – "Bet iš tikrųjų pavyko tik ekstrapoliuoti abejotinų eksperimentų abejotinus duomenis."

Netgi kapitonas La Gardas galų gale suprato, kad, norint išsiaiškinti, kaip vienas ar kitas šautuvas gali ką nors sutramdyti, verčiau atsisakyti bandymų su tokiais subjektais, kurie jau yra sutramdyti – kartą visiems laikams. Kitais žodžiais tariant, bandymams yra būtina gyva būtybė. "Pasirinkti buvo mėsiniai gyvuliai, numatyti skersti Čikagos skerdyklose", – rašė La Gardas ir gerokai suglumino dešimt ar penkiolika žmonių, kurie jo knygą perskaitė po XX a. ketvirtojo dešimtmečio, nes tada žodžio "beeves", kuriuo La Gardas įvardijo mėsinius gyvulius, šia reikšme jau niekas nebevartojo. Šiaip ar taip, sudorojęs šešiolika mėsinių gyvulių, La Gardas rado ieškotąjį atsakymą: didesniojo – 0,45 – kalibro kolto revolveris parblokšdavo gyvulį žemėn trimis ar keturiomis kulkomis, o pleškinant mažesnio – 0,38 – kalibro šoviniais kitąsyk nepakakdavo ir dešimties šūvių. Nuo tų laikų JAV armija galėjo ramiai stoti į mūšį: buvo visiškai aišku, kad, jei užpuls karvės, kariai žinos, kaip elgtis.

Vis dėlto Jungtinėse Valstijose ir Europoje šaunamųjų ginklų sukeliamų sužalojimų tyrinėjimuose užvis daugiausia nukentėjo kukliosios kiaulės. O štai Kinijoje – karinės medicinos universitete Nr. 3 ir Kinijos karinės amunicijos bendruomenėje bei kitur – šaudoma buvo į neveislinius šunis. O Australijoje, kaip praneša penktojo pasaulinio balistikos simpoziumo ataskaitos, tyrinėtojai galabijo triušius. Kyla pagunda suformuluoti prielaidą, kad kiekviena kultūra balistikos tyrinėjimams pasirenka pačią nekenčiamiausią gyvūnų rūšį. Kinai retsykiais šunis valgo, bet niekam kitam nenaudoja ir pernelyg nevertina; Australijoje triušiai laikomi tikra rykšte – anglų atvežti kaip medžiojami gyvūnai, jie pašėlo daugintis (kaip triušiai) ir per dvidešimt metų nugraužė du milijonus akrų pietų Australijos krūmynų. Jungtinių Valstijų ir Europos tyrinėtojams tokios hipotezės nepritaikysi. Kiaulės čia buvo šaudomos ne todėl, kad mūsų kultūra laikytų jas purvinomis ir pasibjaurėtinomis. Taikiniais jos tapo tik todėl, kad jų vidaus organai labai panašūs į žmogaus. Ypač panaši į žmogaus yra kiaulės širdis. Tyrinėtojams pravertė ir ožiai – jų plaučiai beveik tokie pat kaip mūsiškiai. Apie tai man papasakojo trečiojo rango kapitonė Marlena DeMaio, kuri Ginkluotųjų pajėgų patologijos institute *(AFIP)* studijuoja kūno šarvuotę. Kalbėdama su DeMaio, susidariau įspūdį, kad iš įvairių rūšių gyvūnų organų būtų įmanoma sumontuoti puikiausią nežmogiškos kilmės žmogų.

– Žmogaus kelis užvis artimiausias yra rudojo lokio keliui, – tvirtino man ji, o paskui pridūrė ir dar vieną stulbinantį – nors stebėtis gal jau ir nebėra ko – teiginį: – O į žmogaus smegenis yra panašiausios maždaug šešių mėnesių amžiaus Džersio karvės smegenys.* Iš kitur sužinojau, kad emu klubai yra tiesiog žmogaus klubų kopija – ši aplinkybė kur kas pravartesnė žmonėms nei patiems emu, kurie tokiu panašumu kažin ar gali džiaugtis, mat buvo negailestingai luošinami Ajovos valstybiniame universitete taip, kaip klubus suluošina osteonekrozė, o paskui smulkiai tyrinėjami kompiuterinio tomografo skeneriais – tyrinėtojai siekė perprasti šią ligą.

---

* Taip ir nesiryžau paklausi DeMaio apie avis ir tikėtiną jų reprodukcinės anatomijos panašumą į atitinkamus moters organus; ką gali žinoti, galbūt po to jai šautų į galvą daryti išvadas apie mano intelekto ir elgsenos panašumus su – na, bala žino, kad ir su medvilniniu straubliuku.

Jeigu tuos šaudymus karo ministerijoje būčiau užsakinėjusi aš, tai būčiau nurodžiusi pirmų pirmiausia ištirti ne kodėl peršauti žmonės kartais neišsyk griūva žemėn, o priešingai – kodėl vis dėlto taip dažnai griūva. Juk prabėga geros dešimt ar dvylika sekundžių, kol peršautas žmogus netenka sąmonės nukraujavęs (tai yra dėl to, kad smegenys nebeaprūpinamos krauju), tad kodėl taip dažnai atsitinka, kad žmogus, į kurį pataikė kulka, susmunka iš karto? Taip atsitinka iš tikrųjų, ne vien per televiziją.

Šį klausimą aš uždaviau Dankanui Makfersonui – gerbiamam balistikos ekspertui ir Los Andželo policijos departamento konsultantui. Makfersonas tvirtina, kad šitaip atsitinka vien dėl psichologinių priežasčių. Tai, ar susmunki iš karto, ar ne, priklauso nuo sąmonės būklės. Gyvūnai nesupranta, ką reiškia būti pakirstam kulkos, tad labai retai akimirksniu sustoja ir griūva. Makfersonas pabrėžė, kad elnias, kuriam kulka pervėrė širdį, nušuoliuoja dar keturiasdešimt ar penkiasdešimt jardų, tik tada griūva.

– Elnias visiškai nesuvokia, kas atsitiko, todėl tiesiog toliau daro tai, ką tokiomis aplinkybėmis ir dera daryti elniui, dar kokias dešimt sekundžių – tol, kol to daryti tikrai nebegali. O nuožmesnio būdo žvėris per tas dešimt sekundžių dar suskubs ir užpulti tą, kuris jį peršovė.

– Kita vertus, būna ir taip, kad į žmogų šovus nepataikoma – arba pataikoma nemirtinomis kulkomis, kurios kūno neperveria, tik sukelia nepaprastai aštrų skausmą – o žmogus čia pat griūva paslikas.

– Kartą vienas mano pažįstamas karininkas šovė į tokį vyruką, ir tas akimoju susmuko kniūbsčias, – papasakojo man Makfersonas. – Karininkas pašiurpo: Viešpatie, juk taikiausi, kaip ir pridera, į masės centrą, bet, ko gero, būsiu prašovęs ir pataikęs tiesiai į galvą. Turbūt reikės traukti atgal į šaudyklą pasitreniruoti. Jis priėjo prie peršautojo – ir ką gi? Tasai buvo nė neįbrėžtas. Jeigu pirmu šūviu nepažeidžiama centrinė nervų sistema, tuomet visa, kas įvyksta staigiai, – įvyksta dėl grynai psichologinių priežasčių.

Makfersono teorija puikiausiai paaiškintų ir tuos keblumus, su kuriais susidūrė La Gardo laikų armija, pleškinusi į Moro genties laukinius, kurie, atrodo, ničnieko nenutuokė apie šaunamojo ginklo poveikį, tad ir peršauti toliau darė tai, ką tokiomis aplinkybėmis ir dera daryti Moro genties laukiniams – tol, kol to daryti nebegalėdavo nukraujavę ir dėl to nualpę. Kartais priešo neįmanoma nušauti akimirksniu ne vien dėl to, kad tas nenutuokia apie pražūtingą kulkos poveikį. Kartais priešas tampa laikinai neįveikiamas dėl kovos įkarščio ir tiesiog dėl beprotiško ryžto.

– Esama daugybės vyrukų, kurie didžiuojasi galį iškęsti skausmą, – aiškina Makfersonas. – Pasitaiko ir tokių, kurie griūva tik tada, kai jau būna skylėti kaip rėčiai. Pažinojau vieną Los Andželo policijos detektyvą, kuriam peršovė širdį 0,357 „Magnumu", o jis prieš susmukdamas dar spėjo pats nušauti žudiką.

Su šia psichologinio poveikio teorija sutinka ne visi. Esama ir tokių, kurie mano, kad tuo metu, kai kulka pataiko į kūną, įvyksta tam tikra nervinė perkrova. Man teko kalbėtis su vienu neurologu, taip pat ir patyrusiu šauliu, taip pat – ir Viktorijos Teksaso valstijoje šerifo pavaduotoju atsargoje Denisu Tobinu, kuris šiuo klausimu yra susikūręs savo hipotezę. Tobinas – jis ir knygos *Pistoletų ir revolverių kaunamoji galia* skyriaus „Neurologo požiūris į kaunamąją galią" autorius – tvirtina, kad staigų kūno susmukimą nulemia tam tikra smegenų kamieno dalis, vadinamoji tinklinio aktyvavimo sistema *(RAS)*. *RAS* gali paveikti impulsas, kurį siunčia itin stipraus skausmo pojūtis vidaus organuose.* Kai tik toks impulsas pasiekia *RAS*, ši pasiunčia signalą, susilpninantį tam tikrus kojų raumenis, ir dėl to žmogus susmunka.

---

* Makfersonas tam prieštaraudamas tvirtina, esą šautinės žaizdos iš pat pradžių retai kada būna skausmingos. Aštuonioliktojo amžiaus mokslininko ir filosofo Albrechto fon Halerio tyrinėjimai perša išvadą, kad skausmo pojūtis priklauso nuo to, į kurią kūno vietą pataiko kulka. Eksperimentuodamas su gyvais šunimis,

Kad ir nelabai tvirtą, bet vis dėlto šiokį tokį Tobino neurologinės teorijos patvirtinimą galima aptikti gyvūnų tyrinėjimuose. Peršautas elnias nesustoja, o štai šunys ir kiaulės, pakirsti kulkos, atrodo, reaguoja kaip žmogus. Šis reiškinys karinės medicinos kontekste minimas jau 1893-iaisiais. Žaizdų balistinių eksperimentų specialistas, pavarde Grifitas, atlikinėdamas bandymus, kokį poveikį gyvų šunų vidaus organams padarys šūviai iš Krago-Jorgenseno šautuvo, šaudant iš dviejų šimtų jardų nuotolio, užfiksavo, kad šie gyvūnai, kulkai pataikius į pilvą, „krenta negyvi iš karto, tarsi nutrenkti elektros srovės". Grifitui tai pasirodė keista, kadangi, kaip jis pats ir pabrėžė Pirmojo Panamerikos medikų kongreso protokole, „nebuvo pažeisti jokie gyvybiškai svarbūs organai, kuo būtų galima paaiškinti akimirksniu gyvūną ištinkančią mirtį". (Iš tikrųjų šunys veikiausiai anaiptol nekrisdavo iš karto negyvi, kaip kad manė Grifitas. Kur kas labiau tikėtina, kad jie tik susmukdavo, o iš dviejų šimtų jardų nuotolio tik atrodė kaip nugaišę. Kol Grifitas sukardavo tuos du šimtus jardų jų paimti, jie spėdavo iš tikrųjų nugaišti nukraujavę.)

Galvosūkį 1988-aisiais ėmėsi nagrinėti švedų neurofiziologas A. M. Gioransonas, tuo metu dirbęs Lundo universitete. Kaip ir Tobinas, Gioransonas manė, kad kulkos smūgis kažkaip sukelia didelę centrinės nervų sistemos perkrovą. Taigi tikriausiai ničnieko nenutuokdamas apie žmogaus smegenų panašumą į šešių mėne-

---

katėmis, triušiais ir kitais smulkiais nelaimėliais, Haleris sudarė sisteminį vidaus organų katalogą pagal tai, ar atskiruose organuose skausmo jutimas užfiksuotas, ar ne. Jo manymu, pilvas, žarnynas, šlapimo pūslė, šlapimtakiai, vagina, gimda ir širdis skausmą pajunta iš karto, o plaučiai, kepenys, blužnis ir inkstai „skausmui beveik visiškai nejautrūs – aš bandžiau juos dirginti, smeigiau į juos peilį, netgi pjausčiau į gabalus, o gyvūnas, atrodo, išvis nejautė jokio skausmo". Haleris pripažįsta, kad šiame jo darbe neišvengta kai kurių metodologinių trūkumų, kurių svarbiausias, jo paties žodžiais tariant, šis: „gyvūnas, kuriam atverta krūtinės ląsta, ir šiaip jau kenčia tokį smarkų skausmą, kad sunku pasakyti, ar jis dar reaguoja ir į papildomą dirginimą".

sių Džersio karvės smegenis, jis prijungdavo devynių anestezuotų kiaulių – po vieną kaskart – smegenis prie elektroencefalografo ir šaudavo į pasturgalius. Gioransonas mini naudojęs „itin didelės smogiamosios jėgos užtaisą", nors iš tiesų tai nebuvo taip drastiška, kaip galima pamanyti. Tokia formuluotė lyg ir perša prielaidą, kad daktaras Gioransonas įsiropštė į automobilį, pavažiavo kiek atokiau nuo laboratorijos ir apšaudė vargšes nieko pikta neįtariančias kiaules kažkokiu švedišku „Tomahawk" sprogmens atitikmeniu, bet iš tikrųjų, bent kiek girdėjau, Gioransonas turėjo omenyje paprasčiausias nedideles, greitai skriejančias kulkas.

Visoms kiaulėms, išskyrus tris, kai tik jas kliudydavo kulka, EEG rodmenys ženkliai suplokštėdavo – kai kuriais atvejais linijų šokinėjimo amplitudė sumažėjo net perpus. Kadangi kiaulės buvo anestezuotos, taigi, – jau nejudrios, neįmanoma pasakyti, ar šūvis būtų sustabdęs jas iš karto. Pats Gioransonas nesiėmė to svarstyti. O jeigu jos prarado sąmonę, Gioransonas niekaip negalėjo nustatyti proceso mechanizmo. Vis dėlto, dideliam visų pasaulio kiaulių sielvartui, jo darbai paskatino tolesnius tyrinėjimus.

Nervinės perkrovos teorijos šalininkai šio efekto priežastimi nurodo „laikinai ištemptą ertmę". Bet kokia kulka, įsiskverbdama į žmogaus kūną, aplinkiniuose audiniuose išduobia nemenką ertmę. Dėl audinių stangrumo ši anga tuojau pat užsiveria, tačiau per tą sekundės dalelytę, kol ji žioji, nervinė sistema – bent šitaip tvirtina jie – spėja perduoti galingą nelaimės signalą, tokį galingą, kad nervinės grandinės patiria perkrovą – ir visai sistemai ant durų tenka pasikabinti skelbimą apie padžiautus autus.

Tie patys perkrovos teorijos šalininkai tvirtina, esą kulkos, praplėšiančios gana dideles, ištemptas angas, labiau gali sukelti reikalingą šoką ir šitaip pasiekti balistikos tikslą – gerą „kaunamąją galią". Jeigu tikrai taip ir yra, tuomet tam, kad būtų galima tiksliai išmatuoti kulkos kaunamąją galią, būtina galimybė matyti ištemptąją angą tuo

metu, kai ji atsiveria. Štai kam gerasis Viešpats, bendradarbiauda-
mas su *Kind & Knox* želatinos kompanija, sukūrė žmogaus audinių
imitaciją.

Taigi kulką reikės šauti į imitaciją – artimiausią žmogaus šlaunies
pakaitalą, koks tik įmanomas, neskaitant tikros šlaunies: penkiolikos,
penkiolikos ir trisdešimties centimetrų balistinės želatinos bloką.
Balistinė želatina iš esmės yra ne kas kita, kaip tik šiek tiek pakeista
Knox desertinė želatina. Ji šiek tiek tankesnė už desertinę želatiną,
sukurta taip, kad atitiktų vidutinį žmogaus audinių tankumą, be to,
ji bespalvė ir, kadangi be cukraus, kažin ar labai sužavėtų pasmagu-
riauti susirinkusius svečius. Tačiau ji turi vieną pranašumą prieš tikrą
lavono šlaunį: joje galima įžiūrėti praplėštos angos savotišką „stop
kadrą". Priešingai nei tikri žmogaus audiniai, šio pakaitalo audiniai
nebesusiglaudžia: anga lieka tokia, kokia praplėšiama, tad balistikos
ekspertai gali įvertinti kulkos poveikį ir užfiksuoti įraše. Be to, žmo-
gaus audinių imitacijos bloko nereikia skrosti: želatina skaidri, tad po
šūvio galima paprasčiausiai prieiti ir pasižiūrėti, ką nuveikė kulka. O
paskui galima net ir parsinešti namo ir suvalgyti – ir po trisdešimties
dienų jau galėsi džiaugtis tvirtesniais, sveikesniais nagais.

Kaip ir kiti želatinos produktai, balistinė želatina gaminama iš
apdorotų sumaltų karvės kaulų ir „šviežiai susmulkintos" kiaulės
odos.* *Kind & Knox* tinklapyje, techninio želatinos pritaikymo są-

---

* Pasak informacijos, kurią aptikau *Kind & Knox* tinklapyje, iš karvės kaulų ir
kiaulės odos pagaminta želatina naudojama ir kitiems produktams, pavyzdžiui,
tokiems kaip zefyrai, nugos tipo čiulpinukų įdaras, saldymedžio saldainiai, „Gum-
mi Bears", karamelė, energiniai gėrimai, sviestas, ledai, vitamininės gelio kapsulės,
medicininės žvakutės ir ta bjauri balta lupena, į kurią vyniojama saliamio dešra.
Noriu pasakyti štai ką: jeigu nerimaujate dėl tos ligos, neva išvarančios karves
iš proto, tuomet nerimauti jums reikėtų kur kas labiau, nei atrodo. O jeigu išties
kyla koks nors pavojus – nors aš tvirtai tikiu, kad ne – tuomet visi mes šiaip ar
taip pasmerkti, tad verčiau atsipalaiduokite ir sudorokite dar vieną „Snickers"
batonėlį.

raše žmogaus audinių imitacijos nerasite – dėl to gerokai nustebau, kaip, beje, ir dėl to, kad taip ir nesulaukiau, kad *Knox* firmos atstovė ryšiams su visuomene man paskambintų. Lyg ir reikėtų manyti, kad bendrovė, lyg niekur nieko savo tinklapyje liaupsinanti kiaulės odos riebalus Nr. 1 ("Tai labai švari medžiaga", "Pristatome sunkvežimiais arba vagonais"), lygiai taip pat noriai kalbės ir apie balistinę želatiną, bet, atrodo, man dar reikėtų gauti ištisus sunkvežimius ar vagonus informacijos apie želatinos ryšius su visuomene.

Mūsiškę žmogaus šlaunies kopiją sukurpė toks Rikas Loudenas, laisvai samdomas visokių medžiagų gamybos inžinierius, labiausiai įgudęs kulkų srityje. Loudenas dirba Oukridže, Tenesio valstijoje, Oukridžo nacionalinės laboratorijos energetikos skyriuje. Ši laboratorija labiausiai išgarsėjo plutonio tyrinėjimais Manhatano (atominės bombos kūrimo) projekte, o dabar vykdo kur kas platesnio masto ir dažniausiai – anaiptol ne tokius nepopuliarius – projektus. Pavyzdžiui, pats Loudenas pastaruoju metu dalyvauja kuriant nekenksmingas aplinkai bešvines kulkas, kad kariškiai pašaudę galėtų išsikuopti nepaklodami viso kapitalo. Loudenas galvą pametęs dėl šautuvų, mėgsta apie juos kalbėti. Šiuo metu jis bando pasišnekėti apie juos su manimi, bet jam gana keblu, mat aš vis stengiuosi pakreipti pokalbį prie lavonų, kas, plika akimi matyti, Loudenui nelabai patinka. Lyg ir reikėtų manyti, kad tasai, kuriam vienas malonumas gražbyliauti apie kulkų įdubusiais galiukais privalumus ("išsipučia dvigubai, peršautą asmenį tiesiog pribaigia"), pernelyg nesimuistytų ir šnekėdamas apie lavonus, tačiau atrodo, kad yra anaiptol ne taip.

– Baugoka, – tarsteli jis, kai užsimenu apie galimybę šauti į negyvo žmogaus kūno audinius. Ir dar išleidžia garsą, kurio transkripcija mano užrašuose maždaug štai tokia: "Hrrrr…"

Stovime po tentu Oukridžo šaudykloje, pasiruošę pirmajam kaunamosios galios bandymui. "Šlaunys" riogso atvirame plastikiniame vėsintuve prie mūsų kojų ir vos vos prakaituoja. Jos nudažytos daržovių sultinio spalva, o dėl cinamono, kurio buvo pridėta siekiant užmaskuoti taukų lydymo tvaiką, kvepia visai taip, kaip „Big Red" kramtomoji guma. Rikas suneša ir stato vėsintuvą ant taikinio stalo už devynių metrų ir įtaiso šlaunies pakaitalą į gelio krepšį. Aš kalbuosi su Skočiu Daudelu, kuris vadovauja šiandieniniam bandymui šaudykloje. Jis pasakoja man apie pušų parazitų epidemiją regione. Rodau į nudžiūvusį pušyną, dunksantį už kokio ketvirčio mylios toliau taikinio.

– Ir čia – kenkėjų darbas?

Skotis paneigia. Šitos pušys, pasak jo, žuvo nuo kulkų – kaip gyva nesu girdėjusi, kad būtų įmanoma sušaudyti pušį.

Rikas grįžta ir užtaiso šautuvą – tai ne visai tikras šautuvas, o tik „universalus uoksas" – stovas, kuriame galima įtaisyti įvairaus kalibro vamzdžius. Nutaikius jį, lieka patraukti vielą – ir kulka skrieja į taikinį. Dabar mes išbandysime porą naujų kulkų, kurios turėtų būti trapios – tai reiškia, kad nuo smūgio turėtų subyrėti. Trapios kulkos sukurtos tam, kad pagaliau išspręstų „perskrodimo", arba rikošeto, problemą, kitaip sakant, kad nebepridarytų bėdos, kai, kiaurai perskrodusios auką, atsitrenkdavo į kokią sieną ir sužalodavo atsitiktinį praeivį arba net patį šovusį policininką ar karį. Be to, nuo smūgio subyranti kulka turi ir šalutinį poveikį: jei pataiko į jus, tai jūsų kūne pažyra skeveldromis. Kitais žodžiais tariant, jos kaunamoji galia iš tiesų neprilygstama. Iš esmės aukos kūne ji tampa nedidele bomba, tad, bent jau kol kas, rezervuojama „specialioms užduotims", kurias vykdo Specialiųjų ginklų ir taktikos (*Special Weapons and Tactics, SWAT*) policijos padalinys, pavyzdžiui, įkaitų išlaisvinimui.

Rikas įteikia man gaiduko virvelę ir pradeda skaičiuoti: trys, du, vienas... Želatinos krūvelė kūpso ant stalo, po truputį teždama saulėkaitoje po žydru, ramiu Tenesio dangumi – *tra lia lia, gyvenimas gražus, kaip gera būti želatinos luistu, aš*... BUM!

Luistas šokteli į orą, nusiverčia nuo stalo ir šlepteli į žolę. Kaip kad sakė vesternų žvaigždė Džonas Veinas – ar, tiksliau, būtų pasakęs, jei jam pasitaikytų tokia proga – šitas želatinos luistas artimiausiu metu jau niekam nepridarys jokių rūpesčių. Rikas pakelia luistą ir įverčia atgal į krepšį. Kulkos kelias „šlaunyje" matyti kuo puikiausiai. Kulka, užuot perskrodusi ją kiaurai ir išlėkusi kitoje pusėje, įsiskverbė į šlaunį keletą centimetrų ir sustojo. Rikas rodo į praplėštą skylę:

– Jūs tik pažvelkite. Visa energija nukreipta kaip tik ten, kur reikia. Priešas puikiai sukaustytas.

Paklausiau Loudeno, ar dabartiniams amunicijos gamybos specialistams bent kiek rūpi tai, kas andai rūpėjo Kocheriui ir La Gardui – sukurti tokias kulkas, kurios priešą sukaustytų, bet nenužudytų ir nesužalotų. Loudenas tik dėbtelėjo į mane maždaug taip pat kaip ir tada, kai pareiškiau, kad šarvus perveriančios kulkos – „gudrus išradimas". Ir atsakė, kad kariškiai stengiasi rinktis tokius ginklus, kurie priešui pridarytų žalos kuo daugiau, „nesvarbu, ar taikinys būtų žmogus, ar transporto priemonė". Štai jums dar viena priežastis, dėl kurios kaunamosios galios bandymams paprastai naudojama balistinė želatina, o ne lavonai. Juk šiuo atveju kalbame apie tyrinėjimus, kurie ne padėtų išsaugoti gyvybę, o priešingai – padėtų ją atimti. Galbūt jums kils noras paprieštarauti: šiaip ar taip, juk bandymai skiriami gelbėti gyvybę policininkams ar kariams – nors gelbėti taip, kad kuo skubiau atimtų gyvastį kažkam kitam. Šiaip ar taip, susilaukti plačios visuomenės paramos dėl žmogaus audinių panaudojimo vargu ar pavyktų.

Savaime aišku, yra ir kita rimta priežastis, kodėl amunicijos specialistai šaudo į balistinę želatiną: jos lengva prisigaminti tiek, kiek reikia. Tik laikykis recepto – ir jokių nukrypimų. O vieno lavono šlaunis toli gražu nelygi kito lavono šlauniai: kiekviena kito storio ir tankumo, priklausomai nuo savininko amžiaus, lyties ir fizinės būklės tuo metu, kai liovėsi šlaunimi naudojęsis. O štai ir dar viena priežastis: išsikuopti sušaudžius želatininę šlaunį – vieni juokai.

Pavyzdžiui, šįryt sušaudytos šlaunys buvo surinktos ir sudėtos atgal į vėsintuvą – tvarkingas ir švarus masinis nekaloringo deserto kapas – ir nė lašelio kraujo.

Tiesa, šaudant net ir į balistinę želatiną, visiškai išvengti purvo nepavyksta. Loudenas parodo į mano sportbačio nosį – ant jos puikuojasi ištiškusios želatinos dėmelė.

– Jums ant bato užtiško lašas šlaunies pakaitalo.

Rikas Loudenas niekad nešaudė į negyvėlius, nors ir turėjo tokią galimybę. Bendradarbiaudamas su Tenesio universiteto Žmogaus kūno irimo tyrimų baze, jis dalyvavo projekte, skirtame sukurti kulkoms, atsparioms rūdijimui nuo irstančiame lavone išsiskiriančių rūgščių, kad teismo medicinos atstovams lengviau būtų tirti nusikaltimus, praėjus daug laiko po jų įvykdymo.

Užuot šaudęs, Loudenas šliaužiojo keturpėsčias su skalpeliu ir pincetu rankose ir grūdo eksperimentines kulkas į lavonus chirurginiu būdu. Pats aiškino šitaip elgiąsis todėl, kad kulkos turinčios atsidurti labai konkrečiose vietose: raumenyse, riebaliniame audinyje, galvos ir krūtinės ertmėse, pilve. Jeigu kulkos būtų šaudomos, tai galėtų perskrosti kūną kiaurai ir įstrigti ne audiniuose, o žemėje.

Be to, jis nešaudė dar ir todėl, kad jautė tokią pareigą.

– Man jau ne kartą susidarė įspūdis, kad šaudyti į negyvėlius mums nevalia.

Prisimena jis ir kitą projektą, kai reikėjo sukurti žmogaus kaulo pakaitalą ir įdėti į balistinės želatinos luistą – visiškai taip pat, kaip valgomojoje želė aptinkame bananų ar ananasų gabaliukų. O siekiant patikrinti imitacijos patikimumą, reikėjo peršauti ir tikrą kaulą ir sulyginti.

– Man pasiūlė šešiolika lavonų kojų – šaudyk ir norėk. Tačiau Aplinkosaugos ministerija pareiškė, kad jei taip pasielgsiu, išvis nutrauks mano projektą. Taigi teko šaudyti į kiaulių šlaunikaulius. Loudenas pasakė man, kad karinės amunicijos profesionalams tenka sukti galvas ir tada, kai prireikia šaudyti į neseniai paskerstus gyvulius.

– Daugybė vyrukų šito nesiima. Jie pasirūpina kumpiu iš parduotuvės ar kokia nors koja iš skerdyklos. Ir netgi tuomet daugelis stengiasi pernelyg neafišuoti savo veiklos. Tai vis dar uždeda kažkokią gėdos žymę.

Per kokius tris metrus mums už nugarų šniukštinėdamas iš urvelio išlindo švilpikas – labai jau netikusiai jis pasirinko vietą gyventi. Gyvūnėlis – dydžio daugmaž sulig puse žmogaus šlaunies.

– Jei pykštelėtume į jį viena naujųjų kulkų, – klausiu Riko, – kas būtų tada? Kažin, gal jis išvis išsiskaidytų į atomus?

Rikas su Skočiu susižvalgo. Juste pajuntu, kad gėdos dėmė, kuri paženklintų nušovusįjį švilpiką, labai jau menka.

Skotis uždaro šovinių dėžutę.

– Prisidarytume krūvą popierizmo – štai kas tada būtų.

Tik visai neseniai kariškiai vėl įmerkė pirštą į kunkuliuojančius visuomeninių fondų finansuojamų balistinių tyrimų su lavonais vandenis. Kaip ir galima įsivaizduoti, tokių tyrimų tikslai – vien tik humanitariniai. Ginkluotųjų pajėgų Patologijos instituto balistinių užtaisų traumų tyrinėjimų laboratorijoje trečiojo rango kapitonė Marlena DeMaio pernai aprengdavo lavonus ką tik sukurtomis šarvinėmis liemenėmis ir bandė šaudyti naujausio modelio kulkomis jiems į krūtinę. Šių bandymų paskirtis buvo patikrinti gamintojo skelbiamas garantijas – ir tik tada aprūpinti tokiomis liemenėmis karius. Matyt, šarvų gamintojų skelbiamomis efektyvumo garantijomis ne visada galima aklai pasitikėti. Pasak Lesterio Roano, nepriklausomos balistikos ir kūno šarvų bandymų įmonės *H. P. White Labs* vyriausiojo inžinieriaus, kompanijos visai neatlieka bandymų su lavonais. *H. P. White* irgi ne.

– Niekam, sugebančiam žiūrėti į šį reikalą ramiai ir logiškai, neturėtų iškilti jokių dvejonių, – tvirtino Roanas. – Juk, šiaip ar taip, negyvėlis – tik mėsos gabalas. Bet kažkodėl tai laikoma politiškai nekorektiška – ir taip buvo jau tada, kai dar niekas nebuvo sugalvojęs politinio nekorektiškumo sąvokos.

DeMaio bandymai su lavonais puikiai iliustruoja, kaip patobulėjo šarvinių liemenių bandymai nuo tų laikų, kai jas iš pradžių išbandė kariškiai: Korėjos karo metu per operaciją „Šernas" Dorono liemenė buvo išbandyta pačiu paprasčiausiu būdu – tokios liemenės buvo išdalytos šešiems tūkstančiams kareivių ir buvo žiūrima, kaip sekasi tiems kareiviams, lyginant su kitais, dėvinčiais standartines šarvines liemenes. Roanas sakė kartą matęs vaizdo įrašą, kurį padarė Centrinės Amerikos policijos departamentas: liemenes išbandydavo šaudydami į jomis aprengtus pareigūnus.

Sukurti kūno šarvus ne taip paprasta: visa gudrybė yra ta, kad šarvai turi būti pakankamai stori ir tvirti sulaikyti kulką – bet ne per sunkūs, tvankūs ir nepatogūs, kad pareigūnai jų atsisakytų. Džilberto salos gyventojų šarvai galėtų būti idealus netinkamų šarvų pavyzdys. Nukeliavusi į Kolumbijos apygardą susitikti su DeMaio, užsukau į Smitsono gamtos istorijos muziejų – ten ir pamačiau eksponuojamus šarvus iš Džilberto salų. Mūšiai Mikronezijoje būdavo tokie nuožmūs ir kruvini, kad vietos kariai nuo galvos iki kojų apsimuturiuodavo durų kilimėlio storumo šarvais, sukurptais iš suvytų kokoso riešutų plaušų. Maža to, kad karys patirdavo nemenką pažeminimą jau vien pasirodęs mūšio lauke lyg koks apipintas dekoratyvinis gėlių vazonas, jo šarvai dar būdavo ir tokie gremėzdiški, kad be kelių ginklanešių pagalbos jis neįstengdavo net pasisukti.

Kaip ir automobilių avarijų imitacijose dalyvaujantys lavonai, DeMaio šarvais aprengti kūnai buvo aprūpinti akcelerometrais ir apkrovos kameromis, šiuo atveju – ant krūtinkaulio, kad fiksuotų smūgio galingumą ir teiktų tyrinėtojams smulkią medicininę informaciją apie tai, kas darosi šarvais pridengtai krūtinei. Šaudant didesnio kalibro ginklais, lavonams, būdavo, plyšta plaučiai ar įskyla šonkauliai, tačiau neatsitikdavo nieko, ką galėtum vertinti kaip mirtiną žaizdą – jei tik lavonas, žinoma, nebūtų miręs iš anksto. Planuojama atlikti ir daugiau bandymų, siekiant sukurti bandomuosius manekenus – analogiškus tokiems, kokie naudojami automobilių avarijų bandymams – tad vieną gražią dieną lavonų paslaugų, ko gero, išvis nebereikės.

Dėl to, kad DeMaio norėjo bandymams naudoti lavonus, jai buvo patarta imtis darbo ypač atsargiai. Ji apsirūpino trijų atsakingų instancijų, taip pat karinės teisės tarybos ir užkietėjusių etikos sergėtojų palaiminimu. Galų gale leidimą bandymams ji gavo, tik su vienu apribojimu: kad nebūtų nė menkiausio įdrėskimo. Kulka turėjo sustoti kad ir labai arti, bet kad tik nepasiekusi lavono odos.

Galbūt DeMaio iš nevilties griebėsi už galvos? Ji pati tvirtina, kad ne.

– Kai dar mokiausi medicinos mokykloje, – sako ji, – visada tikindavau save: „Nagi, pasitelk sveiką protą. Juk jie jau mirę, jie patys paaukojo savo kūnus mokslui, bene užmiršai?!" O kai ėmiausi šio projekto, suvokiau, kad dalis to viešosios nuomonės pasitikėjimo tenka ir mums, tad netgi tada, kai moksliškai tai visiškai nepagrįsta, mes vis dėlto privalome paisyti žmonių emocinių reakcijų.

Institucijų atsargumą lemia atsakomybės baimė, taip pat nepalankių žiniasklaidos atsiliepimų baimė, kaip ir baimė dėl to, kad gali nutrūkti finansavimas. Kalbėjausi su pulkininku Džonu Beikeriu, teisiniu patarėju, atstovaujančiu vienai tų institucijų, finansavusių DeMaio tyrinėjimus. Šios institucijos vadovas pageidavo, kad jos pavadinimo aš neminėčiau, vadinčiau ją tiesiog „federaline institucija Vašingtone". Jis man pasakė, kad per pastaruosius daugiau nei dvidešimt metų kongresmenai demokratai ir biudžetu susirūpinę įstatymų leidėjai ne kartą mėgino įstaigą panaikinti – taip pat, kaip ir Džimis Karteris, Bilas Klintonas ir pasisakančiųjų už etišką elgesį su gyvūnais organizacija. Mane apniko nuojauta, kad aš su tuo savo išprašytu interviu sudirbau tam žmogui visą dieną, galbūt jis pasijuto pribaigtas kaip ir tos pušys, pataikiusios išaugti už Aplinkosaugos ministerijos šaudyklos.

– Didžiausią rūpestį kelia tai, kad kas nors iš gyvųjų bus toks priblokštas, kad ims ir paduos ieškinį, – kalbėjo pulkininkas Beikeris, sėdėdamas prie savo darbastalio vienoje federalinėje institucijoje Vašingtone. – O šiuo klausimu nėra jokio įstatymo, tad ir remtis nėra kuo, lieka kliautis nebent sveiku protu. – Jis pabrėžė, kad nors lavonai ir neturi jokių teisių, vis dėlto jų artimieji teisių turi. – Galiu įsivaizduoti bylą, užvestą remiantis skundu dėl emocinės traumos... Šitokių [atvejų] kartais pasitaiko, pavyzdžiui, situacijos kapinėse, kai kapinių savininkas leidžia karstams supūti ir negyvėliai išlenda paviršiun.

Atsakiau jam, kad jeigu jau tyrinėtojai turi oficialų kompetentingą leidimą – tai yra parašu patvirtintą sutikimą paaukoti kūną mokslo tikslams – jokie artimieji lyg ir neturėtų turėti galimybės paduoti ieškinį.

Visi keblumai iškyla tuomet, kai tenka nustatyti, kiek iš tikrųjų „informuotas" būna kūno donoras. Reikia pripažinti, kad sutikdami mokslui paaukoti tiek savąjį, tiek artimojo kūną, žmonės paprastai nesiekia trūks plyš sužinoti visų nelabai malonių detalių, kas su tuo kūnu bus daroma. O jei atskleistum jiems viską iki smulkmenų, jie, ko gero, dar imtų ir persigalvotų, ir sutikimą atšauktų. Kita vertus, jei jau ketini pleškinti į negyvėlį iš patrankos, tai verčiau jau nieko neslėpti – ir iš anksto gauti sutikimą panaudoti kūną šiam konkrečiam reikalui.

– Tai – irgi pagarbos žmogui išraiška, jei tiesiai atskleidi informaciją, į kurią jis gali sureaguoti emociškai, – sako Edmundas Houvas, *Klinikinės etikos žurnalo*, išspausdinusio Marlenos DeMaio tyrinėjimų apmatus, redaktorius. – Tačiau galima rinktis ir kitką – apsaugoti žmogų nuo tokios reakcijos, tad šitaip išvengti ir etinės žalos. Vis dėlto informacijos nutylėjimas – lazda su dviem galais: žmonėms gali pasirodyti reikšminga, kad šitaip paminamas jų orumas.

Houvas siūlo ir trečią išeitį – suteikti galimybę artimiesiems rinktis: ar norėtų tiksliau sužinoti, kas konkrečiai daroma su paaukotu kūnu – tokios detalės, savaime aišku, gali smarkiai nuliūdinti ar šokiruoti – ar vis dėlto jos labiau linkusios nieko daugiau nežinoti?

Taigi čia gana delikatus lemiamas veiksnys, kuris galų gale susiveda į formuluotes. Beikeris apie tai kalba šitaip:

– Juk negalima imti ir pasakyti žmogui: „Ką gi, su palaikais darysime štai ką: pjaustysime akių obuolius. Išimsime iš akiduobių, pasidėsime ant stalo ir pjaustinėsime, vis plonesnėmis ir plonesnėmis riekelėmis, o kai užbaigsime, sugrandysime viską į biologinių atliekų krepšį – pasistengsime nieko nepamesti, kad galėtume viską jums grąžinti. Skamba kraupokai, ar ne? Kita vertus, formuluotė „medicininiai tyrinėjimai" – gana miglota. Kur kas geriau sakyti artimiesiems maždaug štai ką: „Viena svarbiausių mūsų tyrinėjimo sričių šičia, universitete, yra oftalmologija. Tad mes daugiausia ir dirbame su oftalmologine medžiaga". Jeigu kam nors šautų į galvą gerai pamąstyti, ką tai reiškia, tai sunku būtų neprieiti prie išvados, kad kažkas, vilkintis laboratorijos chalatu, mažų mažiausiai iškabins akių obuolius iš galvos. Tačiau daugumai žmonių nerūpi į tai gilintis. Jie sutelkia dėmesį į tikslą, o ne į priemones: galbūt šių tyrinėjimų dėka kada nors kam nors bus išsaugotas regėjimas.

Balistinės studijos būna ypač problematiškos. Labai keblu nuspręsti, ar valia nurėžti kieno nors seneliui galvą ir pykštelėti į veidą iš šautuvo. Netgi jei šitaip daroma vien tam, kad būtų sukaupta kuo daugiau žinių, siekiant, kad niekuo dėti civiliai, kuriems į veidą pataiko nemirtina kulka, nebūtų siaubingai subjauroti. Maža to, labai keblu dar ir pačiam prisiversti nurėžti tą kažkieno senelio galvą ir į ją šaudyti.

Šiuos klausimus aš uždaviau Sindei Bir (Cindy Bir), kuri ir prisivertė daryti kaip tik tai – su ja aš susitikau lankydamasi Veino valstybiniame universitete. Bir gana įpratusi pleškinti kulkomis į numirėlius. 1993-iaisiais Nacionalinis teisingumo institutas *(NIJ)* įpareigojo ją aprašyti smūginį poveikį, šaudant įvairiais nemirtinais užtaisais: plastikinėmis, guminėmis kulkomis, polistirolo rutuliukais ir panašiai. Policija naudoja nemirtinus užtaisus nuo devintojo dešimtmečio pačios pabaigos, tokiomis aplinkybėmis, kai reikia malšinti įsisiautėjusius civilius, dažniausiai – maištininkus arba agresyvius psichikos ligonius, nesukeliant pavojaus gyvybei. Ir jau net devynis kartus „nemirtinos" kulkos, kaip paaiškėjo, gali būti mirtinos. Faktai paakino *NIJ* kreiptis į Sindę Bir, kad ši išsiaiškintų, kas konkrečiai įvyksta šaudant tomis kulkomis, ir kad pasiūlytų, ką daryti, kad šitaip nebeatsitiktų.

Į klausimą „Kaip prisiverčiate nurėžti kieno nors senelio galvą?" Bir atsakė:

– Laimė, už mus tai atlieka Ruhanas.

(Čia tas pats Ruhanas, kuris paruošia lavonus bandymams automobilių avarijų imitacijose.) Bir dar pridūrė, kad nemirtinos kulkos bandymuose paprastai šaudomos ne iš šautuvų, o iš pneumatinių cilindrinių tūtų, kadangi šitaip pavyksta nutaikyti tiksliau, be to, ir pats procesas ne taip smarkiai trikdo.

– Vis dėlto, – pripažino Bir, – aš visuomet apsidžiaugiu, kai darbas būna baigtas.

Bir, kaip ir dauguma tyrinėtojų, kuriems tenka rakinėti lavonus, susidoroja su užduotimi pasitelkusi šiek tiek užuojautos ir emocinio atsiribojimo.

– Stengiesi elgtis su jais pagarbiai, bet vis dėlto stengiesi lyg ir nepripažinti fakto, kad... na, nenoriu pasakyti, kad jie – ne individualios asmenybės, bet... tiesiog stengiesi galvoti apie juos kaip apie paprasčiausius pavyzdžius.

Bir yra baigusi medicinos seserų kursus, tačiau tam tikra prasme su lavonais jai dirbti lengviau.

– Žinau, kad jie nieko nebegali jausti, žinau: kad ir ką daryčiau, jiems jau neskaudės.

Vis dėlto net labiausiai patyrusiems lavonų tyrinėtojams pasitaiko tokių dienų, kai laukianti užduotis pasirodo esanti kažkas kita nei mokslinis tyrinėjimas. Pavyzdžiui, Bir nemalonūs potyriai niekaip nesisiejo su ta aplinkybe, kad jai tenka šaudyti į tuos negyvėlius. Tai būna tokios akimirkos, kai pavyzdys staiga nusipurto savo anonimiškumą, savo daiktiškumą ir nejučia žingteli atgal į savo buvusiąją – žmogaus – egzistenciją.

– Kartą gavome pavyzdį. Aš nulipau žemyn padėti Ruhanui – ir štai, pamačiau vyriškį, atgabentą veikiausiai tiesiai iš slaugos namų ar ligoninės, – prisimena Bir. – Jis vilkėjo marškinėlius trumpomis rankovėmis, mūvėjo flanelines pižamos kelnes. Man taip ir smogė mintis – juk tai... tai galėtų būti ir mano tėtis. Buvo ir dar vienas, į kurį nulipau pasižiūrėti – mes dažnai iš anksto apžiūrime pavyzdžius išsiaiškinti, ar jie ne per dideli [kad įstengtume pakelti] – ir pamačiau žmogų, vilkintį mano gimtojo miestelio ligoninės chalatą.

Jeigu norite nebeužmigti naktimis nerimaudami dėl galimų teismo procesų ar nekokios šlovės, kuria tik ir gviešiasi pasirūpinti žiniasklaida, tuomet kur nors netoli mirusiojo, kuris paaukojo savo palaikus mokslui, susprogdinkite bombą. Tikriausiai kaip tik šis tabu yra įaugęs į kraują užvis labiausiai visame lavonų tyrinėtojų pasaulyje. Kur kas labiau mėgstama sprogdinti gyvus užmigdytus gyvulius, o ne negyvus žmones. 1968-aisiais Atominės gynybos aprūpinimo agentūros *(DASA)* leidinyje *Žmogus atsparumo tiesioginiam sprogimo ore poveikiui apskaičiavimai* – kitais žodžiais tariant, kókios žmogaus galimybės atlaikyti bombos sprogimą – tyrinėtojai daug kalba apie eksperimentinių sprogdinimų poveikį: aukomis tapo pelės, žiurkėnai, žiurkės, jūrų kiaulytės, triušiai, katės, šunys, ožkos, avys, jautukai, kiaulės, asiliukai, net nukirstauodegės makakos, – tačiau apie poveikį subjektui, paminėtam pavadinime, neužsimenama nė žodeliu. Niekas niekada nesiryžo pririšti lavono prie sprogdinimo vamzdžio, kad galima būtų pasižiūrėti, kas jam nutiks.

Paskambinau tokiam Arisui Makrisui – jis dirba Kanados kompanijoje „Med-Eng Systems", gaminančioje apsauginę įrangą išminuotojams. Pasakiau jam apie tą *DASA* leidinį. Daktaras Makrisas paaiškino, kad lavonai anaiptol ne visada būna patys geriausi modeliai tikrinti gyvo žmogaus atsparumui sprogimams: priežastis – subliūškę lavono plaučiai, nebefunkcionuojantys taip, kaip gyvo žmogaus plaučiai. Sprogusios bombos smūgio banga užvis labiausiai sumaitoja tuos kūno audinius, kurie lengviausiai susispaudžia, o kaip tik tokie ir yra plaučių audiniai, ypač – mažyliukės, plonytės oro pūslelės, iš kurių kraujas renka deguonį ir palieka anglies dioksidą. Sprogimo smūgio banga tas pūsleles suspaudžia ir suardo. Tada kraujas pradeda sunktis į plaučius ir jų savininką nuskandina, kartais – greitai, per dešimt ar dvidešimt minučių, o kartais procesas trunka bent kelias valandas.

Vis dėlto Makrisas pripažino, kad, neminint biomedicininių priežasčių, atsparumo sprogimams tyrinėtojai vis dėlto nelabai nori dirbti su lavonais.

– Su tuo siejasi begalė etinių ir viešosios nuomonės keblumų, – pasakė jis. – Tiesiog labai neįprasta sprogimais taškyti lavonus į skutus. Na, kaip skambėtų: gal malonėsite paaukoti savo palaikus mokslui, kad galėtume juos susprogdinti?

Vis dėlto ne taip seniai viena tyrėjų grupė ryžosi užsitraukti šitokią audrą ant savo galvos. Pulkininkas leitenantas Robertas Harisas su grupe kitų gydytojų iš JAV armijos chirurginių tyrinėjimų instituto Fort Sam Hiustone, Teksaso valstijoje, Rankų ir kojų traumų tyrinėjimo padalinio pasitelkė lavonus tirti išminuotojų penkių rūšių apavui: įprastai naudojamam ir neseniai sukurtam. Nuo pat Vietnamo karo laikų buvo tvirtai įsišaknijusi nuomonė, kad išminuotojams užvis saugiausia avėti sandalus – neva tuomet ženkliai sumažėja sužalojimų, kokių galėtų sukelti paties apavo nuolaužos, kurios susmigtų į pėdą lyg sprogus šrapneliui, smarkiai ją sužalotų ir grėstų infekcija. Vis dėlto su tikra koja niekas taip ir neišmėgino, ar sandalai iš tiesų toks saugus apavas. Niekas nesurengė ir jokių bandymų su lavonais tikrinti, ar kuris nors iš gamintojų primygtinai brukamų išradimų tikrai geriau apsaugo kojas nei standartiniai batai.

Ir čia į sceną išeina bebaimiai žmonės iš Kojų saugumo įvertinimo programos *(LEAP)*. Nuo 1999-ųjų dvidešimt lavonų, gautų iš Dalaso medicinos mokyklos, kur buvo vykdoma kūnų aukojimo mokslui programa, buvo vienas po kito kabinami sprogdinimo kameroje nuo lubų kabančioje įrangoje. Visi lavonai buvo aprūpinti įtampos vožtuvais ir perkrovos kameromis, įtaisytais kulnuose ir gurneliuose, ir apauti vienu iš šešių rūšių apavo. Kai kurie batai, gamintojų tvirtinimu, turėjo apsaugoti koją per sprogimą kilstelėdami, mat sprogimo galia su kiekvienu centimetru silpnėjanti; kiti batai neva turėdavę saugoti koją sprogimo energiją sugerdami arba nukreipdami į šalį. Kūnai būdavo įtaisomi einančio žmogaus poza – kad kulnai remtųsi į žemę, tarsi kupini pasitikėjimo savimi žengtų pasitikti lemties.

Siekiant sustiprinti tikroviškumo įspūdį, buvo pasitelkta ir dar viena detalė: visi lavonai nuo galvos iki kojų aprengti standartine karine uniforma. Neskaitant didesnio panašumo į tiesą, šitokia apranga dar ir išreiškė tam tikrą dozę pagarbos – tokios pagarbos, kokia melsvai pilkšvi triko nė nedvelkė, bent jau JAV armijos manymu.

Harisas neabejojo, kad šių tyrimų humanitariniai tikslai gerokai pranoksta galimą smūgį žmogiškajam orumui. Vis dėlto jis tarėsi su kūnų donorystės programos vadovais dėl galimybės informuoti velionio artimuosius apie bandymų specifiką. Tačiau vadovai patarė nieko velionio artimiesiems nesakyti – dėl dviejų priežasčių: pirma, dėl to, kad nesama jokios būtinybės, pasak jų, „gaivinti sielvartą" tiems, kurie jau spėjo susitaikyti su kūno paaukojimo faktu, o antra, dėl to, kad, leidžiantis į ne pačias patraukliausias eksperimento smulkmenas, šiurpinti gali ir bet kuris kitas lavono panaudojimo būdas. Jei paaukotų kūnų programos koordinatoriai imtųsi palaikyti ryšius su *LEAP* eksperimentų lavonų artimaisiais, tuomet tikriausiai reikėtų informuoti ir artimuosius tų, kurių kojos gretimoje salėje mėtomos iš įvairaus aukščio, taip pat ir anatomijos laboratorijos, įsikūrusios kitame teritorijos pakraštyje, lavonų artimuosius. Kaip kad pabrėžė Harisas, sprogdinimo eksperimentai nuo skrodimo per anatomijos pratybas skiriasi tik viena esmine detale: trukme. Sprogimas trunka sekundės dalelę, o skrodimui lavonas naudojamas ištisus metus.

– Tačiau galų gale, – pareiškė jis, – rezultatas vis vien tas pats: vienokio bandymo sudarkytą lavoną nelabai atskirsi nuo kitokio.

Paklausiau Hariso, ar jis pats ketina paaukoti savo palaikus mokslui. Man pasirodė, kad jis nusiteikęs net labai entuziastingai:

– Sakiau ir sakysiu: kai numirsiu, gabenkite mane ten ir susprogdinkite!

Jei Harisas būtų galėjęs savo bandymams naudoti pakaitalus – manekenų, o ne tikrų lavonų kojas, tai taip ir būtų padaręs. Šiais laikais tokių imitacijų gaminama net labai neblogų – to ėmėsi Australijos gynybos mokslo ir technikos organizacija. (Australijoje, kaip ir kitose Britanijos tautų sandraugos šalyse, balistikos ir sprogdinimų eksperimentai su tikrais lavonais draudžiami. Ir tam tikri žodžiai rašomi juokingai.) Trapi surogatinė koja *(FSL)* gaminama iš tokių medžiagų, kurios į sprogimą reaguoja panašiai kaip ir tikri žmogaus kojos audiniai. Pavyzdžiui, kaulams gaminti naudojamas mineralizuotas plastikas, o raumenys formuojami iš balistinės želatinos. 2001-ųjų kovo mėnesį Harisas atliko tokius pat žemės minų sprogdinimo eksperimentus su australiškomis kojomis, kokius darydavo su lavonais – tam, kad išsiaiškintų, ar bandymų rezultatai sutampa. Deja, teko nusivilti – imitacijos kaulai skilinėjo ne visai taip, kaip tikri. Šiaip ar taip, pagrindinė problema šiuo metu yra kaina. Kiekviena *FSL* – ir panaudoti tokios kojos antrą kartą nebeįmanoma – kainuoja maždaug penkis tūkstančius dolerių, o lavono kaina (įskaičiuojant transportavimą, ŽIV ir hepatito C virusų testus, kremaciją ir panašiai) dažniausiai nesiekia nė penkių šimtų dolerių.

Harisas mano, kad darbo trūkumai tėra tik laikini. Tik laiko klausimas, kada visi trūkumai bus pašalinti ir kainos kris. Jis pats to laukia. Naudoti pakaitalus pageidautina ne vien dėl to, kad bandymai su žemės minomis, kuriuose dalyvauja lavonai, yra keblūs etine prasme (o ir gana purvini tiesiogine prasme), bet dar ir dėl to, kad lavonas lavonui nelygu. Kuo numirėlio būta vyresnio, tuo trapesni jo kaulai, tuo mažiau elastingi audiniai. O kalbant apie išminuotojus, šį darbą atliekančių gyvųjų ir bandymams naudojamų lavonų amžius ypač smarkiai nesutampa: vidutinis išminuotojo amžius nesiekia nė trisdešimties, o vidutinis paaukotas kūnas būna maždaug šešiasdešimtmečio ar vyresnio žmogaus. Daugmaž tas pat būtų tikrinti modernaus singlo paklausą salėje, prisigrūdusioje estrados klasikos gerbėjų.

Tačiau kol tas metas dar neatėjo, Britanijos tautų sandraugos šalių specialistams, dirbantiems su minomis ir negalintiems naudotis lavonų paslaugomis, bus gana keblu. Didžiosios Britanijos tyrinėtojai

susitaikė su kompromisu: išbando apavą naudodamiesi amputuoto-
mis kojomis, nors ši praktika gerokai kritikuojama, mat amputuotos
kojos ir rankos paprastai būna pažeistos gangrenos ar diabeto, taigi
toli gražu neatstoja sveikųjų. Dar viena tyrėjų grupė bandė naujo
modelio apsauginiu batu apauti užpakalinę mulo koją. Tačiau mulai
neturi nei kulnų, nei kojų pirštų, o žmonės vargu ar turi kanopas, be
to, nė vienoje iš man žinomų šalių mulai išminuotojais nesamdomi,
tad sunku – nors gal ir smagu būtų pamėginti – net įsivaizduoti, kad
šitokie tyrinėjimai galėtų būti bent kiek vertingi.

O štai *LEAP* eksperimentai, kaip paaiškėjo, vertingi. Sandalų mi-
tas buvo truputį išsklaidytas (avint sandalais, sužalojimai tokie pat
sunkūs, kaip ir avint kareiviškais batais), o viena naujovių – „Med-
Eng's Spider Boot" firmos apavas, kaip atsiskleidė, pasirodė kur kas
patikimesnis ir saugesnis už standartinę išminuotojų avalynę (vis
dėlto, norint patikimai tą tvirtinti, reikėtų kur kas išsamesnių tyri-
mų). Pats Harisas mano, kad jo projektas buvo sėkmingas, kadangi,
kalbant apie sausumos minas, net ir vos šiek tiek daugiau apsaugos
gali lemti milžinišką skirtumą žmogui.

– Jei man pavyks išsaugoti pėdą ar bent amputuoti koją nebent
žemiau kelio, – tvirtina Harisas, – tai jau bus laimėjimas.

Kalbant apie žmogaus traumų tyrinėjimus, labai jau nepalanki
aplinkybė yra ta, kad visai tos pačios nelaimės, galinčios suluošinti ar
nužudyti žmogų – kitaip sakant, kaip tik tie dalykai, kuriuos mums
užvis labiausiai privalu ištirti ir perprasti – labiausiai sumaitoja ir
tyrinėjimams atiduotus lavonus: automobilių avarijos, šūviai iš šau-
namųjų ginklų, sprogimai, sportinės traumos. Juk nėra jokio reikalo
pasitelkus lavonus tyrinėti, kas atsitinka įsidūrus smeigtuku ar kaip
žmonės pakenčia trinančius batus.

– Tam, kad iš tikrųjų išmoktum apsisaugoti nuo pavojaus – ar nuo
automobilio avarijos, ar nuo bombos, – tvirtina Makrisas, – būtina
išbandyti žmogaus galimybių ribas. Nori nenori tampi naikintoju.

Aš visiškai sutinku su daktaru Makrisu. Ar tai reiškia, kad sutikčiau, kad kas nors susprogdintų mano pačios lavono koją tam, kad būtų išgelbėti NATO išminuotojai? Taip, sutikčiau. O ar leisčiau kam nors šauti į negyvą savo veidą nemirtinu užtaisu – tam, kad būtų išvengta atsitiktinių žūčių? Manau, taip. Tad kaipgi elgtis su savo palaikais aš vis dėlto neleisčiau? Į galvą ateina tik vienas eksperimentas, kuriame lavono pavidalu tikrai nenorėčiau dalyvauti. Tas eksperimentas nebuvo atliekamas nei mokslo, nei mokymo labui, taip pat ir ne tam, kad būtų sukurtas saugesnis automobilis ar būtų geriau apsaugoti kariai. Šis eksperimentas buvo atliekamas kulto reikalams.

7

ŠVENTASIS KŪNAS

Nukryžiavimo eksperimentai

1931-ieji. Paryžiun į kasmetį renginį, vadinamą Laneko konferencija, susirinko prancūzų gydytojai ir medicinos studentai. Vieną rytą, jau gerai įdienojus, susirinkime pasirodė kunigas. Jis vilkėjo ilgą juodą sutaną su Romos katalikų bažnyčios apykakle, po pažastimi nešėsi nutrintą odinį aplanką su dokumentais. Kunigas prisistatė esąs tėvas Armajakas ir pareiškė ieškąs iškiliausių Prancūzijos anatomų patarimo. Jo aplanke buvo pluoštas stambiu planu darytų Turino drobulės fotografijų – atvaizdų drobės atraižos, įkapių, į kurias, kaip teigia tikintieji, buvo susuptas nuo kryžiaus nuimtas Jėzaus kūnas. Tuo metu, kaip ir dabar, be paliovos ginčytasi dėl drobulės autentiškumo, tad Bažnyčia nutarė kreiptis į mediciną, kad ši nustatytų, ar audekle likusios žymės atitinka realią anatomiją ir fiziologiją.

Daktaras Pjeras Barbė (Pierre Barbet), žymus ir ne itin kuklumu apdovanotas chirurgas, pasikvietė tėvą Armajaką į savo kabinetą Švento Juozapo ligoninėje ir nedelsdamas pasiskyrė pats save įvykdyti kunigo prašymą. „Aš... puikiai išmanau anatomiją, kurią jau labai seniai ir dėstau", – prisimena pasakęs tėvui Armajakui jis pats knygoje *Gydytojo Golgota: Mūsų Viešpaties Jėzaus Kristaus kančia chirurgo akimis*. Kita eilutė skamba taip: „Ištisus trylika metų pragyvenau greta negyvėlių". Galima pamanyti, kad anatomijos dėstymas ir metai greta negyvėlių – tas pats, bet ką gali žinoti. Galbūt jis namų rūsyje laikė mirusius savo šeimos narius. Esama žinių, kad prancūzai kitąsyk taip ir elgdavosi.

Apie daktarą Barbė žinoma nedaug – išskyrus nebent tai, kad jis labai jau smarkiai – gal net pernelyg smarkiai – atsidavė drobulės autentiškumo įrodymų paieškoms. Visai netrukus jis jau tūnojo užsidaręs laboratorijoje ir kalė vinis į miniatiūrinio, Einšteino plaukais apžėlusio lavono – vieno iš daugelio neatsiimtų numirėlių, kurie atitekdavo Paryžiaus anatomijos laboratorijoms – plaštakas ir pėdas, ir nukryžiavo negyvėlį ant savo gamybos kryžiaus.

Barbė sutelkė dėmesį į porą ilgų „kraujo dėmių"*, nutįsusių iš bendro taško dešiniosios plaštakos „atspaude" drobulėje. Dvi dėmės iš tos pačios vietos driekėsi skirtingomis kryptimis ir skirtingais kampais. Pirmoji, kaip rašė pats Barbė, „įžambiai kyla aukštyn ir suka vidinėn pusėn (anatomiškai jos forma primena puolimo poza stovintį karį), kol pasiekia dilbį ties alkūnkauliu. Kita – siauresnė, labiau vingiuota srovelė, tekėjo aukštyn iki alkūnės". Tasai palyginimas su kareiviu leidžia mums iš karto bent miglotai įžvelgti tai, kas vėliau tapo visiškai aišku: Barbė buvo mažumą kvaištelėjęs. Nenorėčiau pasirodyti sena bambeklė – bet, sakykite, kam gali šauti į galvą nutekėjusio kraujo žymės kampą lyginti su kareivio poza?

Barbė nusprendė, kad dvi kraujo drūžės atsirado dėl to, kad Jėzus protarpiais tai pasikeldavo aukštėliau, tai susmukdavo, kybodamas

---

* Ar dėmės, likusios ant Turino drobulės – iš tiesų kraujo liekanos? Teismo medicinos tyrimų, kuriuos atliko velionis Alanas Adleris, chemikas ir „drobulininkas", išvados byloja: beveik neabejotina, kad tai – iš tikrųjų kraujo dėmės. Savo ruožtu Džo Nikelas, knygos *Turino drobulės tyrimai* autorius, tvirtina, kad tai – beveik garantuotai ne kraujas. Pagarsėjusios demaskuotojų grupės, kuri pasivadinusi Pranešimų apie paranormalius reiškinius mokslinių tyrinėjimų komitetu, tinklapyje įdėtame straipsnyje Nikelas tvirtina, esą teismo medicinos ekspertizės išvados atskleidusios, kad vadinamasis kraujas iš tiesų – raudonos ochros ir cinoberio spalvos temperos dažų mišinys.

ant rankų, taigi iš žaizdos, kurioje stirksojo vinis, srovenantis kraujas, priklausomai nuo kūno pozos, keisdavo kryptį. Tokiam Jėzaus kūno padėties kaitaliojimui paaiškinti Barbė sukūrė teoriją: esą žmogui, kabančiam pritvirtintomis rankomis, ilgainiui tampa sunku iškvėpti, tad Jėzus neva bandęs išvengti uždusimo. O kai kojos pavargdavo, tai sulinkdavo ir kūnas vėl sudribdavo. Mėgindamas paremti šią versiją, Barbė citavo kankinimų technikos, naudotos Pirmojo pasaulinio karo metu, aprašą – auka būdavo pakabinama už rankų, suvirištų virš galvos. „Kai žmogus kabo pakabintas už rankų, – rašė Barbė, – pasireiškia įvairių spazmų ir mėšlungių. Galų gale jie surakina ir atsakingus už kvėpavimą raumenis – žmogus tada nebegali iškvėpti. Nepajėgdami išstumti oro iš plaučių, pasmerktieji mirdavo nuo asfiksijos."

Pasiremdamas kampais, kuriais pasisuko drobulę sutepusio kraujo srovelės, Barbė apskaičiavo, kokios turėjo būti abi nukryžiuoto Jėzaus pozos. Kūnui suglebus, Barbė apskaičiavimais, ištiestos rankos su kryžiaus statiniu sudarė 65 laipsnių kampą. O kūnui pasikėlus, kampas tarp ištiestų rankų ir kryžiaus statinio turėjęs būti 70 laipsnių.

Barbė pabandė tai ir įrodyti, pasinaudodamas vienu iš daugybės niekieno neatsiimtų lavonų, kurių anatomijos fakultetui gausiai tiekdavo miesto ligoninės ir skurdžių prieglaudos.

Parsigabenęs kūną į laboratoriją, Barbė vėl griebėsi darbo prikalti jį prie savo gamybos kryžiaus. Paskui kryžių pastatė ir, kai tik kūnas suglebo ir daugiau nebejudėjo, išmatavo kampą tarp rankų ir kryžiaus statinio. Ir ką jūs manote? Kampas iš tiesų buvo 65 laipsnių! (Kadangi lavono, savaime aišku, nebuvo įmanoma įkalbėti įsitempti ir kiek kilstelėti, tai antrojo kampo dydžio taip ir nepavyko patikrinti.) Barbė knygos prancūziškajame leidime įdėta ir nukryžiuoto negyvėlio nuotrauka. Kadangi lavono matyti tik pusė – nuo juosmens aukštyn, negaliu pasakyti, ar Barbė apvyniojo jį tokiu pat strėnraiščiu, kokį ryšėjo Jėzus, tačiau galiu drąsiai tvirtinti, kad jis buvo šiurpokai panašus į monospektaklių aktorių Spoldingą Grėjų.

Barbė teorija išryškino vieną anatominę problemą. Mat jei protarpiais Jėzaus kojos pavargdavo ir visas kūno svoris pakibdavo ant vinimis pervertų delnų, argi vinys neturėjo perplėšti plaštakos audinių? Barbė šovė į galvą mintis, kad iš tikrųjų Jėzus, ko gero, buvo nukryžiuotas vinis kalant ne į minkštus delnus, o į kur kas tvirtesnius, kaulėtus riešus. Barbė atliko bandymą ir smulkiai aprašė *Gydytojo Golgotoje*. Šįsyk jis jau nebekalė prie kryžiaus viso lavono – pasitenkino nukryžiavęs vien tik ranką. Rankos savininkui vos tik spėjus išeiti pro kabineto duris, Barbė griebėsi plaktuko.

Ką tik amputavau du trečdalius tvirto, gyvybingo vyro rankos. Per patį delno vidurį prikaliau amputuotąją galūnę prie kryžiaus su kampuota 0,85 cm vinimi (Kristaus kančios vinimi)... Tada ant alkūnės atsargiai prikabinau 4,5 kg svarmenį (maždaug pusė vidutinio sudėjimo, 180 cm ūgio vyro svorio). Po dešimties minučių žaizda ėmė tįsti... Tada aš visą kryžių nesmarkiai supurčiau ir išvydau, kad vinis plėšia mėsą tarp dviejų plaštakos vidurio kaulų, perplėšdama odą vis labiau... Nuo antro krestelėjimo oda galutinai perplyšo.

Paskui per kelias savaites Barbė prikalė prie kryžiaus dar dvylika rankų, siekdamas išsiaiškinti, kuri žmogaus riešo dalis yra tinkamiausia suvaryti 0,85 cm skersmens vinį. Matyt, šis laikotarpis buvo ne pats sėkmingiausias tvirtiems ir gyvybingiems vyrams, apsilankiusiems daktaro Pjero Barbė kabinete gydytis kokių nors ne per didžiausių rankos sužalojimų.

Iš peties pamosavęs plaktuku, Barbė galų gale lyg ir nustatė tiksliai tą tašką, į kurį, jo nuomone, ir buvo kalama vinis nukryžiuojant: vadinamasis Destò plotelis – žirnio dydžio tarpelis tarp dviejų riešo kaulų eilių. „Visais atvejais, – rašė Barbė, – vinies smaigalys nusikreipdavo pats – tarsi slysdamas piltuvėlio sienelėmis, nejučia nukrypdavo į lyg tamtyč jam paruoštą tašką." Galima pamanyti, kad vinį kartu kreipė ir dieviškosios valios įsikišimas. „Kaip tik šiame taške, – triumfuodamas tęsia Barbė, – tiksliai toje vietoje vinies žymė matyti ir drobulėje – o juk apie šį tašką tiesiog negalėjo susimąstyti nė vienas klastotojas…"

Bet paskui visą sklandžiai išaiškintą reikalą sudrumstė Frederikas Zugibė (Frederick Zugibe).

Zugibė yra šiurkštus, amžinai persidirbęs Niujorko Roklendo apygardos medicinos ekspertas, kuris laisvu laiku tyrinėja nukryžiavimą ir su malonumu „pliekia" Pjerą Barbė „drobulininkų", pasak jo paties, konferencijose, rengiamose visame pasaulyje. Jeigu paskambinsite jam, Zugibė visuomet suras laiko su jumis pasikalbėti, tačiau pokalbio metu labai greitai paaiškėja, kad laisvo laiko jis turi užvis mažiausiai. Įpusėjus aiškinti formulę, kuria apskaičiuotas kūno svorio tempimas kiekvienai iš Kristaus rankų, jo balsas, žiūrėk, ima ir nuklysta nuo telefono kokiai minutei; paskui jis grįžta ir sako:

– Atleiskite. Čia devynmetės palaikai. Ją mirtinai uždaužė tėvas. Apie ką mes kalbėjomės?

Zugibė anaiptol nelaiko savo misija įrodyti Turino drobulės autentiškumą – o kaip tik toks, įtariu, buvo Barbė tikslas. Zugibė nukryžiavimo moksliniu požiūriu susidomėjo prieš penkiasdešimt metų, dar būdamas biologijos studentas – tada, kai jam kažkas pakišo paskaityti straipsnį apie medicininius nukryžiavimo aspektus. Jam iš karto dingtelėjo, kad straipsnyje pateiktoji fiziologinė informacija – toli gražu netiksli.

– Taigi ėmiausi to reikalo, parašiau iš jo kursinį darbą, paskui ir dar labiau susidomėjau.

Turino drobulė sudomino jį tik tuo, kad, jei paaiškėtų, jog ji – autentiška, iš jos būtų galima išpešti labai daug informacijos apie nukryžiavimo fiziologiją.

– Bet paskui susidūriau su Barbė atradimais. Ir pamaniau: dievulėliau, tai bent. Tikriausiai galvotas buvo vyrukas – išmąstyk tu man dvi nutekėjusias kraujo sroveles ir visa kita.

Zugibė tada kibo į tyrinėjimus pats – ir vargšo Barbė teorijos ėmė viena po kitos byrėti.

Kaip ir Barbė, Zugibė sukonstravo kryžių, kuris (išskyrus kelias dienas 2001-aisiais, kai išklypusį statinį teko remontuoti) prastovėjo jo garaže Niujorko priemiestyje bene keturiasdešimt metų. Užuot bandęs nukryžiuoti lavonus, Zugibė tam reikalui pasitelkė gyvus savanorius, iš viso – bene kelis šimtus žmonių. Pirmiesiems tyrinėjimams jis pasisamdė dar visai kuklią bandomųjų grupę – šimtą savanorių iš vietinės Pranciškonų Tretininkų bendruomenės. Įdomu, kiek reikia mokėti savanoriui, kad šis tyrinėjimams sutiktų būti nukryžiuotas? Pasirodo, nieko.

– Jie patys mielai būtų man sumokėję, – tvirtino Zugibė. – Visi patys troško atsidurti ant kryžiaus ir pajusti, ką tai reiškia.

Tiesa, reikia pripažinti, kad nukryžiavimui Zugibė naudojo ne vinis, o odinius raiščius. (Tačiau per daugelį metų jis susilaukė skambučių ir iš tokių savanorių, kurie pageidavo patirti viską iš tikrųjų.)

– Ar galite patikėti? Štai, paskambina mergina – ir prašo, kad prikalčiau ją prie kryžiaus tikromis vinimis. Ji priklauso tai grupuotei, kurios nariai įsimontuoja plokšteles į veidus, operuojasi galvas, chirurginiu būdu įsitaiso dvišakus liežuvius ir galaižin ko prisivarsto į penius.

Pirmas dalykas, kurį pastebėjo Zugibė, vos pradėjęs kabinti bandomuosius ant kryžiaus, buvo tas, kad nė vienam neiškilo jokių sunkumų kvėpuoti – netgi iškabojus ant kryžiaus keturiasdešimt penkias minutes. (Barbė uždusimo teoriją jis vertino labai skeptiškai; Zugibės manymu, remtis anų minėtųjų kankinimų aukų pavyzdžiu – visai nepatikima, kadangi kankinamiesiems rankos būdavo surišamos virš galvos, o ne išskėstos į šalis.) Be to, Zugibės bandomieji toli gražu spontaniškai nebandė kilstelėti kabančio kūno aukštyn. Tiesą sakant, kai jis kitame eksperimente netgi prašė jų tai padaryti, bandomiesiems tiesiog nepavyko.

– Esant tokioje padėtyje, kai pėdos glaudžiasi prie kryžiaus, kilstelėti savo kūną visiškai neįmanoma, – tvirtina Zugibė.

Maža to, jis atkreipia dėmesį į tai, kad dviguba kraujo srovelė buvo ne delno, o viršutinėje plaštakos pusėje – toje, kuri glaudėsi prie kryžiaus. Tad jeigu Jėzus protarpiais pasislinkdavo aukštyn žemyn, iš žaizdos besisunkiantis kraujas turėjo išsiterlioti, o ne tvarkingai nutekėti dviem atskiromis srovelėmis.

O jeigu taip, tuomet kaip drobulėje galėjo atsirasti žymusis dviejų kraujo srovelių atspaudas? Zugibė mano, kad jis galėjęs atsirasti tada, kai nukeltas nuo kryžiaus Jėzaus kūnas buvo prausiamas. Sukrešėjęs kraujas nuo vandens kiek prasiskiedė ir nedidelis jo kiekis nutekėjo ant drobulės, o į dvi sroveles jis persiskyrė tada, kai tekėdamas susidūrė su alkūnkaulio yliniu iškilumu – gumburu, išsišovusiu riešo mažojo piršto pusėje. Zugibė prisiminė kartą jau matęs lygiai taip pat nutekėjusį kraują savo laboratorijoje, ant nušauto žmogaus kūno. Savo prielaidą jis patikrino apiplaudamas neseniai į laboratoriją pristatyto lavono uždžiūvusią žaizdą – siekė išsiaiškinti, ar nenutekės šiek tiek kraujo. „Po kelių minučių, – rašo jis straipsnyje, išspausdintame drobulininkų žurnale Sindon, – ištryško plonytė kraujo srovelė.“

Vėliau Zugibė pastebėjo ir tai, kad Barbė pasiklydo anatomijoje ir nustatydamas Desto plotelio vietą – priešingai nei džiūgavo Barbė savo knygoje, šis taškas toli gražu nėra „tiksliai toje vietoje, kurioje vinies žymė matyti ir drobulėje“. Turino drobulės atspaude žaizda išorinėje plaštakos dalyje yra riešo nykščio pusėje, o kiekvienas anatomijos vadovėlis nurodo priešingai, kad Desto plotelis yra mažojo piršto pusėje – kaip tik ten, kur Barbė ir susmeigdavo vinis į savo lavonų riešus.

Pasak Zugibės versijos, vinis smigo į Jėzaus delną ne stačiu kampu ir išlindo kitoje pusėje ties riešu. Zugibė tą gali pagrįsti savotišku bandymu su lavonu: jis tebeturi nuotraukų, kuriose – žmogžudystės auka, atgabenta į jo laboratoriją prieš keturiasdešimt ketverius metus.

– Moteriškė buvo subadyta itin žiauriai, visame kūne gausu durtinių žaizdų, – prisimena Zugibė. – Aptikau vieną žaizdą, akivaizdžiai padarytą tuomet, kai ji bandė gintis: kilstelėjo ranką, stengdamasi prisidengti veidą nuo nuožmaus puolimo.

Peilis, nors susmigo į delną, gilyn smigo nuožulniai ir išlindo ties riešu, nykščio pusėje. Atrodo, smigdami ašmenys nesusidūrė su jokiu rimtesniu pasipriešinimu: peršvietus riešą rentgeno spinduliais, nepastebėta jokių skilusių kaulų.

Jau minėtame *Sindon* išspausdintame straipsnyje įdėta paties Zugibės ir vieno iš jo savanorių nuotrauka. Apsivilkęs kelius siekiantį laboratorijos chalatą, Zugibė užfiksuotas taisantis vieną svarbiųjų rodmenų plokštelių, pritaisytą nukryžiuotajam ant krūtinės. Kryžius beveik siekia lubas, dunksodamas ir virš paties Zugibės, ir virš išrikiuotų jo medicininių monitorių. Savanoris nuogas, neminint sportinių kelnaičių ir vešlių ūsų. Jo veide – abejinga, šiek tiek atsiribojusi išraiška: žmogus tokiu veidu galėtų laukti stotelėje autobuso. Neatrodo, kad kuriam nors iš juodviejų bent kiek rūpėtų, kad juos fotografuoja tokia poza. Ko gero, kai su visa galva pasineri į šitokį projektą, tau nėmaž ir neberūpi, ar ne keistai tu atrodai aplinkiniam pasauliui.

Be jokios abejonės, Pjerui Barbė visiškai neatrodė nei keista, nei nedora pasitelkti anatomijos studijoms skirtus lavonus ir netikintiesiems įrodyti, kad stebuklingoji Turino drobulė – tikras pinigas. „Iš tiesų gyvybiškai svarbu, – rašė jis *Gydytojo Golgotos* įžangoje, – kad mes: gydytojai, anatomai, fiziologai – mes, nestokojantys žinių, garsiai skelbtume siaubingą tiesą, jog varganą mūsų mokslą galima naudoti ne vien mūsų brolių kančios palengvinimui, bet dar ir kur kas didingesniam tikslui – tai yra jų švietimui."

Giliu mano įsitikinimu, nėra ir negali būti jokio „didingesnio tikslo" už „mūsų brolių kančios palengvinimą" – ir jau jokiu būdu tokiu tikslu nederėtų laikyti religinės propagandos. Kaip netrukus sužinosime, pasitaiko ir tokių žmonių, kurie sugeba palengvinti mūsų broliams skausmus ir kančias netgi patys būdami visiškai negyvi. Jei kada nors, kur nors ir pasitaikytų lavonas, vertas paskelbti šventuoju, tai jis būtų anaiptol ne mūsų Spoldingas Grėjus, kadaruojantis ant kryžiaus – tai būtų donorai mirusiomis smegenimis, bet vis dar plakančiomis širdimis, kurie nepaliaujama virtine keliauja per ligonines.

8

KAIP SUŽINOTI, AR TIKRAI ESI MIRĘS

Lavonai su plakančia širdimi,
palaidoti gyvieji ir mokslinės sielos paieškos

Ligonis, vežamas į operacinę, keliauja maždaug dvigubai greičiau nei buvęs ligonis, gabenamas į lavoninę. Neštuvai ant ratukų, kuriuose guli gyvas žmogus, skubriai ir kryptingai rieda ligoninės koridoriais – jie skuba į tikslą, iš visų pusių juos supa dideliais žingsniais žirgliojančios slaugės rimtais veidais: jos prilaiko lašinės žarneles, dūzgina deguonies kaukes, kol pagaliau paskubomis įrieda pro dvivėres duris. O vežiojamuose neštuvuose gulinčiam lavonui jau nebėra kur skubėti. Neštuvus paprastai ridena vienas žmogus, ramiai, pernelyg nekreipdamas dėmesio į gabenamą krovinį – stumia sau ratukus ir tiek, kaip kokį parduotuvės vežimėlį.

Šitą žinodama, tikėjausi atspėsianti, kada pro mane praveš numirėlį. Stoviniavau prie medicinos seserų posto Kalifornijos universiteto San Franciske medicinos centre, viename chirurginio skyriaus aukštų, ir dirsčiojau į vis pravažiuojančius pro mane ratukinius neštuvus – ir laukiau Vono Petersono, Kalifornijos transplantacijos donorų tinklo visuomeninių ryšių vadybininko, ir lavono, kurį pavadinsiu H.

– O štai ir jūsų pacientė, – sako vyriausioji sesuo. Pro šalį netikėtai skubriai prašnara visas pulkas žalzganai melsvomis kelnėmis apautų kojų.

H unikali tuo, kad ji – ir numirėlė, ir kartu pacientė, vežama į operacinę. Ji – viena iš vadinamųjų „lavonų su plakančia širdimi", kitaip sakant, kuo gyviausia ir sveikiausia visais atžvilgiais, išskyrus smegenis. Kol nebuvo ištobulintos dirbtinai kvėpavimą palaikančios technikos, nebūdavo ir šitokių negyvėlių: be funkcionuojančių smegenų kūnas nebegali kvėpuoti pats. Tačiau jei prijungsite jį prie respiratoriaus, širdis ir toliau plaks be sutrikimų, visi kiti organai irgi veiks kuo puikiausiai dar bent kelias dienas.

H iš pažiūros visiškai nepanaši į lavoną, neskleidžia numirėlio kvapo, visiškai nejusti, kad būtų negyva. Pasilenkus virš pat neštuvų aiškiai matyti kraujo pulsavimas kaklo arterijomis. Palietus jos ranką, ši pasirodytų šilta ir stangri – visai tokia pat kaip ir jūsų ranka. Galbūt kaip tik todėl gydytojai ir seselės elgiasi su H kaip su paciente, o ne lavonu, galbūt kaip tik todėl į operacinę ji įrieda taip sparčiai, kaip paprastai įvežami operacijai ruošiami ligoniai.

Kadangi šioje šalyje oficialiai mirusiu laikomas tas žmogus, kurio smegenys nebegyvos, reikia pripažinti, kad H – kaip asmuo – iš tikrųjų mirusi. Tačiau H organai ir audiniai – net labai gyvi. Šios dvi iš pirmo žvilgsnio viena kitai prieštaraujančios aplinkybės suteikia jai galimybę, kokios daugumai lavonų neskirta: pratęsti gyvenimą dviem ar trims ėmusiems merdėti nepažįstamiems žmonėms. Per kelias valandas H atiduos savo kepenis, inkstus ir širdį. Chirurgai vienas po kito atskubės į operacinę, išsiims reikiamą organą ir išskubės pas mirštančius, organų persodinimo laukiančius ligonius. Dar visai neseniai šis procesas transplantavimo specialistų sluoksniuose buvo vadinamas „organų derliaus nuėmimu" – skambėjo labai jau džiaugsmingai, kone šventiškai, gal net pernelyg, tad pastaruoju metu formuluotė pasikeitė į kur kas dalykiškesnę – „organų išėmimas".

Vienas chirurgas pas H atkeliauja iš Jutos paimti širdies, o kitas, kuris išims inkstus ir kepenis, yra čia pat – organus jis nusigabens vos dviem aukštais žemiau. Šis universitetas yra vienas didžiausių organų transplantavimo centrų, todėl čia išimami organai dažniausiai niekur neišvežami. Kur kas dažniau atsitinka taip, kad transplantavimo chirurgas pats išskuba į kokį nors nedidelį miestelį persigabenti organo persodinimui – neretai iš kokios nors nelaimingo atsitikimo aukos, jauno žmogaus su sveikais, stipriais organais, kurio smegenys neatlaikė netikėto smūgio. Nors ir sklando gandai apie chirurgijos pramokusius galvažudžius, kurie neva skerdžia žmones viešbučių kambariuose ir grobia jų inkstus, vis dėlto organų išėmimas – gana kebli užduotis. Jei nori užsitikrinti, kad viskas būtų padaryta tinkamai, verčiau jau šok į lėktuvą ir skubinkis nuveikti darbą pats.

Šiandien vidaus organus turi išimti chirurgas Endis Poseltas. Rankoje jis laiko elektrinę pridéginimo lazdelę, kuri iš pažiūros labai primena pigų, grandinėle tvirtinamą banko rašiklį, bet iš tikrųjų veikia kaip skalpelis. Lazdelė skirta ir pjauti, ir pridėginti, tad darant pjūvį perrėžtos kraujagyslės čia pat ir užlydomos. Taigi pjaustomas kūnas kraujuoja gerokai mažiau nei įprasta, tik dūmų ir kvapo – kur kas daugiau. Nepasakytum, kad smarkiai dvoktų – panašų kvapą skleidžia čirškinama mėsa. Noriu paklausti daktaro Poselto, ar jam šis kvapas patinka, bet negaliu prisiversti, tad verčiau klausiu, ar, jo manymu, labai blogai, kad tasai kvapas patinka man, nors iš tikrųjų taip nėra – na, nebent šiek tiek. Jis atsako, kad tai nei gerai, nei blogai, liguista reakcija, ir tiek.

Iki šiol man dar niekad neteko stebėti rimtos operacijos, esu mačiusi tik randus. Iš jų ilgio ir mėgindavau vaizduotis, kaip chirurgai dirba savo darbą: maniau, išima arba įdeda organus pro kokių dvidešimties ar dvidešimt penkių centimetrų ilgio plyšį – panašiai kaip moteris rausiasi rankinės dugne, ieškodama akinių. Daktaras Poseltas pjūvį pradeda viršpat gaktos plaukų ir rėžia kūną daugiau nei šešiasdešimt centimetrų aukštyn – iki pat kaklo pagrindo. Tiesiog atlapoja, tarsi atsega užtrauktuką. Krūtinkaulis perpjaunamas išilgai – kad būtų galima atverti krūtinės ląstą, tada įstatomas žaizdų plėstuvas, pjūvis išplečiamas į abi puses taip, kad žaizdos plotis dabar prilygsta ilgiui. Išvydęs ją šitokią – atidarytą tarsi kelioninį krepšį – nori nenori supranti, kas iš tikrųjų yra žmogaus liemuo: didelė, tvirtai suręsta talpa vidaus organams. Iš vidaus H atrodo net labai gyva. Puikiausiai matyti plakančios širdies varinėjamo kraujo pulsavimas kepenyse ir per visą aortos ilgį. Pjūviai kraujuoja, organai nesubliūškę, pažiūrėti atrodo glitūs. Elektroninis širdies monitoriaus plakimas tik dar labiau sustiprina įspūdį, kad priešais mane guli gyvas, kvėpuojantis, toli gražu ne paliegęs žmogus. Labai jau keista, gal net išvis neįmanoma patikėti, kad tai – jau lavonas. Kai vakar pabandžiau šį tą apie lavonus su plakančia širdimi paaiškinti savo podukrai Febei, jai tai pasirodė absurdiška ir nesuprantama, nes jeigu žmogaus širdis vis dar plaka, tai argi nereiškia, kad jis gyvas? Galų gale ji nusprendė, kad šitokie lavonai, matyt, būsią „tokie asmenys, kuriems tu gali krėsti visokias kiaulystes, o jie nė nesužinos". Tikriausiai šitoks apibūdinimas puikiausiai tinka visiems paaukotiems kūnams. Tai, kas nutinka negyvėliams laboratorijose ir operacinėse, yra tarsi paskalos, pakuždomis perduodamos iš lūpų į lūpas jiems už akių. Lavonai jų nei jaučia, nei girdi, tad jiems ir neskauda.

Nemenki paradoksai ir dėl jų kylantys prieštaringi jausmai gali užgulti nemenku emociniu krūviu intensyvios priežiūros įrangos *(ICU)* darbuotojus, kurie ištisas keletą dienų prieš organų išėmimą privalo ne tik laikyti tokius pacientus, kaip H, gyvomis būtybėmis, bet ir rūpintis jų būkle taip, tarsi šie būtų gyvi. Lavoną būtina stebėti ištisą parą, o prireikus – skubiai imtis „gaivinimo" procedūrų. Mirusios smegenys jau nebegali reguliuoti kraujospūdžio nei hormonų kiekio, nebegali paleisti jų į kraujotakos sistemą, todėl visu tuo tenka rūpintis *ICU* darbuotojams – tam, kad negyvėlio organai nepradėtų irti. Keiso Vakarų draustinio universiteto Medicinos fakulteto gydytojų grupė straipsnyje „Psichosocialinė ir etinė oraganų išėmimo reikšmė" pastebi: "Reanimacijos skyriaus personalas gali pasijusti gerokai sutrikęs, kai tenka nurodyti gaivinti – atlikti širdies masažą ir vėdinti plaučius – pacientui, kuris oficialiai pripažintas mirusiu, o prie kitos lovos, kurioje guli gyvas ligonis, pakabinta kortelė: "Negaivinti".

Tai, kaip žmonės sutrinka susidūrę su lavonais su plakančia širdimi, puikiai atspindi tą painiavą, gyvavusią ištisus šimtmečius, kai niekas neįstengė tiksliai pasakyti, kaip reikėtų apibrėžti mirtį, kaip tiksliai užfiksuoti akimirką, kada siela – dvasia, *či* ar kaip dar ją pavadinsi – atsiskiria nuo kūno ir jau tada visa, kas lieka, tėra tik negyvas lukštas. Kol dar neįstengta tirti smegenų veiklos, mirtimi ilgai buvo laikoma ta akimirka, kai sustoja širdis. O iš tikrųjų, kai širdis nustoja pumpavusi kraują į smegenis, šios dar išgyvena nuo šešių iki dešimties minučių, nors šis skirtumas toks menkas, kad sustojusi širdis mirčiai apibrėžti dažniausiai puikiai tinka. Visa bėda buvo ta, kad daugelį šimtmečių gydytojai nesugebėdavo užtikrintai nustatyti, ar širdis iš tiesų liovėsi plakusi, ar tik nebesigirdi nusilpusių jos dūžių. Stetoskopas buvo išrastas tik devynioliktojo amžiaus viduryje, o ir ankstyvieji modeliai galimybėmis ne kažin kiek tepranoko paprasčiausią medicininį klausymosi vamzdelį. Tais atvejais, kai širdies plakimas ir pulsas būna ypač silpni – pavyzdžiui, skenduolių, patyrusiųjų insultą ar perdozavusiųjų tam tikrų narkotikų – net ir pats akyliausias gydytojas gali suklysti ir išsiųsti į lavoninę dar nespėjusį galutinai numirti pacientą.

Aštuonioliktojo ir devynioliktojo amžiaus gydytojai, siekdami išsklaidyti visai pagrįstą ligonių baimę būti palaidotiems gyviems, o drauge – ir patys norėdami pasijusti saugiau, prisigalvojo net pribloškiančių būdų patvirtinti mirčiai. Fizikas ir medicinos istorikas iš Velso Janas Bondesonas aptiko dešimtis tokių pavyzdžių ir sudėjo į savo sąmojingą, rūpestingai sulipdytą knygą *Palaidoti gyvi*. Atrodo, šiuos metodus galima skirstyti į dvi dideles kategorijas: tuos, kurie turėjo atgaivinti neva sąmonę praradusį ligonį neapsakomu skausmu, ir tuos, kurie suteikdavo nemenką dozę pažeminimo. Pavyzdžiui, skustuvais buvo pjaustomi kulnai, po kojų pirštų nagais bedamos adatos. Ausys būdavo šturmuojamos medžioklės ragų signalais ir „siaubingais klyksmais ir kurtinančiais triukšmais". Vienas prancūzų dvasininkas siūlė smeigti iki raudonumo įkaitintą žarsteklį į, kaip mandagiai pasakė Bondesonas, „ano galo angą". Vienas prancūzų mokslininkas išrado žnyples speneliams gnaibyti, specialiai skirtas reanimacijos tikslams. Dar vienas sukonstravo prietaisą, panašų į dūdmaišį, tabako klizmoms – ir jį entuziastingai demonstruodavo su lavonais Paryžiaus lavoninėse. Septynioliktojo amžiaus anatomas Džeikobas Vinslou įkalbinėjo bendradarbius pilti ant kaktos ispanišką išlydytą vašką, o į burną – drungną šlapimą. Vienas švedų pokštininkas šia tema pateikė tokį pasiūlymą: lavonui į ausį įleisti kokį nors ropojantį vabzdį. Vis dėlto paprastumu ir originalumu niekas negali prilygti siūlymui įtariamam lavonui į nosį grūsti „nusmailintą pieštuką".

Kai kuriais atvejais taip ir lieka neaišku, kuris patirdavo didesnį pažeminimą: lavonas ar pats gydytojas. Tarkime, prancūzų gydytojas Žanas Baptistas Vensenas Laboras primargino ištisas paklodes aprašinėdamas savo išrastą ritmingo liežuvio timpčiojimo metodą – tai reikėjo daryti be pertraukos ne mažiau nei tris valandas nuo pat įtariamos mirties akimirkos. (Vėliau jis išrado ranka sukamą liežuvio timpčiojimo mašiną – galbūt dėl to užduotis tapo ne tokia nemaloni, bet kažin ar labai lengvesnė.) Kitas prancūzų gydytojas nurodinėjo įsikišti į ausį velionio pirštą ir klausytis, ar nepasigirs dūzgesys, sukeliamas nevalingo raumenų trūkčiojimo.

Nėra ko labai stebėtis, kad nė vienas iš išvardytųjų metodų itin nepaplito; dauguma gydytojų laikėsi nuomonės, kad kūno irimas – vienintelis iš tiesų patikimas mirties požymis. O tai reiškė, kad įtariamiems lavonams reikėtų gulinėti namie ar gydytojo kabinete bent dvi ar tris paras – tol, kol aiškiai pasijus mirties požymiai su kvapais – o tokia tikimybė, ko gero, viliojo dar mažiau nei bandymai su klizmomis. Taigi todėl ir ėmė rastis specialios paskirties pastatai, vadinamosios laukiamosios lavoninės, skirtos sandėliuoti pradedantiesiems pūti numirėliams. Milžiniški, išpuošti rūmai ypač išpopuliarėjo devynioliktajame amžiuje Vokietijoje. Kai kuriuose buvo įrengtos atskiros patalpos vyrų ir moterų lavonams, tarsi vyrais net ir po mirties nebūtų galima pasikliauti, kad sugebės deramai elgtis prie damų. Kitur šitokie rūmai buvo su skyriais pagal luomus: turtingesni klientai, sumokėję papildomai, numirę galėjo trūnyti supami prabangos. Tokiose lavoninėse budėdavo samdomi darbuotojai: jų užduotis buvo stebėti, ar nepasirodys kokių nors gyvybės ženklų – tam jie pasitelkdavo sistemą virvučių, kuriomis lavonų pirštus pririšdavo prie varpelių* arba – vienu atveju – prie didelių vargonų dumplių taip, kad menkiausiu krustelėjimu prisišauktų prižiūrėtoją, dėl nepakeliamo dvoko budintį atskirame kambaryje. Tačiau metai slinko, o nė vieno šitokios lavoninės įnamio taip ir nepavyko prikelti gyvenimui, tad tokios įstaigos po truputį pradėjo užsidarinėti, o iki 1940-ųjų laukiamosios lavoninės ir visiškai nugrimzdo praeitin – paskui spenelių žnyples ir liežuvio timpčiojimo aparatą.

---

* Internete perskaičiau, kad kaip tik čia ir reikėtų ieškoti anglų posakio „saved by the bell" („išgelbėtas varpo", t. y. išgelbėtas paskutinę akimirką) šaknų. [Lietuvoje demonstruoto televizijos serialo paaugliams toks pavadinimas buvo išverstas „Pagaliau skambutis" – *red. pastaba.*] Iš tikrųjų, kiek žinoma, per dvidešimties metų laikotarpį iš daugiau nei milijono į laukiamąsias lavonines patekusių numirėlių nė vienas taip ir neprabudo. Jei prižiūrėtojo dėmesį ir atkreipdavo skimbtelėjęs varpelis – taip atsitikdavo neretai – tai tik todėl, kad numirėlis krustelėdavo dėl irimo. Tas ir davė pagrindą posakiui „varpo priverstas ieškotis naujo darbo" – kurio tikriausiai niekur negirdėjote, nes tokį sugalvojau aš.

Ak, kad taip būtų galima pamatyti ar bent kaip nors užfiksuoti iš kūno išeinančią sielą... Jei pavyktų, tai nustatyti mirties akimirką būtų visiškai paprasta – pakaktų elementariausio mokslinio stebėjimo. Nedaug ir tetrūko tokiam sumanymui įkūnyti – to buvo ėmęsis daktaras Dankanas Makdùgelis iš Heiverelio miestelio Masačusetso valstijoje. 1907-aisiais Makdugelis ėmėsi eksperimentuoti, siekdamas išsiaiškinti, ar įmanoma sielą pasverti. Į kabinete įrengtą specialią lovą, pastatytą ant platformos – svarstyklių svirties, reaguojančios į 5,7 gramo svorį, jis guldė vieną po kito šešis mirštančius ligonius. Stebėdamas žmogaus svorio pokyčius prieš mirtį ir mirties akimirką, jis siekė įrodyti sielos materialumą. Makdugelio stebėjimų ataskaita, išspausdinta 1907-ųjų *American Medicine* žurnale, gerokai pagyvino įprastą straipsnių apie anginą ar šlapimtakių uždegimus asortimentą. Toliau pateikiame pirmojo Makdugelio eksperimento subjekto mirties aprašymą. Ko jau ko, o detalumo stygiaus jam tikrai neprikiši.

Praėjus trims valandoms ir keturiasdešimčiai minučių, jis mirė ir staiga – tai sutapo su mirties akimirksniu – svirties galas, smuktelėjęs žemyn, trinktelėjo į apatinį skersinį ir nebeatšoko – liko tokioje padėtyje. Užfiksuotas svorio sumažėjimas – 21,3 gramo.

Šitokio svorio kritimo niekaip neįmanoma paaiškinti kvėpavimo drėgmės ar prakaito išsisklaidymu, kadangi šiam ligoniui toks procesas jau buvo vykęs ir jo greitis buvo maždaug 0,5 gramo per minutę, o mirties akimirką svoris krito staigiai ir gana ženkliai...

Jokio šlapimo pūslės judėjimo neužfiksuota, o net jei ir būtų pasireiškę kokių nors spazmų, tai išskyrų masė vis vien būtų likusi lovoje, neminint nebent lėto skysčių garavimo, priklausančio, žinoma, nuo išmatų skystumo. Iš šlapimo pūslės ištekėjo gal iki dešimties gramų šlapimo. Jis liko lovoje ir lėtu, tolygiu garavimu niekaip negalėjo paveikti svorio, tad juo irgi negalima paaiškinti tokio staigaus svorio kritimo.

Liko ištyrinėti paskutinį staigaus svorio kritimo galimo aiškinimo variantą – galbūt mirdamas pacientas iškvėpė visą orą, išskyrus tą, kuris užsiliko plaučiuose. Dabar į lovą atsiguliau aš pats, o vienas mano kolegų nustatė svarstyklių pusiausvyrą. Kad ir kaip smarkiai bandžiau įkvėpti ar iškvėpti, svirtis nė nepajudėjo...

Pakartojęs eksperimentą dar penkis kartus ir įsitikinęs, kad dar penki mirštantys ligoniai mirties akimirką netenka maždaug tiek pat svorio, Makdugelis ėmėsi šunų. Net penkiolika keturkojų išleido paskutinį kvapą, vis dėlto nepavyko užfiksuoti jokio staigaus svorio sumažėjimo – ir Makdugelis suprato tai kaip papildomą įrodymą, nes, remdamasis religinėmis doktrinomis, manė, kad gyvūnai sielų neturi. Visi šeši eksperimente dalyvavusieji žmonės buvo Makdugelio pacientai. O iš kur, ir dar taip staiga, jis gavo penkiolika mirštančių šunų, taip ir lieka paslaptis. Staigaus šunų maro protrūkio tikimybę, ko gero, reikia atmesti, tad lieka manyti, kad gerasis daktaras savo biologinės teologijos pratyboms penkiolika keturkojų ramiausiai nunuodijo.

Makdugelio straipsnis įskėlė gyvas diskusijas *American Medicine* laiškų skiltyje. Daktaras Augustas P. Klarkas iš to paties Masačusetso pabandė sumalti Makdugelį į miltus tvirtindamas, neva šis neatkreipęs dėmesio į tai, kad mirties akimirką staigiai pakyla kūno temperatūra, nes nutrūksta kraujo vėsinimas, šiam cirkuliuojant per plaučius. Klarkas tvirtino, esą šitoks temperatūros šoktelėjimas sukelia prakaitavimą ir skysčių garavimą, o tuo ir galima paaiškinti, kodėl mirusio žmogaus kūno svoris krinta, o šuns – ne. (Šunys vėsinasi lekuodami, o ne prakaituodami.) Makdugelis kirto atgal teiginiu, esą, nutrūkus kraujotakai, kraujas nebegali patekti į kūno paviršių, tad neįmanomas ir joks paviršiaus vėsinimas. Šitokie ginčai tęsėsi nuo pirmo straipsnio gegužės mėnesį iki pat gruodžio – tada aš pamečiau pėdsaką. Akis nuslydo į kitą puslapį, į medicinos daktaro Hario H. Grigo straipsnį „Keletas pastabų iš medicinos ir chirurgijos senovės istorijos". Tik Hario H. Grigo dėka dabar aš kokteilių vakarėliuose galėčiau ikvaliai gražbyliauti apie hemorojaus, gonorėjos, apipjaustymo ir skėtiklių istoriją.*

Ištobulinus stetoskopą, labiau išprusus medicinos srityje, imta patikimiau nustatinėti, ar mirštančiojo širdis tikrai liovėsi plakti, ir visas medicinos mokslas galiausiai nutarė, kad sustojusi širdis – patikimiausias požymis atskirti, ar ligonis jau iškeliavęs Anapilin, ar tik laikinai pasišalinęs nusipirkti kefyro. O sutarimas, kad ne kas kita kaip širdies veikla ir yra svarbiausias mirties apibrėžimo akcentas, kartu suteikė širdžiai pagrindinį vaidmenį gyvenimo ir sielos, arba dvasios, arba esybės apibrėžime. Šiaip ar taip, šis vaidmuo širdžiai buvo skirtas jau seniai – tą liudija šimtai tūkstančių meilės dainų, sonetų ar „Aš myliu" reiškiantys lipdukai ant automobilio. Tad la-

---

* Kadangi galimybė mudviem susitikti kokteilių vakarėlyje labai jau menka, o tikimybė, kad aš ryšiuos pasukti kalbą apie skėtiklius – dar menkesnė, norėčiau pasinaudoti proga pasisakyti čia pat. Ankstyviausieji skėtikliai buvo žinomi jau Hipokrato laikais – tiesiajai žarnai. Turėjo praeiti dar geri penki šimtai metų, kol buvo sukurtas pirmasis vaginos skėtiklis. Daktaras Grigas bando aiškinti tai tuo, kad pagal arabiškąjį medicinos modelį, kurio tuo metu buvo laikomasi, moterį galėjo apžiūrinėti tik moteris, o moterų medikių, galinčių atlikti tokią apžiūrą, tuo metu buvo labai nedaug. O tai reiškia, kad Hipokrato laikais moterys pas ginekologą beveik išvis nesilankydavo. Turint omeny dar ir tai, kad Hipokrato laikų ginekologijos kabinetuose, be kitų dalykų, buvo pesarų iš karvės mėšlo – „klaikiai dvokiančių" dezinfekavimo medžiagų – apie tiesiosios žarnos skėtiklius jau nėra ko nė kalbėti – peršasi išvada, kad tokius kabinetus verčiau buvo lankstu apeiti.

vono su plakančia širdimi sąvoka, remiama prielaida, kad žmogaus esybė slypi vien tik smegenyse, kelia nemenką filosofinę sumaištį. Ne taip jau lengva juk susitaikyti su mintimi, kad širdis tėra tiesiog degalų siurblys, nieko daugiau.

Kurioje žmogaus kūno vietoje yra įsikūrusi siela – ginčai dėl to tęsiasi jau bene keturis tūkstančius metų. Pirmieji spėjimai buvo anaiptol ne širdis ir smegenys, o širdis ir kepenys. Senovės egiptiečiai buvo pirmieji, pasisakę už širdį. Jie tikėjo, kad sielos *ka* buveinė – širdis. *Ka* buvo žmogaus esmė: dvasia, protas, jausmai ir aistros, humoras ir pagieža, visi tie įprasti ir gerai žinomi dalykai, darantys asmenybę asmenybe, visa tai, dėl kurių žmogus yra asmuo, o ne kokia parazituojanti kirmėlė. Širdis buvo vienintelis organas, kurį palikdavo mumifikuodami kūną, nes siela *ka* žmogui reikalinga ir kitame gyvenime. O štai smegenų po mirties akivaizdžiai niekam nebeprireikdavo – jas lavonams iškrapštydavo, gumuliukais ištraukdavo pro šnerves bronzinėmis, gale užriestomis adatomis. Ir išmesdavo. (Kepenis, skrandį, vidurius ir plaučius irgi išimdavo, bet neišmesdavo: laikydavo kape moliniuose ąsočiuose, tikriausiai manydami, kad verčiau jau pasiimti per daug nei per mažai – ypač kai kraunamasi kelionei į aną pasaulį.)

O babiloniečiai garbino kepenis – tikėjo, kad kaip tik šis organas yra žmogaus jausmų ir dvasios šaltinis. O štai Mesopotamijos gyventojai šiame ginče palaikė dvi puses: emocijas priskyrė kepenims, o protą – širdžiai. Atrodo, kad jų pasaulėžiūrą formavo kažkoks užkietėjęs laisvamanis, mat jie žengė dar toliau: dar vieną sielos dalį (polinkį į klastą) priskyrė skrandžiui. Prie šitokių istorijos laisvamanių priskirtinas ir Dekartas, kuris rašė, neva sielą galima aptikti graikinio riešuto dydžio kankorėžinėje liaukoje, ir Aleksandrijos anatomas Stratonas, bylojęs, esą siela gyvenanti „už antakių".

Iškilus klasikinei Graikijai, ginčai dėl sielos buveinės peraugo į jau pažįstamą variantą: širdis ar smegenys? Kepenys liko nustumtos į žemesnę vietą – joms dabar jau skirtas tik antrinis vaidmuo.* Pitagoras ir Aristotelis, nors tvirtino, kad sielos buveinė esanti širdis – „gyvybinės energijos", būtinos tam, kad žmogus galėtų gyventi ir augti, šaltinis, – vis dėlto sutiko, kad yra ir antrinė, „racionalioji" siela, arba protas, įsikūrusi smegenyse. Platonas neprieštaravo, kad ir širdį, ir smegenis reikia pripažinti sielos teritorija, tačiau pirmenybę vis dėlto skyrė smegenims. O Hipokratas lyg ir sutriko (o gal sutrikau aš?). Jis pažymėjo smegenų sužalojimo poveikį kalbai ir protui, bet vis dėlto minėjo smegenis kaip gleives išskiriančią liauką, o kitur rašė, neva protas ir „šiluma", kurie, pasak jo, valdo sielą, vis dėlto yra įsikūrę širdyje.

Senųjų laikų anatomai nesugebėjo deramai nušviesti šio klausimo, kadangi siela – ne toks dalykas, kurį galėtum pamatyti ir išdarinėti skalpeliu. Stokodami mokslinių priemonių sučiupti sielai, ankstyvieji anatomai sutelkė dėmesį į organų radimosi eiliškumą. Neva tai, kas besiformuojančiame embrione atsiranda pirmiausia, tas ir yra užvis svarbiausia, nes labiausiai tikėtina, kad siela įsikuria kaip tik ten. Tačiau eiti šiuo mokslo keliu, imtis vadinamųjų sielos įsikūnijimo paieškų, buvo ne taip paprasta, nes gauti vos užsimezgusių, pirmojo nėštumo trimestro pradžios žmogaus embrionų buvo tikrai keblu. Klasikiniai sielos įsikūnijimo atstovai, tarp jų ir Aristotelis, bandė spręsti problemą pasitelkdami stambesnius ir žymiai lengviau prieinamus embrionus – naminių paukščių. Taip ir knieti pacituoti Vivianą Natoną, straipsnio „Sielos anatomija ankstyvojo Renesanso medicinoje", išspausdino knygoje *Žmogaus*

---

* Galime tvirtinti, kad mums dėl to dar smarkiai pasisekė. Jei būtų kitaip, tai tektų klausytis, kaip Selin Dion dainuoja „Mano kepenys priklauso tau" [O mes: „Kepenėle mano, o kodėl tu liūdna?" – *red. pastaba*], o kino teatruose žiūrėtume filmą „Kepenys tai vienišas medžiotojas". Visose ispaniškose meilės dainose vietoj nuolat skambančio žodžio *corazón* girdėtume toli gražu ne tokį skambų *higado*, o ant automobilio puikuotųsi lipdukas: „Aš – kepenys – savo šunelį".

embrionas, autorių: „Visos analogijos, mėgintos išpešti tyrinėjant vištų kiaušinius, subyra atsitrenkusios į vienintelę prieštarą: žmogus vis dėlto – ne viščiukas".

Pasak Natono, labiausiai pasinėręs į žmogaus embriono tyrinėjimus buvo anatomas Realdas Kolombas, kuris, Renesanso filosofo Džirolamo Pontano* paliepimu neva išskrodęs mėnesio amžiaus gemalą. Kolombas grįžo iš laboratorijos – kuri vargu ar galėjo būti aprūpinta mikroskopu, nes šis prietaisas dar buvo ką tik išrastas – su stulbinama, kas, kad beviltiškai neteisinga, žinia, jog kepenys susiformuoja anksčiau nei širdis.

Mūsiškės kultūros, orientuotos į širdį, atstovui, kuriam į kraują įaugę Valentino dienos atvirukai ir popmuzikos veblenimas, sunkoka įsivaizduoti, kaip galima dvasinę ar emocinę viršenybę priskirti kepenims. Iš dalies šitokį nepaprastą statusą kepenys tarp pirmųjų anatomų įgijo todėl, kad šie klaidingai manė, jog kaip tik kepenys ir yra visų organizmo kraujagyslių pagrindas. (Viljamas Harvis, atradęs kraujotakos sistemą, sudavė kepenims, kaip sielos buveinei, galutinį, mirtiną smūgį; pats Harvis – kažin ar smarkiai nustebsite sužinoję – manė, kad siela kūne cirkuliuoja drauge su krauju.) Bet aš manau, kad gali būti ir dar viena tokio kepenų išaukštinimo priežastis. Žmogaus kepenys atrodo tarsi koks organų organas. Jos blizgančios, aptakios, kone didingos. Iš pažiūros labiau primena meno kūrinį nei kokį žarnoką. Tiesiog žavėjausi, apžiūrinėdama H kepenis, ruošiamas jų laukiančiai kelionei. Visi kiti jas supantys organai kažkokie beformiai, nepatrauklūs akiai. Skrandis – suglebęs, nekrintantis į akis, žarnos – chaotiškos, gličios. Inkstai slepiasi po riebalų sluoksniais. O štai kepenys – tviska. Atrodo lyg ypatingai sukurtos, nulietos tikro meistro. Jų kraštai grakščiai išlenkti tarsi horizontas, matomas iš kosmoso. Jeigu būčiau senovės Babilono

---

* Ničnieko nesu girdėjusi ir apie jį.

gyventoja, turbūt irgi manyčiau, kad Dievas savo buveine žmogaus kūne pasirinko kaip tik jas.

Daktaras Poseltas vieną po kitos izoliuoja su kepenimis ir inkstais besijungiančias kraujagysles ir gretimus organus – ruošiasi išimti tai, kas reikalinga. Pirmiausia reikėtų išimti širdį – ši lieka gyvybinga tik nuo keturių iki šešių valandų. O inkstus, laikomus šaltai, galima saugoti nuo aštuoniolikos iki dvidešimt keturių valandų, tik bėda ta, kad chirurgas, kuriam reikalinga širdis, dar nespėjo atvykti. Jis atskrenda iš Jutos. Po kelių minučių pro operacinės duris galvą kyšteli medicinos sesuo. „Juta jau čia." Operacinės darbuotojai visuomet šnekasi šitaip: trumpindami ir gausiai vartodami žargoną – panašiai kaip lakūnai ar skrydžių centro dispečeriai. Ant operacinės sienos kabančiame tvarkaraštyje sužymėtieji šiandieniniai darbai – keturių gyvybiškai svarbių organų išėmimas persodinti trims mirštantiems, nevilties apimtiems ligoniams – atrodo štai šitaip: „Išėmimas – plv (kep/ inkst × 2)". Prieš kelias minutes kažkas paminėjo „kasytę" – kasą.

– Juta persirengia.

Juta – tai malonios išvaizdos, gal penkiasdešimties metų vyriškis žilstančiais plaukais ir liesu įdegusiu veidu. Jis jau persirengė, medicinos sesuo paskubomis maukšlina jam pirštines. Chirurgas atrodo ramus, puikiai išmanantis savo darbą, gal net viskam kiek abejingas. (Aš tiesiog sužavėta: juk šitas žmogus tuojau pat imsis lupti plakančią širdį iš žmogaus krūtinės!) Iki pat šiol širdis buvo paslėpta po širdiplėve – stora apsaugine plėve, kurią daktaras Poseltas dabar nurėžia.

O štai ir negyvėlės širdis. Man dar niekad neteko matyti plakančios širdies. Nė neįtariau, kad ji šitaip smarkiai makaluojasi. Kai priglaudi delną prie krūtinės ir pajunti plakančią širdį, tai įsivaizduoji kažką vos vos pulsuojančio, bet iš esmės tai nelabai tejudančio – tarsi ant stalo gulinti plaštaka barbentų pirštais Morzės abėcėle. O, pasirodo, iš tikrųjų širdis krūtinėje spurda kaip pašėlusi. Tarsi kokia maišytuvo detalė, arba kaip koks šermuonėlis, bruzdantis urvelyje, ar kaip ta svetimos gyvybės forma, įsitaisiusi žmogaus kūne ir besiveržianti laukan. Jeigu imčiausi kūne ieškoti, kur galėtų slypėti gyvybę teikianti dvasia, tai, kaip kažin ką, patikėčiau, kad ji – kaip tik širdyje. Tokią mintį tiesiog perša tai, kad širdis – pats judriausias žmogaus kūno organas. Juta gnybtais užspaudžia H širdies arterijas – sustabdo kraujotaką ir ruošiasi pjūviui. Gyvybinių funkcijų monitorius tuoj pat ima rodyti esminius organizmo pokyčius. Elektrokardiogramos linija iš taisyklingos spygliuotos vielos virsta kūdikio keverzone. Pliūptelėjęs kraujo geizeris aptaško Jutai akinius ir čia pat nuslūgsta. Jeigu H nebūtų jau mirusi, mirtis jąištiktų kaip tik dabar.

Kaip tik šį akimirksnį, kaip praneša Keiso Vakarų draustinio grupė, klausinėjusi transplantacijos specialistus, chirurgai, dirbantys operacinėje, pajunta patalpoje šmėkštelint kažkokią „esatį" ar „dvasią". Bandau sutelkti savo dvasines galias ir atsiverti operacinės terpės virpesiams. Savaime aišku, aš nė nenumanau, kaip reikėtų tą padaryti. Kai man buvo šešeri, aš kaip įmanydama stengiausi išjudinti iš vietos brolio žaislinį kareivėlį, kad šis pats nueitų pas jį. Tačiau visi ekstrasensoriniai bandymai man paprastai baigiasi vienodai: kai galų gale ničnieko nepešu, pasijuntu visiška kvaiša dėl to, kad išvis bandžiau.

Štai kas gerokai dirgina nervus: širdis, net ir išimta iš krūtinės, vis vien nesiliauja plakusi – viena pati. Kažin, gal šitai žinojo ir Edgaras Alanas Po, kai rašė „Išdavikę širdį"? Tos atskirai nuo kūno atsidūrusios širdys būna tokios judrios, kad chirurgams kitąsyk net išsprūsta iš rankų.

– Nieko joms nenutinka – nuplauname, ir jos veikia kaip veikusios, – patikino mane Niujorko širdies transplantacijos chirurgas Mehmetas Ozas, kai paklausiu jo apie tai.

Įsivaizduoju vaizdą: širdis tykšteli žemėn ir nučiuožia linoleumu, o visi pamačiusieji susižvalgo, skubiai pakelia ir ramiai nuvalo tarsi kokį dešros griežinėlį, nuriedėjusį nuo lėkštės restorano virtuvėje.

Dėl nukritimo ant grindų ir panašių dalykų smalsauju tikriausiai todėl, kad norisi bent kiek sužmoginti tai, kas iš pirmo žvilgsnio lyg ir ribojasi su dieviškomis galiomis: sugebėjimą iš kūno išimti gyvą organą ir priversti funkcionuoti kitame kūne. Taip pat pasidomėjau, ar chirurgai gali išsaugoti senąją, ligotąją širdį, kad pacientas, patyręs transplantaciją, vėliau galėtų ją pasiimti. Atsakymas bent jau mane gerokai nustebino: pasirodo, tik labai nedaugelis išreiškia pageidavimą pamatyti ar, juo labiau, išsaugoti savo širdį.

Ozas pasakė man, kad žmogaus širdis, atkirsta nuo kraujo tiekimo, gali plakti ir toliau kokią minutę ar dvi – tol, kol ląstelės pradeda jausti deguonies badą. Kaip tik tokie reiškiniai ir kvaršino galvą aštuonioliktojo amžiaus medicinos filosofams: jeigu siela iš tikrųjų gyvuoja smegenyse, o ne širdyje, kaip tuomet gali būti, kad širdis plaka toliau net išimta iš kūno, kitaip sakant – atskirta nuo sielos?

Ypač ilgai dėl šito galvą suko toks Robertas Vitas. Nuo 1761-ųjų Vitas buvo asmeninis Jo Didenybės Anglijos karaliaus gydytojas – tada, kai Jo Didenybė iškeliaudavo į šiaurę, Škotijon, kas atsitikdavo anaiptol ne dažnai.* O laisvu laiku, kai nereikėdavo rūpintis Jo Di-

---

* Tai dar visai nereiškia, kad Vitas galėjo prarasti kvalifikaciją stokodamas praktikos – jokių kitų pacientų jam nė nereikėjo, būtų visiškai pakakę ir paties savęs. R. K. Frenčo rašytoje ir medicinos daktaro F. N. L. Pointerio Velkomo instituto Medicinos istorijos serijoje pasirodžiusioje Vito biografijoje skaitome, kad pats gydytojas buvo tikra ligų enciklopedija: jį kamavusi podagra, šlapimo pūslės spazmai, „dažnas vidurių pūtimas“, „skrandžio sutrikimai“, „pilvo pūtimas“, košmarai, svaigulys, nuoalpiai, depresija, diabetas, raudonos dėmės, nuolat išmušančios šlaunis ir blauzdas, kosulio priepuoliai „su tirštais skrepliais“ ir dar, pasak bent dviejų Vito kolegų, hipochondrija. Kai būdamas penkiasdešimt dvejų jis mirė, jo kūtinėje aptikta „bene penki svarai skysčio, susimaišiusio su želatininės konsistencijos substancija – melzganos spalvos“, dar – „raudona, šilingo dydžio dėmė ant skrandžio gleivinės“, o kasoje – akmeningų darinių. (Štai kas atsitinka, kai rašyti biografiją imasi medicinos mokslų daktaras.)

denybės šlapimo pūslės akmenimis nei podagra, Vitą neretai būdavo galima rasti laboratorijoje, kur jis lupdavo širdis gyvoms varlėms ar vištoms. O vienu atmintinu atveju – Vito labui tikėsimės, kad Jo Didenybė apie tai nė nesuuodė – jis ant balandžio nukirsta galva širdies, vildamasis paukštį atgaivinsiąs, varvino seiles. Vitas buvo vienas tų smalsių medicinos protų, kurie moksliniais eksperimentais ieškojo kūne sielos buveinės ir tyrė sielos savybes. Iš jo 1751-ųjų knygos *Darbai* skyriaus šia tema galima spręsti, kad ginče dėl to, kur galų gale turėtų būti sielos buveinė: širdyje ar smegenyse – jis nebuvo linkęs aklai remti nei vienos, nei kitos pusės. Širdyje sielos buveinė būti negalėjusi, mat, kai Vitas išplėšė širdį unguriui, šis kurį laiką dar įstengė „labai gyvybingai" judėti.

Savo ruožtu smegenys irgi lyg ir nelabai tiko būti gaivinančiosios sielos buveine, mat ne kartą pastebėta, kad gyvūnai ir be smegenų sugeba stulbinamai ilgai visai pakenčiamai gyvuoti. Vitas aprašė kažkokio Redžio atliktą eksperimentą: šis „sausumos vėžliui pro kaukolėje padarytą skylę ištraukęs smegenis dar lapkričio pradžioje", o nelaimėlis gyvūnas „likęs gyvas iki pat kitų metų gegužės".* Net ir pats Vitas tvirtino sugebėjęs „pasitelkęs šilumą" išlaikyti vištos širdį plakančią geras dvi valandas, kai „nukirpo žirklėmis jai galvą". O dar buvo ir daktaro Kaau eksperimentas... Vitas pasakoja štai ką: „Jaunas gaidukas, kūriam daktaras Kaau staiga nurėžė galvą... nekantriai skubančiam prie dubenėlio su lesalu, net ir be galvos tiesia linija nubėgo dar 23 Reino pėdas [7,3 m – *red. pastaba*] ir būtų bėgęs dar toliau, bet susidūrė su kliūtimi, ir ta jį sustabdė". Atrodo, naminiams paukščiams buvo išties nelengvi laikai.

---

* Kažin, kas iš tiesų vykdavo per tokius eksperimentus? Sunku pasakyti. Galbūt smegenų kamienas arba stuburo smegenys likdavo nepaliesti. O gal praėjusį lapkritį kas nors pasirūpino ir pačiam daktarui Redžiui pro skylę kaukolėje išimti smegenis.

Vitui kilo įtarimas, kad siela, ko gero, neturi kūne nuolatinės buveinės, galbūt yra išsisklaidžiusi po visą kūną. Taigi nupjovus galūnę ar išėmus kokį nors organą, kartu atsiskirianti ir dalis sielos, kuri atskirtąją kūno dalį kurį laiką dar išlaiko gyvybingą. Kartu buvo galima paaiškinti, kodėl nuo kūno atskirta ungurio širdis nesiliauna plakusi. Ir dar – kodėl, kaip kad rašė Vitas, cituodamas „patikimą šaltinį", „piktadario širdis, išpjauta iš kūno ir įmesta į laužą, kelis kartus gana aukštai šoktelėjo".

Vitas tikriausiai nieko nebuvo girdėjęs apie *či*, tačiau jo formuluotė apie pasiskirsčiusią po visą kūną sielą artimai siejasi su šimtmečių senumo Rytų medicinos filosofijos teiginiu apie cirkuliuojančią gyvybinę energiją. *Či*, arba *ki*, yra tai, ką reikiamai nukreipia adatomis akupunktūros meistrai, o pernelyg dideliu skrupulingumu nepasižymintys hileriai tvirtina gebantys pažaboti *či* ir išgydyti vėžį – arba priversti žmones griūti iš padų tiesiog priešais televizijos kameras. Dešimtys mokslinių tyrinėjimų, siekiant dokumentiškai užfiksuoti šios cirkuliuojančios gyvybinės energijos poveikį, buvo atlikta Azijoje, dauguma jų – reziumuota Kigongo tyrinėjimų duomenų bankuose, kuriuos man teko naršyti prieš keletą metų, kai ieškojau informacijos apie *ki*. Visa kur Kinijoje ir Japonijoje kigongo („gong" reiškia kultivavimą) specialistai, stovėdami laboratorijose, delnais vedžioja virš piktybinių ląstelių kultūrų ar piktžaizdėmis nusėtų žiurkių kūnų („atstumas tarp žiurkės ir delno – 40 centimetrų"), o kartą, vienu ypač siurrealistišku moksle atveju, demonstracijai buvo paimtas net maždaug trečdalio metro ilgio žmogaus žarnos gabalas. Nedaugelis šių tyrinėjimų buvo atliekama dalyvaujant stebėtojams, pagal priderामas taisykles – ir ne todėl, kad tyrinėtojai būtų apsileidę, o tik todėl, kad Rytų moksle gyvuoja savos tradicijos.

Vienintelį vakarietiško pobūdžio tyrimą, stebint kvalifikuotiems mokslininkams, mėgindamas įrodyti gyvybinės energijos egzistavimą, atliko chirurgas ortopedas ir biomedicininės elektronikos specialistas Robertas Bekeris, susidomėjęs *či* po JAV prezidento R. Niksono vizito į Kiniją. Niksonui paliko didžiulį įspūdį tai, ką išvydo tradicinėje Kinijos klinikoje, tad jis paskatino kai kuriuos nacionalinius sveikatos institutus finansuoti šiokius tokius tyrinėjimus. Vienas tyrinėtojų ir buvo Bekeris. Remdamasis hipoteze, kad *či* gali būti elektros srovė, atskira nuo kūno nervų sistemos impulsų, Bekeris nutarė išmatuoti elektros krūvių perdavimą kai kuriais kūno akupunktūriniais meridianais. Ir iš tiesų: Bekeris paskelbė, kad šiomis linijomis elektros srovė teka efektyviau.

Keleriais metais anksčiau niudžersietis Tomas Edisonas suformulavo kitą sielos išsisklaidymo po visą kūną variantą. Edisonas manė, kad kiekvienam gyvam padarui gyvybę teikia ir kiekvieną padarą valdo tam tikri „gyvybės vienetai" – mažesnės už mikroskopines esybėlės, gyvuojančios kiekvienoje ląstelėje. Mirties akimirką jos neva pasklindančios iš kūno į aplinką, kurį laiką laisvai plūduriuojančios, o paskui vėl susitelkiančios draugėn ir teikiančios gyvybę jau kokiai nors kitai būtybei – galbūt kitam žmogui, o gal kokiam plėšrūnui ocelotui ar jūros kopūstui. Kaip ir dauguma kitų išsilavinusių, bet mažumėlę trenktų* sielos ieškotojų, Edisonas siekė eksperimentais įrodyti savo teoriją. Savajame *Dienoraštyje ir įvairiuose pastebėjimuose* Edisonas užsimena apie ketinimus sukurti „mokslinį aparatą", skirtą

---

* Žmonėms paprastai būna sunkoka patikėti, kad Tomas Edisonas galėjo būti trenktas individas. Tad norėčiau pateikti šiokį tokį jo pamišimo liudijimą – ištrauką iš jo dienoraščio apie žmogaus atmintį: „Iš tikrųjų mes nieko neprisimename. Už mus tai atlieka tam tikra grupelė mūsų mažylių pagalbininkų. Jie gyvuoja toje smegenų dalyje, kurią jau žinome „Brokos klostės" pavadinimu... Jų esama gal dvylikos ar penkiolikos pamainų, kurios nuolat keičiasi, taigi skirtingais laikotarpiais budi vis kita pamaina – panašiai kaip gamyklos darbininkai... Tad galima sakyti, kad, norint ką nors prisiminti, pakanka užmegzti ryšį su ta pamaina, kuri budėjo įvykio užfiksavimo metu."

užmegzti ryšiui su tų sielą sudarančių gyvybės vienetų aglomeracijomis. „Kodėl asmenybės, gyvuojančios kitoje egzistencijoje ar kitoje erdvėje, turėtų gaišti laiką, stumdydamos medinį trikampėlį ant lentos, išrašytos tam tikrais rašmenimis?" – rašė jis, turėdamas omeny stumdomąsias lenteles (Ouija), tuo metu itin madingas tarp spiritizmo mediumų. Edisonas manė, kad smulkiosios esybės – gyvybės vienetai – turėtų spinduliuoti tam tikrą „eterinę energiją", tad, norint palengvinti bendravimą su jomis, tereikią tą energiją kažkaip sustiprinti.

Pasak straipsnio, išspausdinto 1963-iųjų balandį *Fate* žurnale, kurį man atsiuntė nenuilstantis Edisono biografas Polas Izraelis, Edisonas mirė taip ir nesukonstravęs savojo aparato, tačiau gandai apie jo brėžinius dar sklandė metų metus. Legenda byloja, neva vieną gražią 1941-ųjų dieną „General Electric" dirbęs išradėjas Dž. Džilbertas Raitas nutarė pasitelkti tai, kas laikytina esant artimiausia Edisono prietaisui – tai yra mediumą ir spiritizmo seansą – ir užmegzti ryšį su didžiuoju išradėju bei jo paties paklausti, kas šiuo metu turi jo brėžinius. „Pamėginkite pasiteirauti Ralfo Fašto, gyvenančio Painharsto aveniu 165, Niujorke, Bilo Genferio iš „Consolidated Edison", kurio biuras įsikūręs *Empire State Building* pastate, o gal užvis geriausia – Editos Elis, Vašingtonas, 152, 58-oji gatvė", – šitoks buvo gautas atsakymas, patvirtinantis ne tik tai, kad žmogaus asmenybė išlieka ir po mirties, bet net ir tai, kad ji išsaugo ir užrašų knygutę.

Raitui pavyko surasti minėtąją Editą Elis, ir ši nusiuntė jį į Brukliną pas trečiojo rango kapitoną Vainą – šis neva brėžinius turįs ar bent kažką apie juos žinąs. Mįslingasis trečiojo rango kapitonas Vainas, pasirodo, ne tik turėjęs brėžinius, bet netgi skelbęsi surinkęs ir išbandęs patį prietaisą. Deja, prietaisas neveikė. Paleisti jo nepavyko ir Raitui. Beje, prietaisą galite susikonstruoti jūs patys, mat *Fate* žurnalo straipsnyje įdėtas ir brėžinys su kruopščiai sužymėtomis detalėmis („aliumininis klausymo vamzdelis", „medinis kaištis", „antena").

Drauge su partneriu Hariu Gardneriu Raitas nuveikė dar daugiau: jiedu ėmėsi patys kurti prietaisą, „ektoplazmines gerklas", kurias sudarė mikrofonas, garsiakalbis, „garso dėžutė" ir patalkinti sutikęs mediumas, apsišarvavęs begaline kantrybe. Raitas naudojosi „gerklomis" ketindamas pabendrauti su Edisonu, kuris, matyt, po mirties neturėjo daugiau ką veikti, tad mielai leidosi į kalbas su tais niekdariais ir net pateikė naudingų patarimų, kaip tą prietaisą patobulinti.

Kol dar kalbame apie atrodančias šviesaus proto, bet paslapčia visiškai kvaištelėjusias asmenybes, iki ausų įklimpusias pasklidusios ląstelėse sielos srityje, norėčiau papasakoti apie vieną projektą, kurį finansavo ir įgyvendino Jungtinių Valstijų armija. Nuo 1981-ųjų iki 1984-ųjų JAV armijos žvalgybos ir saugumo vadovybės *(INSCOM)* galva buvo generolas majoras Albertas N. Stjublbainas Trečiasis. Kažkuriuo metu per savo kadenciją Stjublbainas įpareigojo vyresnįjį adjutantą pamėginti pakartoti Klivo Baksterio, melo detektoriaus išradėjo, darytą eksperimentą, kuriuo siekta įrodyti, kad žmogaus ląstelės, net ir atskirtos nuo paties žmogaus, vis dėlto išlieka tam tikru būdu susijusios su „baze" ir net palaiko tam tikrą ryšį. Studijoje iš savanorio skruosto buvo paimta ląstelių. Jos buvo išsuktos iš centrinė jėga ir patalpintos bandomajame vamzdelyje. Iš vamzdelio nutįsusių elektrodų rodmenys buvo leidžiami per sensorių, sujungtą su rodmenimis melo detektoriuje, fiksuojančiame emocinį susijaudinimą, kurį atskleidžia širdies plakimo dažnis, kraujospūdis, prakaitavimas ir panašūs požymiai. (Kaip jie įsigudrino išmatuoti šitokias gyvybines praskydusių skruosto ląstelių funkcijas, – man tai gūdi paslaptis, tačiau juk kalbame apie kariškius, o jie žino daugybę ypač įslaptintų dalykų.) Taigi savanoris buvo nuvestas į kitą koridoriaus galą nuo savųjų skruosto ląstelių ir, sėdėdamas kambaryje, turėjo žiūrėti šiurpų vaizdo įrašą su smurto scenomis (tiksliau nenurodyta). Išvada byloja, kad tuo metu, kai ląstelių savininkas žiūrėjo įrašą, ląstelės atspindėjo smarkų susijaudinimą. Dvi dienas eksperimentas buvo vis kartojamas, vis didinant ląstelių nuotolį nuo žmogaus. Ląstelės savo buvusiojo savininko skausmą neva jutusios net ir tada, kai juos skyręs aštuoniasdešimties kilometrų atstumas.

Pašėlusiai norėjosi pamatyti šio eksperimento ataskaitas, taigi paskambinau *INSCOM*. Mane nukreipė pas tokį poną istorijos skyriuje. Pirmiausia istorikas mane patikino, kad *INSCOM* nelaiko tokio senumo medžiagos. Man nė neprireikė to žmogaus skruosto ląstelių suprasti, kad jis meluoja. Juk kalbame apie Jungtinių Valstijų vyriausybę. O ši saugo visą informaciją nuo priešistorinių laikų, netgi trimis egzemplioriais.

Istorikas ėmėsi aiškinti, neva generolą Stjublbainą pirmų pirmiausia domino anaiptol ne tai, ar ląstelėse slypi koks nors gyvybinis vienetas, siela ar ląstelės atmintis, o regėjimo per atstumą reiškinys: pavyzdžiui, galimybė nepasikeliant nuo darbo stalo išsišaukti toli nuo tavęs laike ir erdvėje esančius vaizdus, na, kad ir pamestą rankogalių sąsagą ar ginklų sandėlius Irake, ar generolo Manuelio Noriegos slaptąją būstinę. (Kurį laiką armijoje iš tikrųjų egzistavo žvalgybos per nuotolį grupė; tokius žvalgytojus per nuotolį kartais samdydavo ir CŽV.) Pasitraukęs į atsargą, Stjublbainas tapo valdybos pirmininku bendrovėje, vadinamoje „Psi Tech" – iš jos galima nusisamdyti regėjimo per atstumą gebėjimų turintį žmogų, kuris patenkins jūsų šios srities poreikius.

Atleiskite. Išties gerokai nuklydau į lankas nuo temos. Tačiau kad ir kaip būtų, kad ir kaip dėl to jausčiausi pati, dabar jau tvirtai žinau: visos penkiasdešimties mylių spinduliu esančios mano skruostų ląstelės jaučiasi lygiai taip pat.

Šiuolaikinės medicinos bendruomenė sutartinai vienu balsu tvirtina, kad sielos buveinė vis dėlto – žmogaus smegenys: tai jos lemia gyvenimą ar mirtį. Taip pat visi sutinka, kad tokie žmonės kaip H, nepaisant viso sambrūzdžio po krūtinkauliu, vis dėlto yra neabejotinai miręs.

Dabar mes jau žinome, kad širdis tebeplaka ir nutrūkus gyvybei ne todėl, kad joje slypi siela, o tiesiog todėl, kad turi savą bioelektrinės energijos generatorių, kuris veikia nepriklausomai nuo smegenų. Kai tik atsidurs kieno nors kito krūtinėje ir to asmens kraujas pradės tekėti per ją, H širdis tučtuojau ims plakti kaip plakusi – be jokio signalo iš recipiento smegenų.

O štai teisininkų bendruomenė užtruko kiek ilgiau nei gydytojai, kol galų gale irgi pripažino smegenų mirties koncepciją. 1968-aisiais *Amerikos medikų asociacijos žurnalas* išspausdino Harvardo medicinos instituto specialiai smegenų mirties apibrėžimui sukurti suburto komiteto straipsnį, skelbiantį, kad naujasis mirties kriterijus turėtų būti negrįžtama koma – šitaip etiškai buvo išgrįstas kelias organų transplantacijai. O teisininkai susivokė tik 1974-aisiais. Jų sprendimą paspartino keistas teismas dėl žmogžudystės Ouklende, Kalifornijoje.

Endrius Laiensas 1973-iųjų rugsėjo mėnesį nužudė žmogų šūviu į galvą – aukos smegenys mirė iš karto. Tačiau kai Laienso advokatai suuodė, kad aukos artimieji sutiko paaukoti šio širdį transplantacijai, pabandė šia aplinkybe pasinaudoti Laienso gynybai: neva jei per operaciją širdis vis dar plakė, kaip tuomet gali būti, kad Laiensas tą žmogų išvakarėse nužudė?! Advokatai puolė įtikinėti prisiekusiuosius, esą, kalbant formaliai, tą žmogų nužudė ne Endrius Laiensas, o organus ėmęs chirurgas! Kaip aiškina teisme liudijęs vienas iš širdies transplantacijos pradininkų, Stenfordo universiteto chirurgas Normanas Šamvėjus, teisėjas ant tokio kabliuko neužkibo. Jis patikino prisiekusiuosius, kad tikrasis mirties kriterijus yra tas, kurį suformulavo Harvardo komitetas – ir kad sprendimą prisiekusieji privalą priimti remdamiesi kaip tik šiuo apibrėžimu. (Vargu ar Laiensui smarkiai pagelbėjo ir aukos nuotraukos su, pasak *San Francisco Chronicle*, „varvančiomis iš kaukolės smegenimis".) Galų gale Laiensas buvo nuteistas už nužudymą. Kalifornija, pasirėmusi šios bylos baigme, išleido įstatymą, skelbiantį smegenų mirtį oficialiu mirties apibrėžimu. Netrukus Kalifornijos pavyzdžiu pasekė ir kitos Amerikos valstijos.

Endriaus Laienso gynybos atstovas toli gražu nebuvo pirmas asmuo pasaulyje, pratrūkęs plyšoti apie žmogžudystę, transplantacijos chirurgui išėmus ligonio, kurio smegenys neabejotinai mirusios, širdį. Tais laikais, kai buvo atliekamos dar tik pirmosios širdies persodinimo operacijos, Šamvėjui – pirmajam širdies transplantacijos chirurgui JAV – be paliovos ramybės nedavė Santa Klaros apygardos, kurioje jis praktikavo, koroneris. Šis nė už ką nenorėjo pripažinti smegenų mirties kaip žmogaus mirties apibrėžimo ir grasino Šamvėjui, neva, jei šis ir toliau mėginsiąs įgyvendinti planus išimti plakančią asmens, kurio smegenys mirusios, širdį ir panaudoti ją tam, kad būtų išgelbėta kito žmogaus gyvybė, kelsiąs jam bylą dėl žmogžudystės. Nors koroneris ir negalėjo pasiremti jokiu įstatymu, o Šamvėjus bet kuriuo atveju būtų tęsęs darbus, vis dėlto spauda taršė jį pasimėgaudama. Niujorko širdies transplantacijos chirurgas Mehmetas Ozas prisimena, kad maždaug tuo pat metu vienas Bruklino apygardos advokatas irgi nešykštėjo tokių grasinimų.

– Jis skelbėsi pateiksiąs kaltinimus ir suimsiąs bet kurį širdies transplantavimo chirurgą, kuris tik įkels koją į jo rajoną išimti organo.

Nerimauta dėl to, kaip paaiškino Ozas, kad kada nors neišauštų tokia diena, kai širdį dar ims ir išplėš kam nors, kieno smegenys anaiptol nebus mirusios. Gali susidaryti tam tikros, kad ir labai retos medicininės aplinkybės, kai žmogus nepatyrusiai arba nerūpestingai akiai pasirodys tikrai miręs – o teisės atstovai medikais nepasitikėjo, manė, kad šie ne visada sugebės teisingai nustatyti smegenų mirtį. Pagrindo nerimauti, kad ir labai labai menko, iš tiesų būta. Pavyzdžiui, kad ir būklė, žinoma „sustingimo" pavadinimu. Sergant šia liga kartais staiga nustoja funkcionuoti visi kūno raumenys nuo akių obuolių iki kojų pirštų, taigi kūnas lieka absoliučiai paralyžiuotas, nors sąmonė nėmaž neaptemsta. Šitoks ligonis puikiausiai girdi viską, kas kalbama, tačiau niekaip negali duoti ženklo, kad tebėra šiame pasaulyje, tad ir jo organų imti transplantavimui kol kas jokiu būdu negalima. Ypač sunkiais atvejais nustoja funkcionuoti net ir tie raumenys, kurie sutraukia akių vyzdžius. O čia jau ir visai nekokie reikalai, nes įprasčiausia priemonė nustatyti smegenų mirčiai yra tvykstelėti ryškia šviesa į akis – refleksiškas vyzdžių susitraukimas byloja žmogų esant dar gyvą. Paprastai „sustingimo" būklę patyrę ligoniai visiškai pasveiksta – su sąlyga, žinoma, jei niekas apsirikęs nenugabena jų į operacinę ir neišpjauna širdies.

Tiek baimė būti palaidotam gyvam, kamavusi devynioliktojo amžiaus vokiečius ir prancūzus, tiek baimė, kad kas nors išpjaus dar gyvam organus, – beveik visiškai nepagrįsta. Pakaktų pačios paprasčiausios elektroencefalogramos ir būtų išvengta klaidingos diagnozės, konstatavus „sustingimo" ar kokią nors analogišką būklę.

Ramiai mąstant, daugumai žmonių visai nesunku susitaikyti su smegenų mirties koncepcija ir organų donorystės idėja. Tačiau emociškai gali būti net ir labai nelengva, ypač kai potencialaus donoro artimuosius apsispręsti ragina transplantacijos grupė, tik ir laukianti leidimo išimti persodinimui dar plakančią šeimos nario širdį. Net penkiasdešimt keturi procentai šeimų atsisako tokį leidimą duoti.

– Jie niekaip nevalioja susidoroti su baime, kad ir kokia ši būtų iracionali, jog jų mylimas žmogus iš tikrųjų mirs kaip tik tą akimirką, kai bus išimta širdis, – tvirtina Ozas.

Artimieji baiminasi šitaip patys ir nužudysią savo šeimos narį.

Net širdies transplantacijos chirurgams kartais ne taip lengva suvokti, kad širdis – viso labo tik siurblys. Kai paklausiau Ozo, kur, jo manymu, yra sielos buveinė, jis atsakė:

– Prisipažinsiu, netikiu, kad siela gyvuoja tik smegenyse. Esu tiesiog priverstas tikėti, kad daugeliu atžvilgių mūsų egzistencijos esmė slypi širdyje.

Ar tai reiškia, kad jis mano, jog, mirus smegenims, žmogus iš tiesų dar nėra miręs?

– Nėra nė menkiausių abejonių dėl to, kad širdis be smegenų nebeturi gyvybei jokios vertės. Tačiau gyvenimas ir mirtis – ne dvinarė sistema.

Iš tikrųjų čia yra nuoseklus perėjimas. Dėl daugelio priežasčių yra visiškai logiška oficialiai brėžti liniją tarp gyvybės ir mirties tada, kai miršta smegenys, tačiau tai dar nereiškia, jog šitai iš tikrųjų yra riba.

– Tarp gyvenimo ir mirties yra ir dar viena būklė, kurią galima vadinti beveik mirtimi ar pseudo gyvenimu. Tačiau to, kas yra „tarp", dauguma žmonių nepageidauja.

Jei žmogaus, kurio smegenys mirusios, širdies gelmėse slypi kažkas daugiau nei vien audiniai ir kraujas – kažkokie dvasios likučiai – tuomet galima įsivaizduoti, kad tas sielos rudimentas persikelia drauge su širdimi tam asmeniui, kuriam persodinama širdis, ir apsigyvena jo kūne. Kartą Ozas gavo laišką iš vieno ligonio, kuriam persodino širdį. Kai šiam krūtinėje ėmė plakti nauja širdis, netrukus jis pradėjo jausti kai ką tokio, ką galėjo įvardyti nebent kaip tam tikrą ryšį su ankstesniuoju širdies savininku. Tas ligonis, Maiklas „Med-O" Vitsonas leido jo laišką pacituoti:

Rašau visa tai atsižvelgdamas į tikimybę, kad visa tai – galbūt ne vienoks ar kitoks mano kontaktas su širdies donoro sąmone, o veikiau haliucinacijos nuo vaistų ar mano paties potyrių projekcijos. Žinau, šis klausimas labai slidus...

Pirmojo kontakto metu... patyriau mirties siaubą – jaučiausi mirštąs... Tai įvyko taip staigiai ir netikėtai, išgyvenau šoką, nuostabą dėl visko, kas vyksta... Apėmė pojūtis, kad štai mane tuojau nuraškys, baimė mirti anksčiau paskirto laiko... Šis ir dar du nutikimai yra šiurpiausia, ką man iki tol buvo tekę patirti...

Antruoju atveju tarytum išgyvenau donoro pojūčius tuo metu, kai jam buvo išimama ir perkeliama man širdis... Neaprėpiamas smurto pojūtis, draskanti kažin kokia paslaptinga, visagalė pašalinė jėga...

...trečiasis atvejis iš esmės skyrėsi nuo dviejų ankstesniųjų. Šįkart donoro širdies sąmonė suvokė realybę esamuoju laiku... Jis iš paskutiniųjų stengėsi susivokti kur atsidūręs, netgi kas esąs... Atrodė, tarsi nebeveiktų nė vienas jutimo organas... Neapsakomai bauginantis pojūtis, kad pakliuvai į kažin kokią svetimą aplinką... Tarytum tiestum ranką, stengdamasis kažką sugriebti... bet pirštai kaskart užčiuoptų tik orą.

Žinoma, vieno žmogaus, vadinamo „Med-O" liudijimas – tai dar ne mokslinis tyrimas. Žingsnis šia linkme buvo žengtas 1991-aisiais, kai tyrinėjimų ėmėsi grupė Vienos chirurgų ir psichiatrų. Jie apklausė keturiasdešimt septynis pacientus po širdies persodinimo operacijos: ar šie pastebėję kokių nors asmenybės pokyčių, dėl kurių atsakomybę būtų galima suversti naujajai širdžiai ir jos ankstesniajam savininkui. Keturiasdešimt keturi iš keturiasdešimt septynių tvirtino ničnieko tokio nepatyrę, tačiau autoriai, remdamiesi įsišaknijusia Vienos tradicija, mano esant būtina pabrėžti, kad dauguma atsakė į šį klausimą gana priešiškai arba juokaudami, kas, jei tikėsime Z. Froido teorija, turėtų reikšti, kad jie išvis vengia kalbėti ta tema.

Trijų teigiamai atsakiusių ligonių potyriai vis dėlto buvo kur kas prozaiškesni už Vitsono. Pirmasis, keturiasdešimt penkerių vyriškis, kurio krūtinėje atsidūrė septyniolikmečio vaikino širdis, papasakojo tyrinėtojams štai ką: „Man labai patinka užsidėti ausines ir visu garsu paleisti muziką – anksčiau niekada šito nedarydavau. Kieta mašina, puiki stereoaparatūra – štai apie ką dabar svajoju". Kiti du buvo dar nekonkretesni. Vienas tvirtino, kad ankstenysis jo širdies šeimininkas buvęs ramus žmogus ir dabar šios ramybės dalelė „persidavusi" ir jam; antrasis jautėsi taip, tarsi gyventų dviejų žmonių gyvenimus: užuot sakius „aš", jam išsprūsdavo „mes", tačiau jis taip ir neatskleidė jokių detalių apie įgytąją naują asmenybę nei apie tai, kokią muziką mėgęs donoras.

Norėdami rasti sultingesnių detalių, galime kreiptis į Polą Pirsolą – knygos *Širdies kodas* autorių (taip pat, beje, parašiusį ir tokias knygas kaip *Santuokinis superseksas* arba *Superimunitetas*). Pirsolas apklausė šimtą keturiasdešimt ligonių po širdies transplantacijos operacijų ir pateikia penkių iš jų pasakojimus kaip širdies „ląstelių atminties" liudijimus, kartu siekdamas parodyti donoro širdies įtaką naujajam šeimininkui. Viena moteris, kuriai atiteko homoseksualaus plėšiko, nušauto į nugarą, širdis, nelauktai netikėtai pamėgo kur kas moteriškesnius drabužius, be to, ją pradėjo kamuoti „šautinės žaizdos" nugaroje skausmai. Kitas pasakojimas buvo apie nebejauną vyriškį, kuris, gavęs paauglio širdį, staiga pajuto potraukį „visu garsumu klausytis rokenrolo" – man asmeniškai jau ima atrodyti, kad šitai – vienas miestietiškųjų širdies transplantacijos mitų. Tačiau užvis labiausiai man patiko istorija apie moterį, kuri, gyvendama su prostitutės širdimi, staiga ėmė gausiai nuomotis vaizdajuostes – ir imdavo tik suaugusiems skirtus filmus, be to, panoro mylėtis su savo vyru kiekvieną mielą naktį ir net šokdavo jam striptizą. Žinoma, jei moteris žinojo, kad naujoji jos širdis anksčiau priklausė prostitutei, galbūt tuomet tuo ir būtų galima aiškinti jos elgesio pokyčius. Nors Pirsolas neužsimena, ar pacientė ką nors nutuokė apie savo donorės profesiją (o ar jis pats prieš interviu nenusiuntė jai *Santuokinio supersekso* egzemplioriaus, apie tai irgi nė puse lūpų neužsimenama).

Pirsolas nėra daktaras. O jei ir daktaras, – tai bent jau tikrai ne medicinos mokslų. Jis – vienas iš tų, kurie, vienaip ar kitaip įgiję kokį nors daktaro laipsnį, nesivaržo visuomet prikabinti jį prie savo pavardės knygos viršelyje. Man jo liudijimai atrodo gerokai abejotini – nedrįsčiau laikyti jų „ląstelių atminties" įrodymais, juo labiau kad jie paremti šiurkščiais, o kartais net ir absurdiškais stereotipais, pavyzdžiui, kad ir tokiu, jog moterys tampa prostitutėmis todėl, kad nori mylėtis ištisą dieną, arba tokiu, kad gėjai – net jei plėšikai – mėgsta rengtis moteriškais drabužiais. Tačiau turėkite omeny, kad aš esu viena iš tų (cituoju Pirsolo Širdies energijos amplitudės testo punktą Nr. 13) „cinikų, nieku būdu nepasitikinčių kitų žmonių motyvais".

Mehmetas Ozas – tas širdies persodinimo chirurgas, su kuriuo kalbėjausi – taip pat susidomėjo šiuo reiškiniu. Smalsumą jam sukėlė pacientai, tvirtinantys, neva išgyveną donorų prisiminimus.

– Buvo vienas toks vyrukas, – papasakojo jis man, – kuris tvirtino žinąs, kas paaukojo jam širdį. Jis smulkiai nupasakojo jauną juodaodę, žuvusią automobilio avarijoje. „Regiu veidrodyje kruviną savo veidą, jaučiu burnoje prancūziško kepsnio skonį. Žinau esąs juodaodis ir kad pats buvau toje avarijoje." Visa tai mane mažumą pašiurpino, tad nutariau patikrinti. Paaiškėjo, kad donoras buvo pusamžis baltasis.

Ar pasitaikė jam ir kitų ligonių, kurie tvirtintų išgyveną savo donorų prisiminimus ar pasakotų žiną ką nors konkretaus apie savo donoro asmeninį gyvenimą? Taip, pasitaikė.

– Visos šios žinios buvo neteisingos.

Pasikalbėjusi su Ozu, susiieškojau dar tris straipsnius, kuriuose aptarinėjamas svetimos širdies, įsiūtos krūtinėje, psichologinis poveikis recipientui. Paaiškėjo, kad gerą pusę visų pacientų, patyrusių širdies persodinimo operaciją, vėliau, pooperaciniu periodu, kamuoja vienokios ar kitokios psichologinės problemos. Dž. Raušas ir K. Kninas rašė apie žmogų, kurį apimdavo siaubas vien pagalvojus apie širdies persodinimo operaciją, mat baiminosi, kad kai neteks savosios širdies, tai praras ir sielą. Kitame straipsnyje pasakojamas atvejis apie ligonį, kuris šventai įtikėjo, esą jam į krūtinę įbrukę vištos širdį. Apie tai, iš kur toks įsitikinimas galėjo atsirasti, straipsnyje neužsimenama, taip pat nežinia, ar tik nebus jis vienaip ar kitaip susidūręs su Roberto Vito raštais, iš kurių labai norint galima pasisemti ir paguodos: juk Vitas ne kartą pabrėžia, kad viščiuko širdis gali plakti net kelias valandas, kai nurėžiama galva, o tai – šiaip ar taip, pliusas.

Nerimas dėl to, kad recipientui persiduos kokie nors jo donoro būdo bruožai, gana įprastas, o ypač – tais atvejais, kai ligonis gauna ar mano gavęs kitos lyties arba kitos seksualinės orientacijos donoro širdį. Pasak Džeimso Teiblerio ir Roberto Frirsono straipsnio, recipientai dažnai domisi, ar nebuvęs donoras „pasileidėlis ar pernelyg seksualus, galbūt homoseksualus ar biseksualus, galbūt itin vyriškas ar moteriškas, o gal turėjęs kokių nors lytinių sutrikimų". Jiems teko kalbėtis su vyriškiu, kuris buvo įsikalęs į galvą, neva jo donoras buvęs tikras „sekso liūtas", tad jam pačiam nelikę nieko kita, tik nesugadinti reputacijos. Raušas ir Kninas rašo apie keturiasdešimt dvejų metų gaisrininką, kuris nerimavo dėl to, kad dėl naujosios širdies, kuri anksčiau priklausė moteriai, dabar pats tapsiąs ne toks vyriškas ir bičiuliai iš gaisrinės nebenorėsią priimti jo į savo draugiją. (Pasak Ozo, moters širdis iš tiesų šiek tiek skiriasi nuo vyro širdies. Bet kuris širdies chirurgas, pažvelgęs į elektrokardiogramą, pasakys, kuri širdis – vyro, o kuri – moters, nes brėžiamos kreivės intervalai šiek tiek skiriasi. Kai vyrui persodinama moters širdis, ji ir toliau plaka kaip moters širdis. Ir atvirkščiai.)

Perskaičius dar vieno autoriaus straipsnį, susidaro įspūdis, kad vyrai, kurie mano gavę donoro vyro širdį, kažkodėl tiki dar ir tuo, kad donoras buvęs tikras eržilas – ir kad dalis tos vyriškosios galios kažkaip persidavusi ir jiems. Širdies transplantacijos skyriuje dirbančios slaugės neretai užsimena, kad pacientai vyrai po širdies persodinimo operacijos dažnai itin gyvai demonstruoja prabudusį susidomėjimą seksu. Viena pasakojo, neva toks ligonis prašęs jos „vilkėti ką nors kita, ne tą beformį maišą, kad jis galėtų matyti jos krūtis". Kitas, prieš operaciją septynerius metus buvęs impotentas, po operacijos buvo užkluptas ranka laikantis savo penį ir demonstruojantis erekciją. Dar viena medicinos sesuo pasakojo apie vyriškį, kuris palikdavęs neužsegtą pižamos praskiepą, kad ji pamatytų jo pasididžiavimą. Teibleris ir Frirsonas straipsnį užbaigia tokia išvada: „Šis niekuo nepagrįstas, bet gana dažnas įsitikinimas, kad recipientas perims bent dalį donoro savybių, paprastai būna laikinas, tačiau seksualinius įpročius gali paveikti..." Lieka tikėtis, kad vyriškis, kuriam atiteko vištos širdis, yra laimingai vedęs itin kantrią ir nesuvaržyto mąstymo moterį.

H organų derliaus nuėmimas eina į pabaigą. Paskutiniams ateina eilė inkstams: chirurgai iškelia juos iš atverto kūno ir atskiria nuo kitų organų. Jos krūtinės ląsta ir pilvo ertmė pripildytos smulkinto ledo. Jis jau paraudęs nuo kraujo. „Kaip vyšninis ledinukas" – užsirašau aš. Nuo operacijos pradžios praėjo beveik keturios valandos, ir H dabar jau kur kas labiau primena įprastą lavoną: jos oda padžiūvo, pjūvio kraštai nubalo.

Inkstai įdedami į mėlyną plastikinį dubenį su ledu ir perfuziniu tirpalu. Atvyksta pagalbinis chirurgas – jis imsis paskutiniojo organų išėmimo etapo: pjaus gabalėlius venų ir arterijų ir kaip kokias atsargines švarko sagas pridės prie organų – tam atvejui, jei prie jų likusios kraujagyslės paaiškėtų esančios per trumpos deramai prisiūti. Po pusvalandžio chirurgas atsitraukia – dabar eilė ateina studentui rezidentui, jo darbas – H kūną užsiūti.

Rezidentas, kalbėdamas su daktaru Poseltu apie siūles, glostinėja riebalus palei H pilvo pjūvį, paskui porą kartų patapšnoja, tarsi ją ramindamas. Kai galiausiai imasi darbo, aš paklausiu, ar jis jaučia kokį nors skirtumą, siūdamas ne gyvą kūną.

– Taip, žinoma, – sako jis. – Na, gyvo žmogaus tikrai nesiūčiau šitokia siūle. – Jis dygsniuoja retokomis, gana nelygiomis kilpomis – anaiptol ne mažyčiais, maskuojamais dygsneliais, kokiais užsiuvama žaizda gyvam operuojamam pacientui.

Bandau savo klausimą pateikti kitaip:

– Argi ne keista operuoti tą, kuris jau negyvas?

Atsakymas mane nustebina:

– Pacientė juk buvo gyva!

Ko gero, chirurgai tik šitaip ir vertina pacientus – ypač tuos, kurių visai nepažinojo: jie turi omenyje vien tik tą dalį, kurią mato prieš akis, tai yra atvertų organų sklypą. O jei turėsime tą omenyje, tai, ko gero, ir iš tikrųjų galėsime ramiai tvirtinti, kad H buvo gyva! Ją visą, išskyrus prapjautą liemenį, dengia audeklas. Jaunasis rezidentas taip ir nematė jos veido, nė nežino, ar kūnas vyro, ar moters.

Kol rezidentas siuva, operacinės seselė žnyplėmis graibsto nuo operacinio stalo palaidus kadarus ir meta į kūne žiojinčią angą, tarsi H būtų kokia patogi šiukšliadėžė. Seselė paaiškina, kad taip daroma tyčia:

– Vìsa, kas nebuvo paaukota, lieka su ja.

Dėlionės kibučiai grąžinami į dėžę.

Pjūvis jau užsiūtas, seselė nuplauna H ir uždengia paklode kelionei į lavoninę. Nežinia, iš pagarbos ar iš įpročio, paklodė visai nauja. Transplantavimo koordinatorius Vonas su sesele užkelia H ant vežimėlio. Vonas nuridena jį į liftą, paskui – koridoriumi į lavoninę. Čia darbuotojai triūsia atskirame kambaryje už dvivėrių durų.

– Ar galime palikti *šitą* čia? – šūkteli Vonas.

H jau tapo „*šituo*". Mums liepia vežti į šaldytuvą ir kūnas atgula greta kitų penkių. Iš pažiūros H ničniekuo nesiskiria nuo lavonų, šalia kurių atsiduria.*

---

* Jei tik H artimieji neketina laidoti jos nuogos atvirame karste, per laidotuves niekas nė neįtars, kad kai kurie jos organai išimti. Dargi jei iš negyvėlio persodinimui paimama audinių, neretai rankų ar kojų kaulų, ir kūno kontūras iš tiesų šiek tiek pasikeičia – tuomet įstatomi polivinilo chlorido vamzdeliai, įdėklai kūno pavidalui atitaisyti – šitaip palengvinamas gyvenimas lavoninės darbuotojams ir visiems kitiems, kuriems tenka judinti „apkarpytą" kūną.

Vis dėlto H – ne tokia kaip jie. Ji padėjo pasveikti trims buvusiems beviltiškiems ligoniams. Ji suteikė jiems papildomo laiko šioje žemėje. Tiesiog neįtikėtina, kad numirėlis gali įteikti šitokią milžinišką dovaną. Absoliuti dauguma žmonių būdami gyvi šito nesugeba. Tokie lavonai kaip H yra mirusiųjų pasaulio didvyriai.

Mane pribloškia, taip pat ir skaudžiai liūdina mintis, kad kai širdies, kepenų, inkstų donoro laukiančiųjų sąrašuose yra aštuoniasdešimt tūkstančių žmonių (kasdien šešiolika iš šio sąrašo miršta), – daugiau nei pusė atsidūrusiųjų H artimųjų padėtyje kategoriškai atsisako paaukoti mirštančio saviškio organus, pasirenka verčiau juos sudeginti ar leisti jiems supūti. Mes gulamės po chirurgo skalpeliu tam, kad išgelbėtume savo gyvybę, neprieštaraujame, kai skalpelis gelbsti ją mūsų artimiesiems – bet ne nepažįstamiems mums žmonėms. H jau nebeturi širdies, tačiau beširde jos nepavadinsi niekaip.

9

TIESIOG GALVA

Galvos kirtimas, reanimacija ir
žmogaus galvos transplantacija

Jeigu norėtumėte galutinai išsiaiškinti, ar žmogaus siela tikrai gyvena smegenyse, tai turėtumėte nurėžti žmogui galvą ir tiesiai jos to paklausti. Tiesa, reikėtų paskubėti, mat žmogaus smegenys, atskirtos nuo kūno deguonies šaltinio, po dešimties ar dvylikos sekundžių praranda sąmonę. Maža to, reikėtų iš anksto pamokyti žmogų atsakinėti mirktelėjimais, nes, galvai atsiskyrus nuo plaučių, žmogus jau nebegalės įtraukti oro pro gerklas, taigi nebegalės ir kalbėti. Bet iš esmės visa tai įmanoma. Ir jei žmogus jums pasirodys esąs tas pats individas, kuris buvo prieš nukertant galvą, na, gal tik nebe toks ramus, tuomet galėsite drąsiai skelbti: žmogaus esybė tikrai slypi smegenyse.

1795-aisiais nedaug trūko, ir Paryžiuje būtų buvęs atliktas beveik kaip tik toks eksperimentas. Ketveriais metais anksčiau oficialiu budelio įrankiu tapo giljotina, pakeitusi kartuves. Prietaisas pavadintas daktaro Žozefo Ignaco Giljotino vardu, nors šį mirties įnagį išrado ne jis. Jis tik primygtinai ragino juo naudotis, remdamasis tuo, kad ši galvos kirtimo mašina, kaip giljotiną vadino jis pats, žudo akimirksniu, vadinasi, tokia mirties bausmės priemonė laikytina kur kas humaniškesne.

O paskui jam po ranka pakliuvo štai kas:

Ar žinote, kad anaiptol negalima tvirtinti, kad, giljotina atskyrus galvą nuo kūno, žmogaus jausmai, asmenybė ir ego išnyksta akimirksniu?.. Ar žinote, kad jausmų ir suvokimo buveinė yra smegenyse – ir kad ši buveinė gali funkcionuoti net ir tada, kai smegenys atskirtos nuo kraujotakos?.. Taigi visą tą laiką, kol smegenyse tebėra jų gyvybinė galia, žmogus kuo puikiausiai suvokia savo būklę. Prisiminkite, kaip Haleris primygtinai tvirtina, esą galva, atskirta nuo vyro pečių, siaubingai susiraukė, kai egzekucijos dalyvis chirurgas bakstelėjo pirštu į stuburo kanalą. Maža to, patikimi liudininkai mane užtikrino savo akimis matę, kaip nuritinta nuo pečių galva griežia dantimis. Esu visiškai įsitikinęs: jeigu oras vis dar cirkuliuotų kalbos organais, tai galva... galėtų dar ir prašnekti...

...Giljotina sukelia siaubingas kančias! Privalome vėl grįžti prie mirties bausmės vykdymo pakariant.

Toks laiškas buvo išspausdintas Paryžiaus *Le Moniteur* laikraščio 1795-ųjų lapkričio 9-osios numeryje (ir perspausdintas Andrė Subirano rašytoje Giljotino biografijoje); laiško autorius – gerbiamas vokiečių anatomas S. T. Ziomeringas. Giljotiną apėmė siaubas, Paryžiaus medikų bendruomenė subruzdo kaip sukiršintų širšių lizdas. Paryžiaus medicinos mokyklos bibliotekininkas Žanas Žozefas Su, paremdamas Ziomeringą, viešai paskelbė savo nuomonę, esą nukirsta galva galinti girdėti, užuosti, matyti, net mąstyti. Jis net bandė prikalbinti kolegas imtis eksperimento, kuriame, „prieš auką paskerdžiant", keletas nelaimėlio draugų turėtų sutarti su juo dėl tam tikrų ženklų akių vokų ar žandikaulio krustelėjimais, kuriais nukirsdintasis praneštų „visiškai suvokiąs savo kančią". Žano Su kolegos iš medikų bendruomenės šitokio eksperimento idėją atmetė kaip šiurpią ir absurdišką, taigi eksperimentas taip ir nebuvo atliktas. Vis dėlto nukirstos, bet vis dar gyvos galvos idėja prasismelkė į visuomenę, jos apraiškų galime aptikti net populiariojoje literatūroje.

Toliau pateikiame dviejų išgalvotų budelių pokalbį iš Aleksandro
Diuma (tėvo) *Tūkstančio ir vienos šmėklos*:

– Ar tikrai manai, kad jie iš tiesų negyvi, jei giljotinuoti?
– Savaime suprantama!
– Ką gi, akivaizdu, kad tau niekad neteko žvilgtelėti į krepšį, į
kurį sudedamos visos galvos. Tu nematei, kaip jos varto akis ir
griežia dantimis dar geras penkias minutes po egzekucijos. Jos
spėja taip pragraužti dugną, kad mums kas tris mėnesius tenka
rūpintis naujais krepšiais.

Pasirodžius Ziomeringo ir Su pareiškimams apie galvas ir jų veik-
los požymius po egzekucijos, netrukus buvo apklaustas oficialus Pary-
žiaus budelio padėjėjas, dalyvavęs šimte dvidešimtyje nukirsdinimų,
Žoržas Martenas. Pasak Subirano, Martenas (ir nenuostabu) vis dėlto
palaikė tuos, kurie manė, kad, nukirtus galvą, mirtis žmogų ištinka
akimirksniu. Jis tvirtino matęs šimtą dvidešimt galvų dvi sekundes po
nukirtimo – ir visada „akys buvo sustingusios... akių vokai visiškai
nejudėjo. Lūpos jau būdavo nubalusios..." Taigi medicinos mokslo
atstovai bent tą kartą apsiramino, sambrūzdis nutilo.

Tačiau tuo Prancūzijos mokslo susidomėjimas galvomis anaiptol
nesibaigė. 1812-ųjų metų straipsnyje vienas toks fiziologas Legalua,
iškėlė mintį, kad jei asmenybė tikrai gyvuojanti smegenyse, tuomet
turėtų būti įmanoma atgaivinti atskirtą nuo liemens galvą sušvirkš-
čiant deguonies prisotinto kraujo pro atvertas smegenų arterijas.
„Jei gydytojai pamėgintų atlikti šitokį eksperimentą su giljotinos
nukirsta žmogaus galva, praėjus ne daugiau nei kelioms akimirkoms
po jo mirties, – rašė Legalua kolega profesorius Vulpianas, – tikriau-
siai jie taptų šiurpaus reginio liudininkais." Vertinant teoriškai, tol,
kol nenutrūksta kraujotaka, tol galva turėtų galėti mąstyti, girdėti,

matyti, užuosti (ir griežti dantimis, vartyti akis, kandžioti laboratorijos stalą), mat visi virš kaklo esantys nervai lieka sveiki ir vis dar prisitvirtinę prie galvos organų ir raumenų. Kadangi dėl anksčiau minėtos priežasties gerklos funkcionuoti nebegali, tokia galva kalbėti negalėtų, tačiau, bent jau eksperimentatoriaus požiūriu, tokia detalė jau nelabai ir svarbi. Legalua pritrūko galbūt išteklių, o gal ir narsos iš tikrųjų įgyvendinti šitokį eksperimentą, bet kai kuriems kitiems tyrinėtojams pakako ir vieno, ir kito.

1857-aisiais prancūzų gydytojas Č. Braunas-Sekaras nurėžė galvą šuniui, siekdamas išsiaiškinti, ar įmanoma priversti ją vėl veikti, suleidus į arterijas deguonies prisotinto kraujo. Injekcijas jis pradėjo praėjus aštuonioms minutėms nuo visiško galvos atsiskyrimo nuo kaklo. Dar po dviejų ar trijų minučių Braunas-Sekaras užfiksavo akių ir snukio raumenų judesius, kurie jam atrodė valingi. Gyvūno smegenyse, matyt, iš tiesų kažkas vyko.

Kadangi Paryžius tikrai nejautė giljotina kertamų galvų stygiaus, buvo tik laiko klausimas, kada kam nors šaus į galvą panašiai paeksperimentuoti ir su žmogumi. Tokiai užduočiai niekas kitas negalėjo tikti geriau nei vienas žmogus, kuris jau – ir ne kartą – pagarsėjo visokiausiais keistais kūnų gaivinimo veiksmais. Tasai žmogus – Žanas Baptistas Vensenas Laboras – tas pats Žanas Baptistas Vensenas Laboras, kuris kartą jau buvo pasirodęs šios knygos puslapiuose: jis ragino valandų valandas timpčioti negyvėlio liežuvį, jei kildavo įtarimų, kad numirėlis – kol kas dar ne numirėlis, tik komos būklės. 1884-aisiais Prancūzijos valdžia ėmėsi tiekti Laborui nukirsdintų nusikaltėlių galvas, kad šis galėtų ištirti jų smegenų ir nervų sistemos būklę. (Šių bandymų aprašymai pasirodė daugelyje Prancūzijos medicininių žurnalų, svarbiausias jų – *Revue Scientifique*.) Viltasi, kad Laborui pavyks prisikasti iki pat esmės to, ką jis pats vadino siaubingąja legenda – iki pakankamai pagrįstos tikimybės, kad giljotinos nurėžta galva – tegul tik akimirksnį – vis dėlto spėja suvokti savo padėtį (suprasti atsidūrusi krepšyje, jau be viso kūno). Kai tik galvą pristatydavo jam į laboratoriją, Laboras skubiai pragręždavo kaukolę ir tiesiai į smegenis kišdavo adatas, stengdamasis sukelti vienokią ar kitokią nervų sistemos reakciją. Sekdamas Brauno-Sekaro pavyzdžiu, jis bandė galvas ir atgaivinti, dirbtinai atkurdamas kraujotaką.

Pirmasis Laboro tyrinėjimų subjektas buvo žudikas Kampis. Sprendžiant iš Laboro aprašymo, jo išvaizda toli gražu neatitiko galvažudžio stereotipo. Jo čiurnos buvo liaunos, o rankos – baltos, išpuoselėtos. Ant odos – nė dėmelės, išskyrus nuobrozdą ant kairiojo skruosto – Laboro manymu, įgytą tada, kai galva riedėjo nuo pečių į giljotinos krepšį. Paprastai Laboras negaišdavo laiko ir nesuasmenindavo savo tyrinėjimų subjektų, verčiau vadindavo juos paprasčiausiai *restes frais*. Išvertus pažodžiui, tai reiškia „šviežios liekanos", tačiau prancūziškai ši sąvoka maloniai dvelkteli kažkuo kulinariniu – tarsi koks patiekalas, kurį galėtum užsisakyti artimiausiame bistro iš dienos valgių sąrašo.

Kampis buvo atgabentas dviem dalimis – ir gerokai per vėlai. Idealiomis sąlygomis atstumą nuo ešafoto iki Laboro laboratorijos Vokeleno gatvėje buvo galima įveikti maždaug per septynias minutes. O Kampis keliavo ištisą valandą ir dvidešimt minučių – ir vien dėl, pasak Laboro, „to kvailo įstatymo", draudžiančio mokslininkams perimti nukirsdinto nusikaltėlio kūną, kol šis nekirto miesto kapinių slenksčio. O tai reiškė, kad Laboro vairuotojui teko sekti paskui galvas, kol šios „atliks sentimentalią kelionę į ropių lauką" (jei tik šiuo atveju nesušlubavo mano prancūzų kalba), o tik paskui jas susirinkti ir gabenti per visą miestą į laboratoriją. Turbūt nereikia nė sakyti, kad Kampio smegenų būklė seniai nebebuvo niekuo panaši į normaliai funkcionuojančių.

Persiutęs dėl tuščiai pražuvusių tokių brangių aštuoniasdešimties pomirtinių minučių, Laboras nutarė kitą galvą pasitikti pats prie kapinių vartų ir ten pat imtis darbo. Drauge su padėjėjais jis įsirengė improvizuotą kelioninę laboratoriją arklio traukiamame vežime: apsirūpino laboratoriniu stalu, penkiomis kėdėmis, žvakėmis ir kita būtina įranga. Antrasis subjektas buvo Gamajutas – šį faktą sunku būtų pamiršti, nes vardas buvo ištatuiruotas ant vyriškio liemens. O drauge – tarsi koks pranašingas liūdnos būsimosios jo lemties ženklas – buvo ištatuiruotas ir jo portretas – tiktai veidas, be jokių linijų, kurios rodytų esant ir visą kūną: atrodė visai kaip atskirai plūduriuojanti galva.

Gamajuto galva, kai tik pasiekė vežimą, po kelių minučių jau buvo inde su kraujavimą stabdančiu preparatu, ir vyrai kibo į darbą: ėmėsi gręžti kaukolėje skyles ir į įvairias smegenų sritis smaigstyti adatas, siekdami išsiaiškinti, ar įmanoma sužadinti bent kokią nebegyvo nusikaltėlio nervų sistemos veiklą. Sugebėjimas atlikti smegenų operaciją, visu greičiu dardant gatvės grindiniu, ko gero, liudija Laborą turėjus iš tiesų tvirtą ranką, nors šį tą pasako ir apie devynioliktojo amžiaus karietų gamintojų meistriškumą. Jei būtų amatininkai žinoję, kam bus skirtas jų gaminys, gal būtų surengę veiksmingą reklaminę kampaniją ir, pavyzdžiui, lygiai riedančio Oldsmobilio užpakalinę sėdynę būtų papuošę deimantiniu rėžtuku.

Laboro tyrinėtojų grupė paleido adatomis elektros srovę ir aiškiai pamatė tai, ko ir tikėjosi – kaip trūkčioja Gamajuto lūpos ir žandikaulis. Vienu metu – priblokšti liudininkai net šūktelėjo iš nustebimo – galva lėtai pramerkė vieną akį, tarsi buvęs kalinys, visai suprantama, kaip didžiai sunerimęs, mėgintų išsiaiškinti, kur atsidūręs, kokia čia pragaro skylė. Vis dėlto nuo nukirsdinimo jau buvo prabėgę pernelyg daug laiko, tad ir šis krustelėjimas nebegalėjo būti niekas daugiau kaip tik paprasčiausias refleksas.

Trečiąsyk mėgindamas kuo greičiau įsigyti galvą, Laboras ryžosi elementariausiam papirkimui. Vietiniam municipaliniam viršininkui padedant, trečioji – giljotinuotojo Ganji – galva ant laboratorijos stalo atsidūrė jau per septynias minutes. Į dešiniosios pusės kaklo arterijas išsyk buvo pradėtas pumpuoti deguonimi praturtintas karvės kraujas, o kitos pusės arterijos, šįsyk – jau nukrypstant nuo Brauno-Sekaro metodo – sujungtos su gyvo stipraus šuns kraujagyslėmis. Laboras pasižymėjo įspūdingu sugebėjimu fiksuoti menkiausias detales, kurias to meto medicinos žurnalai, regis, mielai įsileisdavo į savo puslapius. Pavyzdžiui, visa pastraipa buvo skirta vaizdingam pasakojimui apie įkurdintą ant stalo galvą, kuri vos vos siūbavo į kairę ir į dešinę nuo pulsuojančio, į ją tekančio šuns kraujo. Kitame straipsnyje Laboras nepatingėjo smulkiai nupasakoti Gamajuto šalinimo organų pomirtinį turinį; nors ši informacija visiškai niekaip nesisiejo su eksperimentu, Laboras, regis, iš nuostabos negali pranešti, kad numirėlio skrandis ir žarnos – visiškai tušti, išskyrus tik mažytį išmatų kamštelį pačiame gale.

Dirbdamas su Ganji galva, Laboras užvis labiausiai priartėjo prie to, ką galėtume pavadinti normaliomis smegenų funkcijomis. Jam pavyko priversti susitraukinėti akių vokų, kaktos, apatinio žandikaulio raumenis. Vieną kartelį Ganji burna užsičiaupė taip smarkiai, kad net pasigirdo garsus dantų kaukštelėjimas. Vis dėlto, kadangi nuo peilio ašmenų kirčio iki kraujotakos atkūrimo praėjo dvidešimt minučių – o negrįžtami smegenų pokyčiai prasideda praėjus nuo šešių iki dešimties minučių po mirties – Ganji smegenys jau buvo pernelyg apmirusios, kad pavyktų atkurti bent ką nors panašaus į sąmonę – jos taip ir liko palaimingoje nežinioje dėl gluminančių jas ištikusių įvykių. Šuo praleido savo paskutiniąsias ir, savaime aišku, jau nebe tokias šaunias minutes stebėdamas, kaip jo kraujas teka į kažkieno kito galvą, ir tikriausiai pats ne menkiau kaukšėdamas dantimis.

Laboro susidomėjimas galvomis netrukus išsivadėjo, tačiau jo darbus perėmė du eksperimentatoriai prancūzai – Ejemas ir Barijė. Tuodu išplėtojo kone kažką panašaus į namudinę pramonę ir perpylė kraują dvidešimt dviem šunų galvoms iš gyvų šunų ir arklių. Jie susimeistravo stalo giljotiną – tokio dydžio, kad tiktų šuns kaklui, ir išspausdino keletą straipsnių. Juose išnagrinėtos trys neurologinio aktyvumo fazės po galvos nukirsdinimo. Ponas Giljotinas būtų gerokai susikrimtęs, jei būtų turėjęs galimybę perskaityti Ejemo ir Barijė išvadas apie pradinę, arba „konvulsyviąją", ką tik nukirstos galvos fazę. Pasak eksperimentatorių, galvos veido išraiška akivaizdžiai bylojo apie nuostabą, arba „didelį nerimą", atrodė, kad kokias tris ar keturias sekundes galva visiškai sąmoningai suvokia aplinkinį pasaulį.

Praėjus dar aštuoniolikai metų, prancūzų mokslininkas Borijo patvirtino Ejemo ir Barijė pastebėjimus, o kartu – ir Ziomeringo įtarimus. Vietoj laboratorijos naudodamasis tiesiog viešuoju Paryžiaus ešafotu, jis ėmėsi gana paprastų stebėjimų ir eksperimentų – tam buvo skirta kalinio Langilio galva. Borijo gavo galimybę stebėti ją, vos tik giljotinos peilio atskirtą nuo kūno.

Taigi štai ką aš pastebėjau iškart po galvos nukirtimo: nukirsdinto vyriškio akių vokai ir lūpos netvarkingai susitraukinėjo dar penkias ar šešias sekundes... [paskui] liovėsi. Veidas atsipalaidavo, vokai pusiau pridengė akių obuolius... lygiai taip, kaip nutinka mirštantiesiems, ką mūsų profesijos atstovams tenka regėti kiekvieną dieną... Kaip tik tuo metu aš garsiai, šaižiai riktelėjau: „Langili!" Ir tada išvydau, kaip akių vokai pasikėlė – lėtai, nieku gyvu ne spazminiu raumenų susitraukimu... kaip tik šitaip prasimerkia žmogus, pažadintas iš miego ar iš gilių minčių. Be to, ir pačios Langilio akys, be jokios abejonės, žiūrėjo tiesiai į manąsias, žvilgsnis neklaidžiojo, vyzdžiai buvo fokusuoti. Galiu drąsiai tvirtinti: regėjau anaiptol ne blausų, apdujusį žvilgsnį, koks būna būdingas mirštantiesiems – man pačiam ne kartą teko tokius kalbinti. O čia neabejotinai gyvos akys žiūrėjo konkrečiai į mane.

Po kelių sekundžių akių vokai vėl nusileido – lėtai, tolygiai; galva vėl atrodė lygiai taip pat, kaip ir prieš man riktelint. Tada aš riktelėjau dar kartą – ir vėl akių vokai lėtai, be jokių konvulsijų kilstelėjo, neabejotinai gyvos akys vėl sutelkė žvilgsnį į manąsias – galbūt netgi dar skvarbesnis buvo žvilgsnis nei pirmąjį kartą... Pabandžiau šūktelėti ir trečią kartą, bet vokai jau nebejudėjo, akys sustiklėjo kaip ir visų negyvėlių...

Savaime aišku, jūs jau numanote, kur sukame kalbą. O kalbą mes sukame į žmogaus galvos transplantaciją. Jei smegenys – asmenybė – ir visa galva, kurioje jos yra, gali funkcionuoti, aprūpinant krauju iš šalies, bent jau tol, kol tas aprūpinimas nenutrūksta, tuomet kodėl nepabandžius eiti iki galo ir neįtaisius galvos ant gyvo, kvėpuojančio kūno, kad ji būtų aprūpinama krauju nenutrūkstamai? Ką gi, kalendoriaus lapeliai žyra, Žemė sukasi aplink savo ašį – ir štai, mes jau Sent Luise, Misurio valstijoje; laikas – 1908-ųjų gegužė.

Čarlzas Gatris (Charles Guthrie) buvo vienas organų transplantacijos pradininkų. Drauge su kolega Aleksisu Kareliu (Alexis Carrel) jie pirmieji įvaldė anastomozės – tai yra vienos kraujagyslės prisiuvimo prie kitos be jokių plyšelių – meną. Tais laikais šitokia užduotis reikalavo begalės kantrybės ir rankų miklumo, be to, dar ir be galo plonyčio siūlo (vienu metu Gatris bandė siūti netgi žmogaus plauku). Kone tobulai įgudę susiūti kraujagysles, Gatris ir Karelis ėmė tiesiog mėgautis jų jungimu ir kibo persodinėti vienų šunų šlaunų dalių ar ištisų priekinių kojų kitiems šunims, prisiūdavo prie slėpsnų papildomus inkstus ir palaikydavo juos gyvybingus kūno išorėje. Karelis už indėlį į medicinos mokslą net pelnė Nobelio premiją; Gatris, kur kas drovesnis ir kuklesnis, per baisų neapsižiūrėjimą liko neįvertintas.

Gegužės dvidešimt pirmąją Gatriui pavyko įskiepyti vieno šuns galvą į kito šuns kaklą – šitaip jis sukūrė pirmą pasaulyje žmogaus rankų darbo dvigalvį šunį. Arterijas jis susiuvo taip, kad kraujas iš viso šuns kūno tekėtų per svetimąją pritvirtintą galvą ir grįžtų į sveikojo šuns kaklą, iš ten patektų į smegenis ir vėl atgal kraujotakos ratu. Gatrio knygoje *Kraujagyslių chirurgija ir jos taikymas* įdėta ir to istorinio gyvio nuotrauka. Jeigu ne paaiškinamas užrašas, galėtum pamanyti, kad tai – kažkoks ypač retos rūšies sterblinis šuo ar veikiau kalė, kuriai iš kailyje slypinčios sterblės kyšo didoka šunyčio galva. Papildomą galvą chirurgai prisiuvo prie kaklo pagrindo apverstą, taigi dvi galvos kone glaudėsi smakrais, kurdamos intymumo įspūdį, nesvarbu, kad jų bendrabūvis, švelniai tariant, turėjo būti labai jau įtemptas. Įtariu, kad maždaug tokį pat įspūdį turėjo kelti ir to meto pačių Gatrio ir Karelio portretai.

Vis dėlto, kaip ir mesjė Ganji atveju, tarp galvos nukirtimo ir tos akimirkos, kai buvo atkurta kraujotaka, praėjo pernelyg daug laiko (dvidešimt minučių), tad papildoma šuns galva ir jos smegenys kažin kiek funkcionuoti nebegalėjo. Gatris mini net keletą pačių paprasčiausių judesių ir primityvių refleksų, panašių į tuos, kuriuos pastebėjo ir Laboras ar Ejemas: vyzdžių susitraukimą, šnervių trūkčiojimą, specifinius liežuvio judesius. Vieną vienintelį kartą laboratoriniuose Gatrio užrašuose vis dėlto lyg ir užsiminta, kad apverstoji šuns galva galėjo šiek tiek suvokti, kas įvyko: „5.31. Ašarų išsiskyrimas…" Abu šunis teko užmigdyti, nes prasidėjo komplikacijos – praėjus maždaug septynioms valandoms po operacijos.

Pirmosios šunų galvos, galėjusios džiaugtis (jei tik čia pritinka šis žodis) visavertėmis smegenų funkcijomis, buvo tos, kurias persodino dvidešimto amžiaus šeštojo dešimtmečio sovietų transplantacijos meistras Vladimiras Demikovas. Jis iki minimumo sutrumpino laiką, kurį atkirsta donoro galva turėjo išbūti be deguonies, naudodamasis „kraujagyslių siuvamąja mašina". Jis suaugusiems šunims transplantavo dvidešimt šuniukų galvų – tiksliau sakant, persodindavo ištisą kūno dalį: galvą, pečius, plaučius ir priekines kojas drauge su stemple, nelabai tvarkingai išeinančia tiesiog šuns išorėn – siekdamas išsiaiškinti, kaip šitokie jo sukurti dariniai elgsis ir kiek laiko išgyvens (paprastai išgyvendavo nuo dviejų iki šešių dienų, bet vienas nudvėsė tik po dvidešimt devynių).

Knygą *Eksperimentinis gyvybiškai svarbių organų transplantavimas* Demikovas iliustravo eksperimento Nr. 2, atlikto 1954-ųjų vasario 24-ąją, nuotraukomis, pridėjo ir laboratorinius užrašus. Tąsyk jis persodino mėnesio amžiaus šuniuko galvą ir priekines kojas suaugusiam šuniui, iš pažiūros – Sibiro láikai. Užrašai atskleidžia gyvybingą, kad ir ne itin džiaugsmingą mažo šunyčio galvos egzistenciją:

09.00. Donoro galva godžiai atsigėrė vandens ir pieno; ji trūkčiojo, tarsi stengdamasi atsiskirti nuo recipiento kūno.

22.30. Recipientą guldant į guolį, transplantuota galva iki kraujo įkando vienam darbuotojų į pirštą.

Vasario 26, 18.00. Donoro galva įkando recipientui į ausį taip, kad šis sucypė ir papurtė galvą.

Demikovo transplantacijos subjektus paprastai pribaigdavo imuninės reakcijos. Imunitetą slopinančių vaistų tais laikais dar nebuvo, tad suaugusiojo šuns imuninė sistema, savaime suprantama, kakle smygsančias kito šuns kūno dalis laikė svetimkūniais ir atitinkamai reagavo. Šitaip Demikovas galiausiai atsitrenkė į akliną sieną. Išbandęs visų įmanomų šuns kūno dalių ir jų kombinacijų persodinimą kitam šuniui*, jis uždarė savo laboratoriją ir prasmego į užmarštį.

---

* Kai Demikovui nusibodo iš vienur perkėlinėti kitur galvas ir įvairius organus, jis ėmėsi pjaustyti šunis perpus. Jo knygoje smulkiai aprašyta operacija, kai jis du šunis perrėžė pusiau ties diafragma, puses sukeitė ir susiuvo arterijas. Jis aiškino, kad šitoks transplantavimo būdas užimtų mažiau laiko nei dviejų ar trijų atskirų organų persodinimas. Tačiau kartą nutraukus stuburo nervus, jų vėl sujungti jau niekaip nebeįmanoma, tad apatinė kūno dalis liktų visiems laikams paralyžiuota. Dėl to šitoks transplantavimo metodas didesnio entuziazmo nesukėlė.

Jei Demikovas būtų šiek tiek daugiau išmanęs apie imunologiją, jo karjera, ko gero, būtų susiklosčiusi visai kitaip. Tikriausiai jis būtų supratęs, kad smegenims gamta yra suteikusi vadinamąją „imunologinę privilegiją", tad jų gyvybę galima palaikyti ištisas savaites, aprūpinant kito kūno krauju, ir jokia atmetimo reakcija negrės. Kadangi jas saugo hematoencefalinis barjeras, jos neatmetamos taip, kaip kiti organai ir audiniai. Kai Gatrio ar Demikovo operuotų šunų galvų gleivėtieji audiniai po operacijos praėjus dienai ar dviem imdavo tinti ir kraujuoti, smegenys skrodimo metu atrodydavo visai normaliai. Štai čia ir prasideda keistenybės.

Dvidešimto amžiaus septintojo dešimtmečio viduryje neurochirurgas Robertas Vaitas pradėjo „izoliuotų smegenų preparavimo" eksperimentus: iš vieno gyvūno kaukolės išimtas gyvas smegenis prijungdavo prie kito gyvūno kraujotakos sistemos ir išsaugodavo jas gyvas. Kitaip nei Demikovo ir Gatrio eksperimentuose, kai būdavo transplantuojama visa galva, Vaito transplantuojamos smegenys, be jokio veido ir be jutimo organų, galėjo gyventi nebent tik mintimis ir prisiminimais. Turint omenyje, kad dauguma šitokių šuns ar beždžionės smegenų atsidurdavo kito gyvūno kakle ar pilve, jų negebėjimą nieko justi, ko gero, reikėtų laikyti tikra palaima. Nors kažkieno kito pilvo ertmė galbūt ir gali kelti šiokį tokį susidomėjimą, pavyzdžiui, jeigu esi smalsus chirurgas, vis dėlto vargu ar yra tokia vieta, kur norėtųsi apsistoti visam likusiam gyvenimui.

Vaitas išsiaiškino, kad procedūros metu smegenis atšaldžius ir šitaip sulėtinus smegenų ląstelių irimo procesus – panaši technika šiandien naudojama organų išėmimo ir transplantavimo operacijose – visai įmanoma išsaugoti daugumą įprastinių organo funkcijų. O tai reiškia, kad operuojamų beždžionių individualybė – dvasia, siela – išlieka ir tęsia savo egzistenciją iki pat dienų galo, tiktai be kūno, be jokių kūniškų pojūčių, kito gyvūno organizmo viduje. Kažin kaip tai turėtų atrodyti? Koks galėtų būti šitokios egzistencijos tikslas, kaip galima būtų šitokius eksperimentus pateisinti? Galbūt Vaitas kūrė planus vieną gražią dieną šitaip izoliuoti ir žmogaus smegenis? Ir koks turėtų būti žmogus, kuris šitokį dalyką sugalvoja ir įgyvendina?!

Norėdama visa tai sužinoti, apsisprendžiau aplankyti patį Vaitą, kuris, išėjęs į pensiją, įsikūrė Klivlende. Ketinome susitikti Metro sveikatos apsaugos centre, kaip tik aukštu žemiau nei buvo įsikūrusi laboratorija, kurioje Vaitas darė tas istorinės reikšmės operacijas – ši laboratorija buvo išsaugota kaip savotiška viešosios paskirties šventovė. Atvažiavau valanda per anksti ir visą tą valandą maliausi po Metro sveikatos apsaugos alėją, ieškodama kokio kampelio prisėsti, atsigerti kavos ir dar kartą perversti Vaito straipsnius. Tačiau jokio kampelio taip ir neradau. Galų gale teko grįžti prie ligoninės ir įsikurti ant žolytės prie automobilių aikštelės. Teko girdėti, kad Klivlendas išgyvena pakilimą, tačiau atgimimo apraiškų, matyt, reikėtų ieškoti kokiame nors kitame miesto rajone. Pasakysiu tik tiek, kad čia praleisti paskutiniųjų savo dienų tikrai nenorėčiau, nors gal čia ir geriau nei beždžionės pilve, vis dėlto ne taip daug rasi tokių rajonų kaip šitas.

Vaitas vedasi mane ligoninės koridoriais ir laiptais, praeiname neurochirurgijos skyrių, kopiame laiptais į senąją jo laboratoriją. Pačiam Vaitui jau septyniasdešimt šešeri, jis liesesnis nei tais laikais, kai darė savo garsiąsias operacijas, bet šiaip jau laikas jam buvo pakankamai gailestingas. Į mano klausimus jis atsakinėja tarytum kiek mechaniškai, kantriai – turbūt šito ir reikia tikėtis iš žmogaus, kuriam tokie klausimai jau buvo uždavinėjami šimtus kartų.

– Na štai, – taria Vaitas. Lentelė prie durų byloja: NEUROCHIRURGIJOS TYRINĖJIMŲ LABORATORIJA.

Tai ničnieko neatskleidžia. Žengti į šią laboratoriją – tas pat, kas žengti atgal į 1968-uosius, kai laboratorijos dar nešvytėdavo akinamu baltumu be jokios dėmelės. Stalviršiai – iš blausiai juodo akmens, išterlioti baltais apskritimais, spintelės ir stalčiai – mediniai. Čia jau senokai niekas nešluostė dulkių, vieną langą apraizgė gebenė. Dienos šviesos lempos – su tokiais senoviniais gaubtais, kurie primena skardinius dėklus ledams parduotuvės šaldytuve.

– Štai čia mes šaukėme „Eureka!" ir šokome džiaugsmo šokį, – prisimena Vaitas.

Tiesa, šokiams vietos čia ne kažin kiek. Laboratorija visai mažytė, prigrūsta visokių daiktų, žemomis lubomis; stovi dvi kėdės mokslininkams ir veterinarinis operacinis stalas bengališkosioms makakoms. O kas tuo metu, kai Vaitas su kolegomis šoko, darėsi beždžionės smegenyse? Klausiu jo: kaip jis įsivaizduoja, koks turėtų apimti jausmas staiga suvokus, kad iš tavęs nebeliko nieko – vien tiktai mintys? Savaime suprantama, aš – ne pirmoji žurnalistė, užduodanti šį klausimą. Legendinė Oriana Falači* to paties klausė Vaito neurofiziologo Leo Masopusto, 1967-ųjų lapkritį imdama interviu *Look* žurnalui. „Manau, kad kai nesi blaškomas pojūčių, gali mąstyti sparčiau, – gyvai atsakęs daktaras Masopustas. – Koks tasai mąstymas galėtų būti – šito nežinau. Labiausiai tikėtina, kad tik susikaupę prisiminimai, tarsi saugoma informacija, sukaupta dar gyvenant kūne. Toliau plėtotis protas nebegali, nes jau nebėra maitinamas potyrių. Vis dėlto tai – irgi nauja patirtis."

---

* Legendinė dėl to, kad pjovė be peilio valstybių galvas nuo K. Kisindžerio iki J. Arafato („gimusi erzinti"). Falači bakstelėjo ir Vaitui, kai suteikė vardą anoniminei laboratorijos beždžionei, kurios smegenų išėmimą stebėjo, ir paskelbė, pavyzdžiui, tokių savo rašinių: „Kol vyko visa tai [smegenų išiminėjimas ir prijungimas], niekas nekreipė dėmesio į Libės kūną, kuris tysojo be jokių gyvybės ženklų. Profesorius Vaitas juk galėjo aprūpinti krauju ir jį – pasirūpinti, kad kūnas gy ventų, kad ir be galvos. Tačiau profesorius Vaitas nesiteikė to padaryti, tad kūnas taip ir liko gulėti visų užmirštas".

Vaitas mėgina šią piliulę pasaldinti. Užsimena apie dvidešimto amžiaus aštuntajame dešimtmetyje vykdytus tyrinėjimus izoliuotoje kameroje – bandomųjų subjektų joje nepasiekdavo jokia pojūčiais priimama informacija: jie negalėjo ničnieko girdėti, matyti, užuosti, paliesti nei paragauti. Tų žmonių būklė priartėjo kiek tik įmanoma (be Vaito pagalbos) prie smegenų būklės dėžutėje.

– Žmonės [tokiomis sąlygomis] tiesiogine prasme pradeda kraustytis iš proto, – sako Vaitas. – Ir net gana greitai.

Nors beprotybė daugeliui žmonių irgi yra nauja patirtis, vis dėlto vargu ar kas nors pasisiūlytų savanoriu tapti Vaito izoliuotomis smegenimis. Žinoma, Vaitas negalėjo priversti ko nors tam ryžtis – o juk, jei būtų galėjęs, tai, įtariu, su Oriana Falači jis būtų dėl šito susitaręs mielai.

– Be to, – sako Vaitas, – tokiu atveju neišvengiamai iškiltų mokslinio pritaikomumo klausimas. Šito juk niekaip neįmanoma pateisinti.

O kuo tuomet teisinti tai, kad smegenų izoliaciją teko ištverti makakoms? Paaiškėjo, kad eksperimentai su izoliuotomis smegenimis tebuvo tik žingsnis keliu, vedančiu į galimybę perkelti visą galvą ant kito kūno ir išlaikyti ją gyvą. Kai ėmė eksperimentuoti Vaitas, jau buvo sukurtų imuninei sistemai slopinti skirtų vaistų, taigi išsisprendė daugelis audinių atmetimo problemų. Jei Vaito eksperimentuotojų grupei būtų pavykę pašalinti visus nesklandumus su smegenimis ir priversti jas normaliai funkcionuoti be kūno, tuomet grupė būtų ėmusis dirbti jau su visomis galvomis. Pirmiausia – beždžionių, o paskui, kaip vylėsi, ir žmonių.

Mūsų pokalbis persikraustė iš Vaito laboratorijos į netoliese esantį nediduką Artimųjų Rytų restoranėlį. Mano patarimas skaitytojams: jei kada nors tektų kalbėtis apie beždžionių smegenis, jūs tuo metu nesumanykite užsisakyti baba ganušo nei jokio kito minkšto, pilkšvai žvilgančio patiekalo.

Vaitas, galvodamas apie būsimąsias operacijas, vertino jas ne kaip galvos, o kaip viso kūno transplantaciją. Kodėl negalvojus apie tai šitaip: mirštantis recipientas, užuot gavęs vieną ar du paaukotus organus, gali gauti visą donoro – lavono su mirusiomis smegenimis, bet plakančia širdimi – kūną. Priešingai nei Gatris ar Demikovas, Vaitas būtų ne kūręs daugiagalves pabaisas, o pašalinęs kūno donoro galvą ir jos vieton prisiuvęs kitą. Vaito manymu, logiškiausias naujo kūno recipientas būtų paralyžiuotasis – kvadriplegikas. Visų pirma, pasak Vaito, kvadriplegikai paprastai negyvena ilgai, mat jų organai liaujasi funkcionavę greičiau nei sveikų žmonių. Tad perkėlus jį – jo galvą – ant naujo kūno, kvadriplegikas laimėtų dešimt ar dvidešimt metų gyvenimo, be to, jam iš esmės nepasikeistų gyvenimo kokybė. Sunkios būklės kvadriplegikų, suparalyžiuotų nuo pat kaklo, kuriems reikalinga dirbtinė plaučių ventiliacija, vis dėlto viskas, kas yra virš kaklo, veikia kuo puikiausiai. Taip pat ir transplantuota galva. Kadangi bent jau kol kas nė vienas neurochirurgas nesugebėtų sujungti nutrauktų stuburo nervų, asmuo su nauju kūnu taip ir liktų kvadriplegikas – tik jau nebepasmerktas greitai mirčiai.

– Tokia galva girdėtų, justų skonį, matytų, – tvirtina Vaitas. – Ji galėtų skaityti, klausytis muzikos. O ir kaklui galima suorganizuoti įtvarą, panašų kaip aktoriaus K. Ryvso.

1971-aisiais Vaitui pavyko tai, ką tiesiog sunku aprėpti protu. Jis nurėžė galvą vienai beždžionei ir prisiuvo prie kitos, nukirstagalvės beždžionės kaklo. Operacija truko aštuonias valandas, jai prireikė gausybės asistentų, kiekvienam jų buvo smulkiai nurodytas kiekvienas krustelėjimas: netgi kur stovėti ir ką sakyti. Vaitas iš anksto, dar prieš kelias savaites operacinėje pažymėjo visų pozicijas, kreida pribraižęs ant grindų apskritimų ir rodyklių, kaip koks futbolo treneris. Pirmasis etapas buvo atlikti beždžionėms tracheotomiją ir prijungti abiem dirbtinio kvėpavimo sistemas, mat abiem neišvengiamai reikėjo perpjauti trachėją. Paskui Vaitas įpjovė abiem beždžionėms kaklą, bet tik iki stuburo ir pagrindinių kraujagyslių – dviejų miego arterijų, kuriomis kraujas teka į smegenis, ir dviejų jungo venų, kuriomis grįžta į širdį. Paskui jis nudrožė kaulą, kyšantį donoro kaklo viršuje, ir uždengė metaline plokštele; taip pat pasielgė ir su apatine galvos dalimi. (Kai sujungė kraujagysles, abi plokšteles irgi suveržė į vieną.) Galiausiai, pasitelkęs ilgus lanksčius vamzdelius, jis donoro kūno kraujotakos sistemą nukreipė maitinti naujosios galvos, tekėti susiūtomis kraujagyslėmis. Galų gale nupjovė senąją galvą nuo krauju aprūpinančių kūno kraujagyslių.

Savaime aišku, aš visa tai išdėsčiau gerokai paprasčiau. Beveik gali pasirodyti, kad šitokį darbą įmanoma nuveikti pasitelkus paprasčiausią mėsininko peilį ir siuvimo priemonių dėžutę. Jei norite sužinoti apie šią operaciją smulkiau, siūlyčiau pavartyti žurnalo *Surgery* 1971-ųjų liepos mėnesio numerį – ten rasite Vaito straipsnį su detaliu operacijos aprašu, iliustruotą rašalu pieštomis iliustracijomis. Man labiausiai patinka ta, kur matome beždžionės kūną su blausia, vaiduokliška galva virš pečių – ji rodo vietą, kur dar neseniai iš tiesų būta galvos, o smagi rodyklė per visą piešinį rodo į tuščią erdvę virš antrosios beždžionės kūno – kaip tik ten dabar atsidūrusi pirmosios galva. Šie piešinėliai tarytum kuria tvarkingos, dalykiškos operacijos įspūdį, nors iš tikrųjų ji, reikia manyti, buvo chaotiška ir ypač kruvina. Panašiai ir informacija apie avarinius išėjimus teikia dūžtančių lėktuvų interjerams kone užtikrintumo įspūdį. Vaitas operaciją filmavo, tačiau, nepaisant begalinių mano maldavimų ir meilikavimų, taip ir nesutiko parodyti filmuotos medžiagos. Pasakė, kad per daug kraujo.

Dėl kraujo tai aš tikrai nebūčiau apalpusi. O neabejotinai paveiktų mane beždžionės veido išraiška, kai, išsivadėjus anestezijai, ji suprato, kas atsitiko. Vaitas šį akimirksnį aprašė straipsnyje „Beždžionių galvų transplantacija sukeičiant vietomis": „Kiekvienas cefalonas [galva] akivaizdžiai reagavo į aplinką... Akys sekė judančius asmenis ir daiktus, įneštus į regėjimo lauką, cefalonai visą laiką demonstravo kovingą nusiteikimą, pavyzdžiui, oraliai stimuliuojami, imdavo kandžiotis". Kai Vaitas įdėdavo joms į burnas maisto, jos imdavo kramtyti ir net stengdavosi ryti, – gana bjaurus pokštas, mat operuojant stemplė nebuvo prijungta prie kūno, tad virto aklikeliu. Beždžionė su svetima galva pragyvendavo nuo šešių valandų iki trijų dienų; dauguma mirė nuo audinių atmetimo arba kraujavimo. (Siekiant išvengti anastomozuotų arterijų užsikimšimo, beždžionėms buvo leidžiami antikoaguliantai, o dėl šito irgi buvo bėdų.)

Paklausiau Vaito, ar kada nors jam pasitaikę žmonių, kurie ryžtųsi pasiūlyti savo galvą. Vaitas paminėjo vieną senyvą paralyžiuotą turtuolį iš Klyvlendo, kuris leido suprasti: esą, jei kūno transplantacija bus ištobulinta anksčiau, nei jam išmuš paskutinioji, jis surizikuosiąs išbandyti. „Ištobulinta" – štai kur šuo pakastas. Su žmonėmis amžinai ta pati bėda: niekas nepageidauja būti pirmas. Nė vienam nesinori padaryti savo galvos bandomuoju triušiu.

O jeigu kas nors vis dėlto sutiktų, ar Vaitas imtųsi šitokios operacijos?

– Žinoma. Nematau jokių kliūčių sėkmingai operuoti žmogų.

Vaitas nemano, kad pirmoji žmogaus galvos transplantacijos operacija galėtų būti atlikta Jungtinėse Valstijose: čia pernelyg gausi biurokratija, institucijos iš paskutiniųjų priešinasi radikalioms naujovėms.

– O šiuo atveju kaip tik ir tenka susidurti su tokia operacija, kokiai analogiškų iki šiol nebūta niekur. Niekas negali apsispręsti, kaip tai vertinti: ar tai viso kūno, ar galvos, o gal net smegenų ar net sielos transplantacija. Be to, iškyla ir dar viena problema. Galimas dalykas, žmonės sakys: „Tik pagalvokite, kiek žmonių galima išgelbėti panaudojus visus kūno organus, o jūs visą kūną norite atiduoti vienam vieninteliam. Ir dar žinodami, kad jis taip ir liks paralyžiuotas".

Vis dėlto esama ir kitų šalių – tokių, kur valdžios organai ne taip mėgsta kaišioti nosį į visus reikalus. Tos šalys išskėstomis rankomis priimtų Vaitą, jei tik šis sumanytų atvykti ir atlikti istoriškai reikšmingą galvos pakeitimo operaciją.

– Kijeve galėčiau imtis to kad ir rytoj. Dar didesnis susidomėjimas kunkuliuoja Vokietijoje ir Anglijoje. Ir Dominikos Respublikoje. Visi trokšta, kad aš tą padaryčiau. Italija irgi norėtų, kad to imčiausi. Bet iš kur gauti pinigų?

Kaina virsta rimta kliūtimi netgi Jungtinėse Valstijose. Kaip kad pabrėžia Vaitas:

– Kas imsis finansuoti tyrinėjimus, kai operacija kainuoja šitaip brangiai, o net ir sėkmės atveju pasinaudoti metodu galės tik labai nedaugelis?

Tarkime, kas nors iš tikrųjų imtųsi finansuoti tyrinėjimus, tarkime, Vaitas įgyvendintų savo metodus ir paaiškėtų, kad jie perspektyvūs. Ar tuomet mums būtų lemta sulaukti dienos, kai žmonės, kurių kūnus pagraužė mirtina liga, paprasčiausiai gautų juos naujus, o kartu – ir papildomą dešimtmetį kitą gyvenimo, nors ir, kaip kad sakė Vaitas, galvos, gulinčios ant pagalvės, pavidalu? Gal tai ir įmanoma. Maža to, dar ir ištobulinus metodus atkurti nutrauktas stuburo nervų jungtis, galbūt chirurgai vieną gražią dieną jau sugebės sugydyti sužalotą stuburą ir vėl sujungti nervus – o tai reikštų, kad tosios galvos pakiltų nuo pagalvių, pradėtų valdyti ir judinti visą naująjį kūną. Nėra jokio pagrindo manyti, jog kada nors negalėtų atsitikti ir šitaip.

Vis dėlto pagrindo manyti, kad iš tikrųjų taip ir atsitiks, irgi ne ką daugiau. Smarkiai abejotina, ar draudimo kompanijos kada nors imsis padengti tokios brangios operacijos išlaidas, taigi šitoks gyvenimo prailginimo metodas taip ir liks neprieinamas niekam, išskyrus saujelę ypač turtingų žmonių. Ar galima laikyti išmintingu medicininių išteklių panaudojimu siekį trūks plyš išlaikyti gyvus kelis mirtinai sergančius turto pertekusius žmones? O gal mes, kaip kultūra, turėtume išsiugdyti sveikesnį, palankesnį požiūrį į mirtį? Vaitas nepretenduoja į teisę tarti paskutinį žodį šiuo klausimu. Nors vis dėlto norėtų.

Štai kas įdomu: Vaitas, būdamas praktikuojantis katalikas, yra ir Pontifikato mokslų akademijos narys: maždaug septyniasdešimt aštuoni garsūs mokslo protai (drauge su kūnais) kas dveji metai skrenda į Vatikaną informuoti Popiežiaus apie laimėjimus tose mokslo srityse, kurios itin domina Bažnyčią: kamieninių ląstelių tyrinėjimus, klonavimą, eutanaziją, net gyvybės kitose planetose paieškas. Tam tikra prasme Vaitui tai lyg ir ne pati tinkamiausia terpė, kadangi Katalikų bažnyčios dogmos tvirtina, esą siela gyvena visame kūne, ne vien smegenyse. Per vieną Vaito susitikimą su Šventuoju Tėvu šis klausimas buvo iškeltas.

– Štai ką aš pasakiau jam: „Jūsų Ekscelencija, turiu labai rimtų paskatų manyti, kad žmogaus dvasios ar sielos fizinė buveinė yra smegenyse". Popiežius atrodė labai išvargęs ir neatsakė.

Vaitas nutyla ir užsižiūri į savo kavos puodelį, tarsi apgailestaudamas dėl to savo tiesmukumo.

– Popiežius atrodo išvargęs visuomet, – skubu pagalbon aš. – Turiu omenyje, na, jo sveikata silpna ir šiaip... – Balsu svarstau toliau: – Kažin, ar Popiežius nebūtų puikus kandidatas viso kūno transplantacijai? Dievaži, Vatikanas juk pinigų tikrai nestokoja...

Vaitas tik nudelbia mane žvilgsniu. Tokiu, kuris labai jau aiškiai byloja: papasakoti Vaitui apie mano iškarpų iš laikraščių kolekciją, kur nuotraukose užfiksuotos Popiežiaus bėdos su apeiginiais drabužiais, – sumanymas visai nekoks. Tasai žvilgsnis byloja, kad aš tiesiog – „mažytis išmatų kamštelis".

Vaitui labai patiktų, jei mirties apibrėžimą Bažnyčia pakeistų iš „akimirka, kai siela palieka kūną" į „akimirka, kai siela palieka smegenis", ypač turint omeny, kad Katalikų bažnyčia palaiko smegenų mirties koncepciją ir neprieštarauja organų transplantacijai. Tačiau

Popiežiaus sostas lieka taip pat karingai nusiteikęs kaip ir anos Vaito transplantuotos beždžionių galvos.

Kad ir kaip toli ateityje pažengtų viso kūno transplantacijos metodas, jeigu Vaitas ar kas kitas kada nors sumanys lavonui, kurio širdis plaks, nupjauti galvą ir į jos vietą prisukti naują, tai teks susidurti su rimta kliūtimi – potencialių donorų nesutikimu. Vienas, atskiras organas, išimtas iš kūno, tampa visiškai beasmenis, niekaip nesisieja su žmogaus asmenybe. Ir bendražmogiškoji organų aukojimo nauda nusveria emocinį pasipriešinimą organų išėmimui – bent jau daugumai mūsų būna kaip tik taip. Tačiau viso kūno transplantacija – tai jau visai kitas reikalas. Kažin ar žmonės savo ar savo artimųjų valia atiduos visą, tik begalvį kūną, kad pagerėtų kažkokio nepažįstamojo sveikata?

O gal ir taip. Istorija byloja, kad šitaip jau yra ne kartą nutikę. Tiesa, tie ypač veiksmingi gyduoliai negyvi kūnai niekad neatsidurdavo jokioje operacinėje. Jie buvo naudojami ne pagal tiesioginę paskirtį, o kaip vaistas: vietiniam išviršiniam gydymui, gydomųjų preparatų distiliavimui; juos rydavo ar valgydavo. Ištisus šimtmečius žmogaus kūnas – tiek visas, tiek gabaliukais – buvo vienas pagrindinių ingredientų Europos ir Azijos farmakopėjoje. Pasitaikydavo ir tokių žmonių, kurie atsiduodavo šiam tikslui savo noru. Jei dvyliktajame amžiuje Arabijoje senyvi vyriškiai išreikšdavo pageidavimą paaukoti savo kūnus ir tapti „žmogaus mumijos saldėsiu" (recepto ieškokite kitame skyriuje), tuomet ne taip sunku įsivaizduoti, kad žmogus gali pasisiūlyti savanoriu tapti kieno nors kito transplantuotu kūnu. Tiek to, gal kiek ir sunkoka tai įsivaizduoti.

10

SUVALGYK MANE

Medicininis kanibalizmas ir
koldūnų su žmogaus mėsa atvejis

Didžiuosiuose dvyliktojo amžiaus Arabijos turguose – jei tik žino-
davai, kur ieškoti, jei turėdavai krūvą skambančiųjų ir nepernelyg
branginamą maišą nešuliams – retsykiais būdavo galima įsigyti
prekę, kuri vadinosi „medumi pasaldintas žmogus". Tai buvo ne
kas kita, kaip žmogaus palaikai, įmirkyti meduje. Kitaip dar tai buvo
vadinama „žmogaus mumijos saldėsiu", nors šitoks apibūdinimas
ir klaidina – kitaip nei kitų meduje įmirkytų Vidurinių Rytų saldė-
sių, šito niekas nepatiekdavo desertui. Šis produktas buvo skirtas
vaistams: ir išviršiniam naudojimui, ir, kad ir kaip nemalonu sakyti,
vartojimui pro burną.

Vaistui paruošti reikėjo ypač daug dirbti: jis reikalavo daug pa-
stangų ne tik iš saldėsio gamintojų, o ir, netgi dar labiau, iš savo
būsimų sudėtinių dalių.

…Arabijoje pasitaiko septyniasdešimtmečių ir aštuoniasdešimt-
mečių vyriškių, kurie sutinka paaukoti savo kūną tam, kad būtų
išgelbėti kiti. Toks pasiaukojantis vyriškis nevalgo jokio maisto,
tik užkanda medaus, be to, meduje maudosi. Po mėnesio jo kūnas
ima šalinti medų (šlapimas ir išmatos virsta grynu medumi); ne-
trukus jis miršta. Mirusiojo bičiuliai paguldo velionį į akmeninį

karstą, kupiną medaus, kad kūnas įmirktų. Ant karsto užrašoma mirties data: metai ir mėnuo. Po šimto metų karstas atidaromas. Saldėsis tada jau būna susiformavęs; juo gydomos lūžusios ir sužalotos rankos ir kojos. Nedidelis prarytas vaisto kiekis tuojau pat numalšina negalią.

Čia pateiktasis receptas yra paimtas iš *Chinese Materia Medica,* 1597 metų gyduolių augalų ir gyvūnų rinkinio, kurį sudarė didysis gamtininkas Li Ši-čenas. Li rūpestingai pabrėžė pats nesąs tvirtai įsitikinęs, kad „medumi pasaldinto žmogaus" aprašymas iš tiesų atitinka tikrovę. Vis dėlto ši aplinkybė guodžia kur kas mažiau, nei atrodo iš pirmo žvilgsnio, mat tai reiškia, kad Li Ši-čenas visur ten, kur nemini abejojąs vieno ar kito *Materia Medica* įrašo teisingumu, yra įsitikinęs, kad gyduolio receptas – patikimas. O tai reiškia, kad toliau išvardyti dalykai beveik neabejotinai šešioliktojo amžiaus Kinijoje buvo naudojami vaistams: žmogaus pleiskanos („geriausia – nutukėlio"), purvas nuo žmogaus kelio, žmogaus ausų vaškas, žmogaus prakaitas, seni ausų būgneliai („sudeginti į pelenus ir dedami ant penio palengvinti šlapinimuisi"), „skystis, išspaustas iš kiaulės išmatų" ir „nešvarumai iš asilo uodegos pradžios".

Medicininis žmogaus mumijos – tik nebūtinai išmirkytos meduje – panaudojimas yra ne kartą aprašytas ir šešioliktajame, septynioliktajame, aštuonioliktajame amžiuose Europoje leistose knygose, tačiau niekur, taip kaip Arabijoje, tie negyvėliai nebuvo kilę iš savanorių. Tvirtinama, kad patys geidžiamiausi lavonai buvo karavanų keleivių, žuvusių smėlio audrose Libijos dykumoje. „Šitoks staigus uždusimas visame kūne sutelkia dvasines jėgas, nes keliautojus prieš mirtį apima baimė ir staigi nuostaba", – rašė Nikolas Le Fevras, knygos *A Compleat Body of Chymistry* autorius. (Be to, kur kas mažesnė buvo ir tikimybė, kad šitaip staiga miręs žmogus kuo nors sirgo.) Kiti tvirtino, esą mumijos gydomąsias savybes lemiąs

Negyvosios jūros bitumas – degutą primenanti substancija, kurią, kaip tuo metu buvo manoma, egiptiečiai vartoję balzamavimui. Nereikia nė sakyti, kad kūnų, iš tikrųjų pargabentų iš Libijos, pasitaikydavo retai. Tad Le Fevras pasiūlė receptą, kaip pasigaminti eliksyro iš mumijos tiesiog namie – tam reikėjo „jauno, gyvybingo vyro" palaikų (kitų autorių patikslinimu, tasai vyras dar turėjęs būti ir raudonplaukis). Būtiną priešmirtinį nusistebėjimą patariama išgauti auką uždusinant, pakariant arba nusmeigiant. Recepte nurodyta, kaip kūną išdžiovinti, išrūkyti ir kokiu santykiu maišyti su kitomis sudedamosiomis dalimis (į gyvatės mėsą, įmirkytą vyno spirite, dėti nuo vieno iki trijų gramų mumijos), tačiau Le Fevras nė puse žodžio neužsimena, iš kur gauti tą mumiją, jei tu nenori pats eiti pasmaugti ar nudurti kokio raudonplaukio jaunuolio.

Kadaise Aleksandrijos žydai vertėsi suklastotų mumijų pardavinėjimu. Matyt, pradėjo jie nuo tikrų, iš kapaviečių iškeltų mumijų – ir pakišo K. Dž. S. Tompsonui mintį įrašyti knygoje *Vaistininkystės paslaptys ir menas,* kad šitaip „žydai galų gale atsimokėjo priešui už senas skriaudas". O kai tikrų mumijų atsargos išseko, prekeiviai ėmėsi kurti klastotes. Pjeras Pomė, asmeninis karaliaus Liudviko XIV vaistininkas, 1737-ųjų *Visuotinėje vaistų istorijoje* rašė, kad jo kolega Gi de la Fontenas nukeliavo į Aleksandriją „savo akimis įsitikinti tuo, apie ką tiek daug buvo girdėjęs", ir vieno žmogaus krautuvėlėje išvydo įvairiausių ligų sudarkytų, yrančių kūnų, verčiamų mumijų klastotėmis: tepamų degutu, vyniojamų į tvarsčius, džiovinamų krosnyse. Ši juodosios rinkos sritis klestėjo taip, kad tokie farmacijos autoritetai kaip Pomė net ėmėsi dalyti patarimus būsimiesiems mumijų pirkėjams: „Rinkitės apdairiai: juodas ir blizgančias, kad jose nebūtų kaulų nei nešvarumų, nesklistų blogas kvapas, o deginant netrenktų degutu". A. K. Vutonas 1910-aisiais išleistose *Farmacijos kronikose* rašo, esą žinomas prancūzų chirurgas ir mokslinių veikalų autorius Ambruazas Parė tvirtinęs, neva mumijų klastotės buvo kurpiamos tiesiog ten pat, Paryžiuje – tam būdavo naudojami išdžiūvę lavonai, vogti iš kartuvių prisidengiant nakties tamsa. Parė skubiai pridūręs, kad esą jis pats tikrai neskirdavęs gydymo tokių mumijų preparatais. Vis dėlto turbūt galima drąsiai tvirtinti, kad dėl to jis priskirtinas ženkliai mažumai. Pomė rašė tokių dalykų savo vaistinėje turėjęs (nors ir tvirtino „dažniausiai naudodavęs tai masalui žuvims gaudyti"). K. Dž. S. Tompsonas, kurio knyga buvo išleista 1929-aisiais, tvirtino, kad tuo metu žmogaus mumijų vis dar buvo galima aptikti Artimųjų Rytų vaistų turguose.

Mumijų eliksyras – gana pribloškiantis gyduolių pavyzdys, nes gydytis juo buvo baisiau net už pačią ligą. Nors skirdavo jo nuo visokiausių negalių – nuo visiško paralyžiaus iki galvos svaigimo, vis dėlto užvis dažniausiai juo buvo gydomi sumušimai, taip pat stabdomas kraujo krešėjimas: žmonės rydavo suirusius lavonus, gydydamiesi *mėlynes*. Septynioliktojo amžiaus vaistininkas Johanas Bečeris, remiantis Vutono citata, teigė, esą tai „labai gausina dujų žarnyne" (jei jis turėjo omeny, kad patikimai sukelia pilvo pūtimą, tai sunku būtų su juo nesutikti). Esama ir daugiau pavyzdžių, kaip žmogiškosios kilmės gydomieji preparatai daugiau prikamuodavo, negu palengvindavo. Tarp tokių galima paminėti lavono odos atraižas, kuriomis apvyniodavo blauzdas nuo mėšlungio, „seną suskystintą placentą", vartotą „nuraminti ligoniui, kurio plaukai stoja piestu be jokios regimos priežasties" (šiuo ir po jo pateikiamu atveju cituoju Li Ši-čeną), „skaidrias skystas išmatas" nuo kirminų („dvokas privers kirminus išropoti iš visų kūno angų ir dirginimas atlėgs"), šviežio kraujo injekcijas į veidą nuo egzemos (populiarus gydymo būdas tais laikais, kai savo knygą rašė Tompsonas), tulžies akmenis, vartotus nuo žagsulio, žmogaus dantų akmenis, vartotus nuo vapsvos įgėlimo, žmogaus bambos tinktūrą, vartotą nuo gerklės skausmo, ir moters spjaudalus, kuriais gydė nuo akių uždegimo. (Senovės romėnai, žydai ir kinai buvo gydymo seilėmis entuziastai, nors, kiek suprantu, tu pats savo seilėmis šiam reikalui pasinaudoti negalėjai. Paprastai būdavo tiksliai nurodoma, kokios seilės gelbsti nuo vienokio ar kitokio negalavimo: moters seilės, vyriškos lyties naujagimio seilės, netgi imperatoriškosios seilės – atrodo, Romos imperatoriai įnešdavo savo indėlį į visuomeninę spjaudyklę savosios tautos gerovei. Dauguma gydytojų šitokį preparatą seikėdavo pipetės lašeliais ar prirašydavo vienokios ar kitokios tinktūros pavidalu, nors Li Ši-čeno laikais nelaimėliai, kamuojami „demonų sukeltų košmarų", būdavo gydomi „tyliu spjūviu miegančiam į veidą".)

Net ir iš tiesų sunkios ligos užkluptam žmogui kitąsyk vertėdavo geriau jau numoti ranka į gydytojo paskirtus vaistus. *Chinese Materia Medica* byloja, kad, pavyzdžiui, nuo diabeto geriausiai padedąs „pilnas puodelis šlapimo iš viešosios išvietės duobės". (Nesunku numatyti, kad ligonis šitokiam gydymui gali ir pasipriešinti, tad prie recepto priduriama nuoroda tą šlykštynę „sugirdyti slapčiomis".) Dar vieną pavyzdį galime pasiskolinti iš Nikolo Lemerio – chemiko ir Karališkosios mokslų akademijos nario, kuris rašė, neva piktvotes ir marą galima išgydyti žmogaus išmatomis. Šio atradimo Lemeris toli gražu neprisiskiria sau: knygoje *A Course of Chymistry* jis remiasi kažkokiu vokiečiu Hombergu, kuris 1710-aisiais savo kalboje Karališkosios Akademijos nariams išdėstęs, kaip išgauti „puikų fosforą iš žmogaus išmatų, ką jam pagaliau pavykę padaryti po daugybės kankinančių bandymų". Lemeris kaip tik ir pateikia šį metodą savo knygoje („Imkite keturias uncijas šviežių, vidutinio tirštumo vyro išmatų…"). Tvirtinama, kad Hombergo išgautas išmatų fosforas tikrai švytėjo – tiesą sakant, kažin ką atiduočiau už galimybę pamatyti savo akimis, pavyzdžiui, nepagailėčiau viršutinio iltinio danties (labai veiksmingo nuo maliarijos, krūties pūlinių ir raupų pūlinių). Gal Hombergas buvo ir pirmasis, privertęs švytėti fosforą išmatose, tačiau tikrai ne pirmasis skyrė jį gydymui. Žmogaus išmatomis gydyta jau Plinijaus laikais. *Chinese Materia Medica* siūlo vartoti jas ne tik

skystu, pelenų ar sriubos pavidalu (tinka nuo pačių įvairiausių ne-
galių – nuo epideminių karštinių iki vaikų lyties organų skausmų),
o ir netgi „kepsnio" pavidalu. Mąstymo logika buvo ta, kad iš esmės
mėšlas – turint omenyje žmogiškąjį variantą* – yra ne kas kita kaip
duona ir mėsa, suirusios į pačias paprasčiausias sudedamąsias dalis,
taigi, pasak A. K. Vutono, „tinkamos pasinaudoti geriausiomis jų
savybėmis".

Ne visus iš lavonų gaminamus vaistus pardavinėdavo profesiona-
lūs vaistininkai. Pasitaikydavo, kad Koliziejaus užkulisiuose būdavo
su nuolaida pardavinėjamas ką tik nužudytų gladiatorių kraujas, neva
padedantis nuo epilepsijos**, bet tik jei dar šiltas. Aštuonioliktajame
amžiuje Vokietijos ir Prancūzijos budeliai neblogai prisikimšdavo
kišenes, susėmę kraują, trykštantį iš nukirsdintų nusikaltėlių kaklų;
tuo metu kraujas būdavo prirašomas gydyti ne tik epilepsiją, bet ir
podagrą bei vandenę.*** Kaip ir mumijų eliksyrų atveju, buvo ma-

---

* Pabrėžiamas skirtumas nuo pelių, arklių, žiurkių, žąsų, kiaulių, avių, mulų, asilų
  ir šunų mėšlo. Šunų mėšlas buvo ypač populiarus, labiausiai – baltos sudžio-
  vintos šuns išmatos. Renensanso laikais iš jų buvo gaminamas itin populiarus
  vaistas *Album Graecum. Chinese Materia Medica* rasime aprašymus ne tik kam
  naudoti patį šuns mėšlą, bet net ir iš jo paimtus grūdelius ir kaulus. Atrodo,
  vaistininkų gyvenimas tais laikais buvo ne iš lengviausių.
** Per visą istoriją buvo labai nepatartina sirgti epilepsija. Mat nuo jos gydyta
  štai kuo: žmogaus kaukolės trauktine, džiovinta žmogaus širdimi, iš žmogaus
  mumijos pagamintomis piliulėmis, berniuko šlapimu, pelės, žąsies, arklio iš-
  matomis, šiltu gladiatorių krauju, aršeniku, strichninu, menkės kepenų taukais
  ir boraksu.
*** Nors galiu tik džiaugtis, kad gyvenu antibiotikų ir be recepto parduodamų
  vaistų laikais, vis dėlto man liūdna dėl to, ką šiuolaikinė medicina padarė su
  medicinine terminologija. Kadaise sirgdavome tokiomis ligomis kaip skrupulas
  ir vandenė – o dabar jau mus vargina supraventrikulinė tachiaritmija ir glo-
  sofaringinė neuralgija. Nebeliko pūlinės anginos, įnosių. Likite sveiki, išvešėję
  gumbai, sudie, smegenų suminkštėjime, taip pat nebėra ir dedervinės, ir karš-
  čiuojančio džiovininko raudonio. Anais laikais net vaistai turėdavo skambius,

noma, jog kraujas turi gydomųjų savybių tik tada, kai yra nuleistas iš gyslų žmogaus, kuris mirė jaunas ir gyvybingas, o ne išsekęs nuo senatvės ir ligų pakirstas; taigi nukirsdinti nusikaltėliai reikalavimus atitiko kuo puikiausiai. Bet paskui tokio pobūdžio gydymas ėmė krypti į bjauriąją pusę: sveikatai taisyti imta skirti maudytis kūdikių ar nekaltų mergelių kraujo voniose. Dažniausiai tokiu būdu buvo gydomi raupsai, o vaistai dozuojami jau nebe pipetėmis, o voniomis. Kai raupsai užklupo Egipto princus, kaip rašė Plinijus, „vargas užgriuvo tautą, mat baisiai ligai gydyti maudymosi patalpose buvo ruošiamos vonios su žmonių krauju".

Egzekucijų vykdytojai neretai padarydavo preke ne tik kraują, o ir žmogaus riebalus, kuriais būdavo gydoma nuo reumato, sąnarių skausmų ir nuo vos ne poetiškai skambančio, bet veikiausiai labai skausmingo rankų ir kojų džiūvimo. Lavonų vagys neva irgi uoliai vertęsi taukų prekyba, to nevengė ir šešioliktojo amžiaus olandų armijos chirurgai, dalyvavę nepriklausomybės kare su Ispanija – neva po nuožmaus mūšio jie skubinęsi į kautynių lauką, apsiginklavę skalpeliais ir kibirėliais. Siekdami konkuruoti su egzekucijų vykdytojais, kurie savo prekes pakuodavo ir pardavinėdavo pigiai, kaip paprasčiausią lajų, septynioliktojo amžiaus vaistininkai preparatus patobulindavo, kad šie taptų patrauklesni akiai: pridėdavo aromatingųjų žolynų ir suteikdavo lyriškus vardus; septynioliktojo amžiaus *Cordic Dispensatory* žinyne aptiksime tokių preparatų kaip Moters sviestas ar Vargšo nusidėjėlio taukai. Sumanymas anaiptol ne naujas: daugelis vaistininkų jau kadai įprato šitaip „paskaninti" kai kuriuos, švelniai tariant, ne itin apetitą žadinančius savo siūlomus gydomuosius preparatus. Tarkime, Viduramžių vaistininkai parda-

---

vaizduotę žadinančius pavadinimus. 1899-ųjų *Merck Manual*, pavyzdžiui, mini „stiklinę Karlsbado vandens, kurį reikia gurkšnoti karštą, apsirengiant" – tai vaistas nuo vidurių užkietėjimo. O gydytis nuo nemigos siūloma kad ir paslaptingai, bet patraukliai skambančiu „pasitraukimu vidun".

vinėdavo menstruacijų kraują, atskiestą rožių vandeniu ir pavadinę Mergelės sužydėjimu. O K. Dž. S. Tompsono knygoje aptinkame Vyro smegenų trauktinės receptą – vaistą sudaro ne tik smegenys („su visomis plėvėmis, arterijomis, venomis ir nervais"), o ir priedai: bijūnai, juodosios vyšnios, lavandos ir lelijos.

Tompsonas rašo, kad dažnai gydymas žmogaus kūno dalimis remdavosi tiesiog asociacijomis. Užklupusi gelta nudažė odą geltonai? Išmėgink stiklinę šlapimo. Nesulaikomai slenka plaukai? Vertėtų patrinti kiaušą distiliuotu plaukų eliksyru. Maišosi galvoje? Mostelėk burnelę kitą kaukolės trauktinės. Kaulų smegenys ir riebalai, išgauti iš žmogaus kaulų, būdavo skiriami nuo reumato, o žmogaus šlapimo nuosėdos neva įveikdavo šlapimo pūslės akmenis.

Kai kuriais atvejais šitoks neįtikėtinas gydymas žmogaus kūno dalių preparatais vis dėlto buvo paremtas ir tam tikra medicinine tiesa, nors sveikatos pagerėjimą reikėtų laikyti veikiau šalutiniu poveikiu. Tarkime, tulžis pati savaime išgydyti kurtumo negalėjo niekaip, tačiau jei klausą būdavo sugadinęs susikaupęs ausų vaškas, tai rūgštinga medžiaga tikriausiai kamštį sėkmingai ištirpindavo. Žmogaus kojų pirštų nagus vargu ar pavadintum efektyviu vimdomuoju preparatu, bet ar sunku įsivaizduoti, kaip ilgai išsilaikydavo neišvemta pro burną suvartota šitokio vaisto dozė? Lygiai taip pat ir „skaidrios skystos išmatos" – tikrai ne priešnuodis, užvalgius nuodingų grybų, tačiau, jei gydytojo tikslas yra išprašyti tuos grybus iš skrandžio ir išvis lauk iš organizmo pro burną, tuomet efektyvesnio preparato nėra ko nė norėti. Natūraliu žmogaus pasišlykštėjimu išmatomis puikiausiai paaiškinama ir tai, kodėl kaip tik jos buvo labiausiai taikomos iškritusiai gimdai gydyti. Senais laikais, dar iki Hipokrato, medikai moters reprodukcinę sistemą laikė ne organu, o atskira esybe – paslaptinga būtybe, turinčia savą valią ir polinkį pavojingai „klajoti". Jei pagimdžiusiai moteriai iškrisdavo gimda, tai paskirdavo kokios nors dvokiančios medžiagos – dažniausiai paprasto mėšlo – kad šis priverstų gimdą grįžti į vietą. O veiklioji žmogaus seilių medžiaga, be jokios abejonės, buvo seilėse esantis natūralus antibiotikas; tuo galima paaiškinti, kodėl seilėmis buvo gydomi šunų įkandimai, akių infekcija ir „dvokiantis" prakaitavimas, nors tais laikais dar niekas nežinojo antibiotikų veikimo mechanizmo.

Turint omeny tai, kad nedideli negalavimai, tokie kaip kraujosruvos, kosulys, virškinimo sutrikimai ar pilvo pūtimas, per kelias dienas praeina savaime, nesunku suprasti, kas davė peno gandams apie vaistų efektyvumą. Apie jokius kontrolinius bandymus niekas nė girdėt nebuvo girdėjęs; visi teiginiai būdavo paremti kitąsyk net anekdotiškais liudijimais. *Pūlinės anginos kamuojamai poniai Peterson davėme suvalgyti šūdo gabalėlį, ir dabar ji jaučiasi kuo puikiausiai!* Kalbėjausi su Robertu Berkou, redagavusiu *Merck Manual* vadovą, kuris štai jau 104 metai yra pati populiariausia gydytojų parankinė knyga. Pasiteiravau jo, kaip atsiranda visokiausių keistų vaistų, kurių veikimas išvis niekuo nepagrįstas.

– Kai pagalvoji, kad cukraus piliulė skausmui malšinti padeda nuo dvidešimt penkių iki keturiasdešimties procentų atvejų, – atsakė jis, – nebesunku suprasti, kaip išpopuliarėjo vienas ar kitas gydymo būdas.

Be to, iki maždaug 1920-ųjų „vidutinis statistinis ligonis, susirgęs vidutinio sunkumo liga, apsilankęs pas vidutinį gydytoją retai kada pasijusdavo geriau".

Kai kurių tokių žmogaus kūno dalių eliksyrų populiarumą veikiausiai lėmė ne tariamai veiklioji medžiaga, o pats eliksyro pagrindas. Tompsono knygoje yra pateikiamas maišalo, vadinamųjų karaliaus Karolio II lašų, receptas (karalius Karolis II laisvalaikiu karštai griebdavosi pašalinės veiklos – savo asmeninėje laboratorijoje Vaithole maišydavo žmogaus kaukolės tinktūras). Maišalą sudarydavo ne vien tik kaukolės trauktinė, o dar ir pusė svaro opiumo ir keturi pirštai (turimas omeny matavimo vienetas, ne tikras pirštų skaičius) spirituoto vyno. Pelių, žąsų ir arklių išmatos, kuriomis europiečiai gydėsi nuo epilepsijos, būdavo ištirpinamos vyne arba aluje. *Chinese Materia Medica* taip pat pataria „užgerti alkoholiu" ir susmulkintą vyriškio penį. Net jei tas marmalas ligonio ir neišgydys, vis dėlto skausmą apmalšins, o ir nuotaiką praskaidrins.

Kad ir kaip smarkiai gali gluminti šitokia vaistinių preparatų gamyba iš lavonų, vis dėlto – panašiai kaip ir kultūriniai virtuvės skirtumai – iš esmės kiekvienu atveju ligonio reakcija labiausiai priklauso nuo to, prie ko esi pripratęs. Juk reumato gydymas kaulų smegenimis ar skrofuliozės – prakaitu kažin ar radikalumu arba kraugeriškumu pranoksta, na, tarkime, neūžaugų gydymą žmogaus augimo hormonais. Žmogaus kraujo perpylimas mums atrodo visiškai įprastas dalykas, o gūžiamės vien nuo minties apie kraujo vonias. Aš toli gražu nenoriu pasakyti, kad reikėtų grįžti prie gydomojo ausų vaško, tačiau bent kiek ramiau žiūrėti į visus tuos dalykus būtų tikrai neprošal. Kaip pastebėjo Bernardas E. Ridas, *Chinese Materia Medica* 1976-ųjų leidimo redaktorius: „Dabar žmonės karštligiškai tyrinėja visus gyvūnų audinius, ieškodami veikimo principų, hormonų, vitaminų, veikliųjų medžiagų konkrečioms ligoms gydyti; adrenalino, insulino, tilino, menotoksino ir kitų atradimas nesukaustytą protą verčia manyti, kad per ne itin patrauklią išorę galima prisikasti iki išties vertingų dalykų".

Tie iš mūsų, kurie ryžomės dalyvauti eksperimente, susimetėme pinigų nusipirkti iš miesto morgo lavonų; rinkomės mirusius smurtine mirtimi – neseniai nužudytus, žiūrėjome, kad numirėliai nebūtų sudarkyti ligų nei sukriošę. Kanibalų dietos laikėmės du mėnesius – ir visiems ženkliai pagerėjo sveikata.

Taip rašė tapytojas Diego Rivera savo memuaruose *Mano menas, mano gyvenimas*. Jis aiškino kažkur išgirdęs apie Paryžiaus kailininką, kuris savo kates esą šėręs kačių mėsa, dėl to jų kailis sutankėjęs ir tapęs blizgesnis. Taigi 1904-aisiais tapytojas drauge su dar keliais bendramoksliais anatomijos studentais – visiems, studijuojantiems vaizduojamuosius menus, anatomija buvo privaloma disciplina – nusprendė išbandyti pats. Galimas dalykas, Rivera viską prasimanė, tačiau man pasirodė, kad tai visai neblogai tiktų kaip įžanga į mūsų laikų žmogiškos kilmės medicininių preparatų aprašymą, todėl tą citatą čia ir įdėjau.

Jei nebeminėsime Riveros, tai dvidešimtajame amžiuje, ko gero, prie kaukolių trauktinės ir Mergelės sužydėjimo labiausiai buvo priartėta medicininiams tikslams ėmus naudoti lavono kraują. 1928-aisiais sovietų chirurgas V. N. Šamovas pabandė išsiaiškinti, ar perpylimui vietoj gyvo donoro kraujo įmanoma naudoti numirėlio. Laikydamasis sovietinės tradicijos, Šamovas pirmiausia atliko bandymų su šunimis. Jis netruko įsitikinti, kad, jei kraujas paimamas iš negyvo kūno praėjus ne vėliau nei šešioms valandoms po mirties, tai perpylimą patyrusiems šunims nepasireiškia jokia atmetimo reakcija. Mat kraujas negyvame kūne nuo šešių iki aštuonių valandų išlieka sterilus, raudonieji kraujo kūneliai išsaugo gebėjimą pernešti deguonį.

Po dvejų metų Maskvos N. Sklifosovskio institutas perėmė Šamovo darbą ir ėmėsi mėginti jo metodą su žmonėmis. Ši technika sužavėjo juos taip, kad buvo įrengta net speciali operacinė ir lavonai pristatomi tiesiai į ją. „Lavonus greitosios medicinos pagalbos automobiliai gabena tiesiai iš gatvių, įstaigų ir kitur, kur žmonės ištinka staigi mirtis", – rašė B. A. Petrovas 1959-ųjų spalio mėnesio *Chirurgijos* numeryje. Robertas Vaitas, tas pats, devintajame skyriuje minėtas neurochirurgas, tvirtino man, kad sovietmečiu visi lavonai oficialiai priklausė valstybei, taigi jei valstybė norėdavo ką nors su jais nuveikti, tai niekieno netrukdoma to ir imdavosi. (Reikia manyti, kad jau nualinti negyvėliai būdavo grąžinami artimiesiems.)

Lavonai kraujo donorais tampa panašiai kaip ir gyvieji, tik adata smeigiama ne į ranką, o į kaklą, be to, kadangi lavonas jau nebeturi kraują varinėjančios širdies, kūną tenka pakreipti, kad kraujas išbėgtų, nes trykšti čiurkšle jau nebegali. Lavoną, kaip rašė Petrovas, „reikėdavę paguldyti ypatingąja Trendelenburgo poza". Prie straipsnio pridėta iliustracija: kaklo vena su kyšančiu vamzdeliu, be to, nuotraukoje matyti specialios sterilios ampulės, į kurias teka kraujas. Vis dėlto, mano nuomone, vietoj tos nuotraukos verčiau reikėjo įdėti tokią, kuri parodytų, kas yra toji paslaptinga ir intriguojanti Trendelenburgo poza. Susidomėjau ja vien todėl, kad ištisą mėnesį pragyvenau su kabančia ant sienos nespalvota nuotrauka „Simso poza ginekologinei apžiūrai"* – už tai ačiū Miuterio muziejaus 2001-ųjų sieniniam kalendoriui. („Pacientė turi atsigulti ant kairiojo šono, – rašė daktaras Dž. M. Simsas (J. M. Sims). – Šlaunys turi būti sulenktos… dešinioji šiek tiek labiau nei kairioji. Kairiąją ranką reikia atmesti už nugaros, krūtinę atkišti pirmyn." Labai jau išglebusi ir provokuojanti poza… Nejučia imi ir susimąstai: kažin, kodėl daktaras Simsas rekomendavo guldyti moterį kaip tik šitaip? Ar tikrai tam, kad būtų patogiau apžiūrėti – o gal dėl panašumo į apsinuoginusių moterų fotografijas vyrams skirtuose žurnaluose?)

Kas yra Trendelenburgo poza, man išsiaiškinti pavyko (perskaičiau straipsnį „Kas slypi už Trendelenburgo pozos: Frydricho Trendelenburgo gyvenimas ir įnašas į chirurgiją" žurnale *Chirurgija* – man nukreipti dėmesį į šalį tikrai lengva): pasirodo, tai tereiškia, kad kūnas guldomas 45 laipsnių kampu; Trendelenburgas naudojo šią pozą

---

* Simso pozos šiais laikais jau niekur nebeišvysite, tačiau patį daktarą Džeimsą Simsą pamatyti galite – jis sėkmingai gyvuoja skulptūros pavidalu Niujorko Centriniame parke. Jei netikite, galite pasitikrinti patys – atsiverskite *Proktologijos romantikos* 56-ąjį puslapį. (Atrodo, bent jau kūno angų srityje, daktaras Simsas buvo mažumą diletantas.) P. S.: Prabėgomis pervertusi knygą, taip ir nesupratau, kur ten slypi toji romantika.

tam, kad pakeltų pilvo organus ir šie jam nesimaišytų. Straipsnio autoriai pristato Trendelenburgą kaip didį novatorių, tikrą milžiną chirurgijos srityje – ir smarkiai apgailestauja, kad šitoks pasižymėjęs žmogus prisimenamas tik dėl vieno, ir dargi visai menko nuopelno medicinos mokslui. Aš šį nusikalstamą aplaidumą tik dar labiau įaitrinsiu, paminėdama dar vieną nereikšmingą Trendelenburgo indėlį į medicinos mokslą – jis naudojo „Havanos cigarus – pagerinti sudvisusiam ligoninės orui". Skamba gerokai ironiškai tai, kad straipsnis pristato Trendelenburgą kaip nuožmų kraujo nuleidimo priešininką, tačiau apie kraujo nuleidinėjimą lavonams jis, regis, išvis neišsakė nuomonės.

Ištisus dvidešimt aštuonerius metus N. Sklifosovskio institutas sėkmingai perpylinėjo lavonų kraują – iš viso perpylė bene dvidešimt penkias tonas – ir patenkino juo apie septyniasdešimt procentų klinikos poreikių. Kad ir kaip keista, o gal ir visai nekeista, bet lavonų kraujo donorystė už Sovietų Sąjungos ribų taip ir neišplito. Jungtinėse Valstijose tai išmėginti ryžosi vienas vienintelis žmogus. Atrodo, kad daktaras Mirtis savąją pravardę pelnė gerokai anksčiau, nei buvo šitaip pramintas. 1961-aisiais Džekas Kevorkianas išsunkė keturis negyvėlius, laikydamasis sovietinės metodikos, ir perpylė jų kraujo keturiems gyviesiems. Visų keturių organizmas reagavo daugmaž taip pat, kaip ir perpylus gyvo donoro kraujo. Negyvėlių kraujo donorų artimiesiems Kevorkianas nė puse lūpų neprasitarė apie tai, ką daręs, remdamasis logiškai nepaneigiamu faktu, kad iš balzamuojamo kūno kraujas, šiaip ar taip, išleidžiamas. Jis nesiteikė nieko aiškinti ir patiems to kraujo gavusiems žmonėms, nutaręs, kad visiškai neverta jiems žinoti, kad kraujas, dabar tekantis jų gyslomis, atitekėjo iš lavono. Šiuo atveju jis rėmėsi argumentu, kad Sovietų Sąjungoje tokia praktika gyvuoja jau bemaž tris dešimtmečius, o tiek laiko tikrai pakanka išsiaiškinti, ar ji saugi, o bet kokie pacientų prieštaravimai tebūtų vien tik „emocinė reakcija į naują ir atrodantį šiek tiek nemalonų pasiūlymą". Šitokio pobūdžio savigyna puikiausiai tiktų ir kokiam bendravimo problemų turinčiam virėjui, apie kokius kitąsyk tenka išgirsti: pavyzdžiui, vienam iš tokių, kurie patiria malonumą masturbuodami ir laistydami sėklą į pomidorų padažą.

Iš visų žmogaus organų ir kūno dalių, paminėtų *Chinese Materia Medica* ir Tompsono, Lemerio bei Pomė raštuose, be kraujo, man pavyko aptikti tik vieną vienintelį, kuris būtų naudojamas gydymui ir mūsų laikais. Europoje ir Amerikoje moterys kartais vartoja placentą, siekdamos išvengti pogimdyminės depresijos. Tiesa, joks vaistininkas, ne taip kaip Lemerio ar Li Ši-čeno laikais (kai ji buvo vartojama nuo karščiavimo, nusilpimo, valios praradimo ar nuo aštraus užkrečiamo konjunktyvito), dabar placentos nepasiūlys, tad virti ir valgyti tenka savą. Atrodo, ši tradicija išvešėjusi pakankamai, jei šitokie patarimai pasirodo bent pustuzinyje nėščiosioms skirtų interneto tinklapių. Virtualinis gimdymų centras pataria, kaip pasiruošti placentos kokteilį (227 g liekniklio *V-8*, 2 ledo kubeliai, 1/2 stiklinės morkų sulčių, 1/4 stiklinės žalios placentos; viską 10 sekundžių plakti), placentos lakštinius ir placentos picą. Pastarieji du patiekalai lyg ir leidžia suprasti, kad vaišintis teks ne tik mamytei – kad patiekalas ruošiamas, sakykime, šeimyniniams pietums arba mokyklos tėvų susirinkimo užkandžiams; lieka tik viltis, kad užkandžiautojai nesuuodžia, kuo vaišinasi. Didžiojoje Britanijoje įsikūręs *Mothers 35 Plus* tinklapis skelbia „keletą prašmatnių receptų", tarp kurių sudedamųjų dalių esama ir keptos arba dehidruotos placentos. Užkietėję pirmeiviai britai populiarioje ketvirtojo kanalo kulinarinėje laidoje *TV Dinners* netgi transliavo epizodą, kur parodyta, kaip išsikepti placentos su česnakais. Nepaisant to, kad viename laikraščio straipsnyje buvo raginama nežiūrėti į šį dalyką labai „jautriai", tas 1998-aisiais parodytas epizodas pelnė devynis žiūrovų skundus ir Transliavimo standartų komisija jo kūrėjams iškaršė kailį.

Aš, siekdama išsiaiškinti, ar kokie nors *Chinese Materia Medica* aprašytieji žmogienos preparatai vis dar vartojami ir šiuolaikinėje Kinijoje, susisiekiau su mokslininku ir rašytoju Kei Rai Čongu, *Kanibalizmo Kinijoje* autoriumi. Straipsnyje visiškai nekaltu, net švelniai skambančiu pavadinimu „Mylimųjų gydymas" jis aprašo gana šiurpų istorinį paprotį: vaikai, dažniausiai sūnų žmonos, privalėdavo pademonstruoti jaunesniojo gailestį pasiligojusiam vyresniajam, dažniausiai – savo anytai: reikėdavo išsiplėšti gabalą savo kūno ir iš jo paruošti jėgas grąžinančio eliksyro. Šis paprotys atsirado valdant Sungų dinastijai (960–1126), gyvavo per visą Mingų dinastijos valdymo laikotarpį net iki pat dvidešimtojo amžiaus pradžios. Čongas pateikia visą sąrašą liudijimų; kiekviename įraše užfiksuota informacijos šaltinis, donoro vardas, ligonio vardas, kuri kūno dalis panaudota vaistams ir kokios rūšies maistas iš jos pagamintas. Dažniausiai pasitaikydavo sriuba ir košė – tokie patiekalai visuomet populiarūs tarp ligonių – bet dukart buvo patiektas ir kepsnys, kartą – dešiniosios krūties ir kartą – šlaunies ir dilbio. Vienu iš, ko gero, ankstyviausių aprašytų skrandžio sumažėjimo atvejų sumanus sūnus pavaišino savo tėvą „taukais iš kairiosios juosmens pusės". Nors sąrašas labai traukia akį, vis dėlto protarpiais nepaprastai norėtųsi kiek daugiau informacijos: kažin ar mergina, pasiūliusi anytai paskanauti savo kairįjį akies obuolį, siekė šitaip įrodyti beribį atsidavimą, ar vis dėlto vyresniąją moterį išgąsdinti ar paerzinti? Mingų dinastijos valdymo laikais pavyzdžių būta tiek daug, kad Čongas nebesivargino aprašinėti atskirų atvejų, o pateikė tik kategorijas: pasiligojusiems senoliams iš viso buvo sumaitinta du šimtai aštuoniasdešimt šeši gabalai iš šlaunies, trisdešimt septyni – rankos, dvidešimt ketverios kepenys, trylika nepatikslintų kūno gabalų, keturi pirštai, dvi ausys, dvi keptos krūtys, du šonkauliai, vienas liemens riebalų luistas, vienas kelis ir viena skrandžio atraiža.

Įdomu pažymėti, kad Li Ši-čenas šitokiai praktikai nepritarė.

„Li Ši-čenas pripažino, kad neišsilavinusiose masėse tokia praktika gyvuoja, – rašė Ridas, – tačiau jis nemanė, kad bet koks gimdytojas, kad ir kaip sunkiai sirgtų, turėtų teisę tikėtis šitokios aukos iš savo vaikų." Be jokios abejonės, su tuo sutinka ir šių laikų kinai, vis dėlto pranešimai apie tokios praktikos apraiškas retsykiais vis dar išplaukia į dienos šviesą. Čongas cituoja 1987-ųjų gegužės mėnesio *Taiwan News* numerį, kur aprašyta, kaip moteris išsipjovė gabalą šlaunies, kad galėtų paruošti gydomojo viralo savo sergančiai motinai.

Nors Čongas savo knygoje rašo, kad „net mūsų laikais Kinijos Liaudies Respublikoje pati vyriausybė skatina tam tikrų ligų gydymui naudoti žmogaus rankų arba kojų pirštus, nagus, išdžiovintą šlapimą, išmatas ir moters pieną" (jis cituoja 1977-ųjų *Chung Yao Ta Tz'u Tien – Didįjį kinų farmakologijos žodyną*), vis dėlto man per jį taip ir nepavyko užmegzti ryšio su niekuo, kas iš tikrųjų tai praktikuotų, tad tyrinėjimus šia kryptimi aš daugmaž nutraukiau. Tačiau po kelių savaičių elektroniniu paštu mane pasiekė Čongo laiškas. Jis atsiuntė straipsnį iš tos savaitės *Japan Times* numerio: „Trys milijonai kinų geria šlapimą". Maždaug tuo pat metu aš aptikau vieną istoriją internete, kuri anksčiau buvo išspausdinta *London Daily Telegraph* dienraštyje – perpasakotas straipsnis iš išvakarėse pasirodžiusio, dabar jau nebeegzistuojančio *Hong Kong Eastern Express* laikraščio numerio. Straipsnyje buvo tvirtinama, kad privačios ir valstybinės klinikos bei ligoninės Šendžene, už Honkongo ribų, pardavinėdavo arba dalindavo aborto metu pašalintus gemalus – jie esą tinka gydytis nuo odos ligų ir astmos, ir apskritai stiprinti sveikatai. „Yra dešimt gemalų, visi – iš šiandieninių abortų, – *Express* žurnalistės tvirtinimu, kaip tik tai ji išgirdo, anonimiškai apsilankiusi Šendženo Motinos ir vaiko sveikatos centre ir pasiteiravusi gemalų. – Paprastai mes, gydytojai, patys nešamės juos namo ir suvalgome. Jūs atrodote nesveikuojanti, tad galite juos pasiimti." Toliau straipsnis virsta kone farsu. Skaitome apie ligoninės valytojas, kurios „grumiasi tarpusavyje dėl teisės parsinešti namo vertinguosius žmogaus palaikus", apie neįvardytus apsukruolius, tamsiuose Honkongo užkaboriuose prašančius trijų šimtų dolerių už vienetą, apie drovų verslininką, kuris, „iš draugų sužinojęs apie gemalus", kas porą savaičių slapčiomis sliūkina į Šendženą su termosu parsigabenti namo „kaskart po dvidešimt ar trisdešimt" gemalų astmai gydyti.

Ir šiuo atveju, ir paskaičiusi apie tris milijonus šlapimą godžiai kliaukiančių kinų, aš taip ir neperpratau, ar šios žinios patikimos, ar bent iš dalies patikimos, o gal kažkam tiesiog užėjo ūpas kinams pataršyti plunksnas. Norėdama tai išsiaiškinti, susisiekiau su Sende Van, kine vertėja ir tyrinėtoja, su kuria jau anksčiau teko bendradarbiauti Kinijoje. Sužinojau, kad Sendė yra gyvenusi Šendžene, girdėjusi apie straipsnyje minimas klinikas ir netgi tebeturinti ten draugų – kurie, kokia laimė, sutiko apsimesti ligoniais ir pamėginti gauti iš embrionų gaminamų vaistų. Sendės draugai – panelė Vu ir ponas Gai – pradėjo paieškas nuo privačios klinikos: pasisakė girdėję, neva medicininiams tikslams galima nusipirkti žmogaus embrionų. Abu sulaukė tokio pat atsakymo: anksčiau tai buvę galima, bet dabar jau Šendženo valdžia uždraudusi pardavinėti ir gemalus, ir placentas. Ir vienas, ir kitas išgirdo, kad šią medžiagą dabar iš ligoninių surenkanti „sveikatos apsaugos produkcijos kompanija su centralizuota vadovybe". Ką tai reiškia, sužinojau labai greitai, paaiškėjo ir kas daroma su ta „medžiaga". Panelė Vu kreipėsi į valstybinės Šendženo liaudies ligoninės – didžiausios regione – Kinų medicinos skyrių ir paprašė vaistų nuo veido dėmių. Gydytojas rekomendavo Tai Bao kapsules, pardavinėjamas ligoninės vaistinėje po maždaug du su puse dolerio už buteliuką. Kai panelė Vu paklausė, kokie tai vaistai, gydytojas paaiškino, kad kapsulės gaminamos iš nelaikšių gemalų, kaip jie ten vadinami, ir placentos – ir patikino, kad tos tabletės tikrai labai veiksmingos nuo odos ligų. Savo ruožtu ponas Gai apsilankė

Vidaus ligų skyriuje, pasiskundė sergąs astma ir pasakė gydytojui, neva draugai rekomendavę jam gydytis gemalais. Gydytojas atsakė negirdėjęs, kad ligoniams kas nors pardavinėtų gemalus tiesiogiai, mat šiuos surenkanti kompanija, tiesiogiai pavaldi Sveikatos apsaugos ministerijai ir turinti teisę iš jų gaminti kapsules – tas pačias Tai Bao kapsules, kurių buvo paskirta panelei Vu.

Straipsnį iš *Express* Sendė davė paskaityti draugei, dirbančiai gydytoja Haikou mieste, kur abi moterys ir gyvena. Jos draugei pasirodė, kad daug kas straipsnyje gerokai persūdyta, bet taip pat jai atrodė, kad gemalo audiniai mediciniškai išties gali būti veiksmingi, tad ji pasisakė pritarianti jų vartojimui vaistams. Juk grynas nuostolis, kaip pareiškė ji, išmesti juos drauge su kitomis šiukšlėmis. (Pačiai Sendei, gal dėl to, kad ji – krikščionė, šitokia praktika atrodo amorali.)

O man atrodo, kad kinai, palyginus su amerikiečiais, puoselėja gerokai praktiškesnį, ne tokį emocingą požiūrį į visa tai, ką deda į burną. Nepaisant Bao kapsulių, aš vis dėlto ryžtuosi palaikyti kinų pusę. Dėl to, kad amerikiečiai myli šunis, Peisiano miesto kinams, kurie, matyt, jokios meilės šunims nejaučia, dar anaiptol netampa amoralu vynioti šunų mėsą į pitos duoną ir valgyti pusryčiams; lygiai taip pat mums indusų pagarba karvėms netrukdo gaminti iš karvių odos diržus, o pietums pasitiekti jautienos kepsnį. Visi mes – savo kultūros ir auklėjimo produktai, visi mes pratę laikytis savo įprastų taisyklių. Esama ir tokių (gerai jau, tegul bus tik vienas), kuriems atrodo, kad net visiškai racionalioje visuomenėje galima rasti vietos ir kanibalizmui. „Kai žmogus sukurs civilizaciją, aukštesnę už mechanizuotąją, bet vis vien dar gana primityvią – tai yra tokią, kokią pažįstame dabar, – rašė Diego Rivera savo prisiminimuose, – tuomet bus įteisintas ir žmogienos valgymas. Mat tada žmogus jau bus atsikratęs visų prietarų ir niekaip sveiku protu nepagrindžiamų draudimų.“

Žinoma, medicininių embriono kapsulių gamybą komplikuoja viena rimta problema – motinos teisių paisymas. Jei ligoninė pageidauja parduoti – ar net atiduoti – persileidimo gemalą bendrovei, kuri iš jo imsis gaminti vaistus, jai reikėtų gauti persileidimą patyrusios moters sutikimą. Elgtis kitaip būtų beširdiška ir nepagarbu.

Bet kokie mėginimai pardavinėti Tai Bao kapsules Jungtinėse Valstijose būtų iš anksto pasmerkti visiškai nesėkmei – vien dėl konservatyvių religinių pažiūrų, kai visi embrionai laikomi visiškai išsivysčiusiais žmonėmis, turinčiais tokias pat teises, kokios paprastai priskiriamos gerokai ląstelių sandara besiskiriantiems jų giminaičiams, o ir dėl amerikiečiams įgimto skrupulingumo. O kinai – tiesiog tauta be skrupulų. Sendė kartą pasakojo man apie garsų kinų patiekalą, vadinamą Trimis klyksmais: naujagimiai peliukai atimami iš motinos (pirmasis klyksmas), sumetami į įkaitusį puodą (antrasis klyksmas) ir pagaliau suvalgomi (trečiasis klyksmas). Kita vertus, mes patys gyvus vėžius metame į verdantį vandenį arba žiauriausiomis priemonėmis kratomės kenkėjų, taigi vargu ar esame tieji be nuodėmės, kuriems valia sviesti pirmąjį akmenį.

Nejučia imi ir susimąstai: kažin ar kada nors kokia nors kultūra nueis taip toli, kad vien praktiškumo sumetimais ims valgyti žmogieną?

Kinijos kanibalizmo istorija – ilga ir spalvinga, bet aš nieku gyvu nesiimčiau tvirtinti, kad kanibalizmo draudimai čia – menkesni nei kur kitur. Iš visų kanibalizmo atvejų, kurių gausu Kinijos istorijoje, aiški dauguma žmogienos valgytojų arba buvo prispirti bado, arba troško išreikšti neapykantą ar atsikeršyti karo metu. Tiesą sakant, jei nebūtų buvę tokio griežto draudimo, tai priešo širdies ar kepenų suvalgymas toli gražu nebūtų buvusi tokia psichologinio brutalumo apraiška, kokia iš tikrųjų buvo.

Kei Rai Čongas įstengė atkapstyti tik dešimt tokių atvejų, jo vadinamų „kanibalizmu iš pomėgio": tai yra tokių, kai kas nors ėmė maistui numirėlio mėsą ar organus ne dėl to, kad daugiau neturėjo ką valgyti, ir ne iš paniekos nugalabytam priešui, ir ne todėl, kad tikėjosi išgydyti pasiligojusį senolį – o tik todėl, kad žmogiena atrodė skani ir buvo gaila paleisti ją vėjais.

Čongas rašo, kad ankstesniaisiais laikais Kinijos budeliai, be atlyginimo, – neminint papildomų pajamų pardavinėjant nukirsdinto nusikaltėlio kraują ir riebalus – dar gaudavo neštis namo vakarienei negyvėlio širdį ir smegenis. Mūsų laikais žmogieną asmeniniam vartojimui tiekia nebent žmogžudysčių aukos – kanibalas vienu šūviu nušauna du zuikius: pasitiekia įspūdingą vakarienę, be to, patikimai atsikrato aukos kūnu. Čongas perpasakoja vienos poros iš Pekino istoriją: jie nugalabijo paauglį, išvirė mėsą ir net pavaišino ja kaimynus tvirtindami, esą tai kupranugariena. Pasak straipsnio, kuris buvo išspausdintas 1985 metų balandžio 8-osios *Chinese Daily News* numeryje, pora prisipažino nužudžiusi todėl, kad neįstengė atsispirti troškimui užkąsti žmogienos, kurią pamėgo karo metu, kai labai stigo maisto. Čongui neatrodo, kad ši istorija būtų laužta iš piršto. Kadangi bado nulemtas kanibalizmas šalies istorijoje buvo labai paplitęs, Čongas mano, kad kai kuriems kinams, gyvenusiems ypač skurdžiuose regionuose, per daugelį metų tikrai galėjo atsirasti toks potraukis.

Sakoma, kad žmogiena ganėtinai skani. Kolorado žvalgytojas Alfredas Pakeris, kai baigėsi paskutinės maisto atsargos, ėmėsi užkandžiauti penketu savo bendražygių, kurių nužudymu vėliau buvo apkaltintas. 1883-iaisiais jis pasakė žurnalistui, kad vyro krūtinės mėsa – „gardžiau už viską", kiek tik jam kada ko nors yra tekę ragauti. O jūreivis, įkliuvęs sugedusioje, dreifuojančioje škunoje *Sallie M. Steelman*, 1878-aisiais, rašė, esą vieno iš mirusių įgulos narių mėsa buvusi „nė kiek ne prastesnė už bet kokį žlėgtainį". Rivera – jei tik jo pasakojimais apie puotas anatomijos laboratorijoje galima tikėti – tvirtino, kad moterų lavonų kojos, krūtys ir šonkauliukai su duona yra „tikras delikatesas", o ypač skanios jam pasirodė „moterų smegenys su aštriu padažu".

Nepaisant Čongo teorijos apie kinus, retkarčiais pajuntančius potraukį užkąsti žmogienos, ir Kinijai įprastų kulinarinių ribojimų, apskritai mūsų laikų „kanibalizmo iš pomėgio" atvejų aptikti nelengva, o įrodyti juos – ir dar sunkiau. 1991-aisiais *Reuters* agentūra išplatino pasakojimą („Restorano svečiai pamėgo koldūnus su žmogiena") apie vieną Hainano provincijos krematoriumo darbuotoją, kuris buvo užkluptas nurėžiantis lavonams, kišamiems į krosnį, šlaunis ir sėdmenis ir tiekiantis mėsą broliui, netoliese esančio Baltosios šventyklos restorano savininkui. Pasak pranešimo, Vangas Guangas ištisus trejus metus klestėte klestėjo prekiaudamas „Sičuano koldūnais" su broliuko Hui klientų apatinės kūno dalies mėsa. Broliai įkliuvę tada, kai vienos automobilio katastrofoje žuvusios merginos tėvai panoro prieš kremaciją dar vieną, paskutinį, kartą ją pamatyti. „Aptikę, kad nupjauti velionės sėdmenys, – rašė žurnalistas, – jie iškvietė policiją." Dar vienas *Reuters* straipsnis apie kanibalistiškai nusiteikusius krematoriumo darbuotojus pasirodė 2002-ųjų gegužės 6-ąją. Straipsnyje pasakojama apie dviejų vyrų iš Pnompenio išdaigas: jie buvo apkaltinti – tik nenuteisti, kadangi nebuvo straipsnio, apibrėžiančio kanibalizmą kaip nusikaltimą – tuo, kad valgė žmogaus rankų ir kojų pirštus, „kiekvieną kąsnį nuplaudami vynu".

Šitokios istorijos gerokai atsidavė šiuolaikiniais miesto mitais. Sendė Van pasakojo man pati girdėjusi panašią istoriją apie kinų restorano savininkę, kuri kaskart, kai tik išgirsdavo apie kokią avariją, skubindavosi į katastrofos vietą, nurėždavo žuvusio vairuotojo sėdmenis ir paskui sunaudodavo bandelių mėsos įdarui. O ir Hainano *Reuters* straipsnyje esama abejotinų dalykų. Pavyzdžiui, kaip tėvai galėjo pamatyti, kad nupjauti dukters sėdmenys? Išeitų, kad kai ją atgabeno paskutiniajam atsisveikinimui, ji gulėjo karste kniūbsčia? Be to, kodėl originaliajame straipsnyje, kuris pasirodė *Hainan Special Zone Daily* dienraštyje, žmonių pavardės minimos, o štai miesto pavadinimas – ne? Bet juk rašo *Reuters*… Ši agentūra juk šiaip istorijų neprisigalvoja, ar ne? O gal vis dėlto prisigalvoja?

Vakarienei *China South Airways* kompanijos lėktuvuose patiekiama nepjaustyta mėsainio bandelė ir susiraukšlėjusi dešrelė be jokio padažo, besiritinėjanti aliuminio lakšto pakuotėje. Dešrelė bandelei pernelyg maža – ji per maža bet kokiai bandelei, per maža net savo pačios odelei. Net ir iš visų aviakompanijų patiekiamų užkandžių šis tikrai mažiausiai žadina apetitą. Galbūt kaip tik todėl skrydžio palydovas, vos išdalijęs paskutiniąsias maisto pakuotes, tuoj pat vėl pradėjo apėjimą nuo lėktuvo priekio, ėmėsi jas surinkinėti ir mesti į šiukšlių maišą, visiškai pagrįstai manydamas, kad vis vien niekas šio užkandžio nevalgys.

Jei Baltosios šventyklos restoranas vis dar gyvuoja, tai maždaug po valandos galėsiu užsisakyti ten lygiai tokį pat atstumiantį patiekalą. Lėktuvas trumpam turėjo nutūpti Hainano saloje – ten, kur neva gyveno anie sėdmenų pjaustytojai. Kaip tik viešėjau Honkonge, tad nutariau šoktelėti ir į Hainaną – galbūt pavyks vietoje iššniukštinėti ką nors daugiau apie tą istoriją. Paaiškėjo, kad Hainano provincija – gana nedidelė. Tai Kinijai priklausanti sala į pietvakarius nuo žemyno. Saloje yra tik vienas didesnis miestas – Haikou, o Haikou, kaip išsiaiškinau nusiuntusi laišką elektroniniu paštu Hainano tinklapio redaktoriui (apsimečiau esanti profesionali laidotuvininkė, nes į žurnalistinį paklausimą nesulaukiau jokio atsakymo), yra ir krematoriumas. Vadinasi, jei straipsnyje aprašyta tiesa, tai viskas įvyko kaip tik čia. Reikės nukeliauti į krematoriumą ir pamėginti aptikti kokį nors Hui ir Vango Guangų pėdsaką. Jei brolius rasiu, tai išklausinėsiu, kokių motyvų jie buvo skatinami. Ar jie – tik paprasčiausi goduoliai, ar tiesiog praktiški žmonės – du nieko pikta nemanantys broliai, kuriems tiesiog buvo gaila, kad veltui pražūva šitiek puikios mėsos? Kažin, ar jie patys savo poelgio nelaiko niekuo blogu? Galbūt jie patys, net su malonumu, valgydavo savo gaminamus koldūnus? Galbūt jie mano, kad panašiai reikėtų perdirbti visus lavonus?

Bendraudama su Hainano tinklapio redaktoriumi, susidariau įspūdį, kad Haikou – kompaktiškas, nelabai didelis miestas, veikiau miestelis, ir dauguma jo gyventojų bent šiek tiek susišneka angliškai. Tinklapio darbuotojas nežinojo krematoriumo adreso, bet aš vyliausi, kad pasiklausinėjusi be vargo jį aptiksiu. „Tiesiog paklauskite taksisto", – tokį gavau tinklapio redaktoriaus patarimą.

Tačiau užtrukau gerą pusvalandį, vien kol išaiškinau taksistui, kad vežtų mane į viešbutį. Kaip ir visi kiti taksistai – ir kaip ir beveik visi kiti, kas tik yra gyvas Haikou – angliškai jis nemokėjo nė žodžio. O ir kuriems galams jam ta anglų kalba? Užsieniečiai į Hainaną beveik nė kojos nekelia, čia apsilanko nebent atostogų iš žemyno atvykstantys kinai. Galų gale mano vairuotojas susiskambino su draugu, kuris angliškai vis dėlto šiek tiek graibėsi, ir aš atsidūriau didžiuliame išsidriekusiame mieste, o paskui – ir aukštame pastate su milžiniškais raudonais kiniškais hieroglifais ant stogo – tikriausiai su viešbučio pavadinimu. Paprastai Kinijos didelių miestų viešbučių kambariai įrengiami vakarietiškųjų pavyzdžiu: su trikampiu užlenktu tualetinio popieriaus galu ir patogiomis dušo galvutėmis; vis dėlto paprastai visuomet pasitaiko kokia nors detalė, žaviai atsidūrusi čia nei į tvorą, nei į mietą. Šiuo atveju tai buvo mažulytis buteliukas su etikete „Sham Poo" ir lankstinukas, siūlantis aklo masažisto paslaugas. (*Ak, ponia! Labai atsiprašau! Neabejojau, kad tai jūsų nugara! Suprantate, aš aklas...*) Visai išsekusi aš sudribau į lovą, ir ši suspigo taip pasipiktinusi, kad net pabūgau, ar tik ji neketina susmukti po manimi.

Rytą nuskubėjau į registratūrą. Viena čia dirbančių mergaičių truputį mokėjo angliškai, taigi man smarkiai pravertė, tačiau turėjo erzinantį įprotį, užuot klaususi „Kaip laikotės?", klausti „Ar gerai jaučiatės?", tarsi aš, išlipdama iš lifto, būčiau suklupusi ant kilimėlio, ar ką. Ji suprato žodį „taksi" ir dūrė pirštu į stovintį gatvėje automobilį.

Išvakarėse, ruošdamasi kelionei, buvau nusipiešusi pagalbinį paveikslėlį. Jį dabar ir įteikiau vairuotojui. Nupiešiau kūną, kybantį virš liepsnų, o greta pavaizdavau urną, tiesa, ši išėjo panašesnė veikiau į samovarą. Taigi galėjau visai pagrįstai baimintis, kad taksistas supras mane ieškant, kur paragauti mongoliško kepsnio, ar panašiai. Vairuotojas apžiūrėjo paveikslėlį, regis, suprato, ir mudu nėrėme į transporto srautą. Važiavome ilgai, atrodė, kažkur į miesto pakraštį, kur, kaip reikėjo tikėtis, ir turėjo būti krematoriumas. Bet staiga dešinėje pamačiau pro šalį praslenkant savąjį viešbutį. Mes tiesiog sukome ratus. Kas čia dedasi? Bene aklasis masažuotojas prisiduria prie atlyginimo vakarais dirbdamas taksistu? Nieko gero. Atrodo, būsiu įklimpusi kaip reikiant. Mostelėjau linksmai ratus sukančiam vairuotojui liautis ir miesto schemoje bakstelėjau pirštu į Kinų turizmo agentūrą.

Galų gale taksi sustojo prie skaisčiai apšviestos įstaigėlės, kur galėjai pasivaišinti keptu viščiuku – prie panašios užeigos Jungtinėse Valstijose pamatytum maždaug tokią iškabą: „Mes skaniausiai iškepame viščiukus!", bet šičia reklama bylojo: „Iškepk man viščiuką!" Taksistas atsigręžė pasiimti užmokesčio. Gerą valandėlę mudu galaižin ką stūgavome kits kitam, kol galiausiai jis išlipo iš mašinos, nudrožė prie mažytės, vos pastebimos vitrinos greta viščiukinės ir gyvai dūrė pirštu į iškabą. „Užsieniečiams skirtas turizmo skyrius", – skelbė ši. Taigi iškepė man viščiuką. Pasirodo, taksisto tiesa.

Viduje turistinio skyriaus darbuotojai mėgavosi rūkymo pertraukėle; sprendžiant iš to, kad ant dūmų galėjai kirvį kabinti, pertraukėlė truko, ko gero, jau ilgokai, gal net keletą metų. Kontorėlės sienos buvo pliko cemento, lubos suskilinėjusios, įlinkusios. Taip ir nepamačiau jokių kelioninių lankstinukų, jokių traukinių tvarkaraščių.

Vien tik pasaulio žemėlapis ant sienos ir nedidukė sieninė koplytėlė su raudona elektrine žvake ir dubenėliu aukoms. Šiuo metu dievams buvo pasiūlyta obuolių. Kontoros gilumoje pastebėjau du visiškai naujus, polietileniniu apvalkalu aptrauktus krėslus. Keistokas pirkinys, dingtelėjo man: du naujutėliai krėslai biure, kuriame baigia įgriūti lubos ir į kurį per metus vargu ar užsuka daugiau nei du ar trys turistai, kuriems būtų galima pasiūlyti atsisėsti.

Paaiškinau darbuotojai, kad norėčiau nusisamdyti vertėją. Stebuklai neregėti: du telefono skambučiai – ir po pusvalandžio prisistatė vertėja. Tai buvo Sendė Van, ta pati moteris, kuri vėliau padės man išsiaiškinti tiesą apie prieš laiką gimusių gemalų pardavėjus. Paaiškinau jai, kad noriu pasikalbėti su kokiu nors Haikou krematoriumo darbuotoju. Sendės anglų kalbos žodynas buvo tikrai įspūdingas, bet, kas ir nenuostabu, žodžio „krematoriumas" jame kaip tik ir trūko.

Bandžiau išaiškinti kitais žodžiais: tai esąs didelis pastatas, kuriame deginami mirusiųjų kūnai. Sakinio pabaigos ji nesuprato, regis, pamanė, kad kalbu apie kokią gamyklą.

– Apie kokias žaliavas kalbate? – pasitikslino.

Visas užsieniečiams skirto turistinio skyriaus personalas taip ir įsistebeilijo į mus iš smalsumo, apie ką kalbame.

– Numirėliai... ta žaliava – numirėliai, – man liko tik bejėgiškai šyptelėti. – Deginami negyvi kūnai.

– Ak štai kaip, – tarstelėjo Sendė. Ji nė nemirktelėjo. Paaiškino turistinio skyriaus darbuotojams, ko man reikia, ir šie sulinksėjo, tarsi šitokių prašymų girdėtų kone kasdien. Paskui paklausė manęs adreso. Kai pasakiau, kad nežinau, Sendė iš informacijos operatorės sužinojo krematoriumo telefoną, paskambino, sužinojo adresą ir net susitarė dėl susitikimo su direktoriumi. Pribloškianti moteriškė. Nė nenumaniau, ką ji pasakė direktoriui, negalėjau net įsivaizduoti, ką ji pati mano: apie ką aš galėčiau kalbėtis su krematoriumo direktoriumi? Pajutau, kad šio man kone pagailo: tikriausiai jis laukia sielvarto palaužtos užsienietės našlės – o gal kokio saldžiabalsio krosnių prekybos agento, žadančio sumažinti savikainą ir padidinti efektyvumą.

Kol važiavome taksi, karštligiškai stengiausi sugalvoti, kaip paaiškinti Sendei, ką jai reikės daryti. „Noriu, kad paklaustumėte direktoriaus, ar jis turėjo tokį tarnautoją, kuris nupjaustydavo lavonams sėdmenis, o jo brolis iš jų ruošdavo patiekalus restoranui?" Bandžiau suformuluoti visa tai ir vienaip, ir kitaip, bet, nors išsinerk iš kailio, skambėjo vis vien šiurpokai ir absurdiškai. Kuriems galams man galėjo prireikti tai žinoti? Ir kokia būsianti ta knyga, kurią aš rašau? Pabūgusi, kad Sendė gali persigalvoti, apie koldūnus nutariau verčiau neužsiminti. Pasakiau, kad rašau straipsnį laidojimo paslaugų žurnalui. Dabar mes jau iš tikrųjų išvažiavome už miesto. Sunkvežimių ir motorolerių gerokai praretėjo. Kelyje pasirodė mediniai, jaučių traukiami vežimai, o važnyčiotojai dėvėjo apskritas smailiaviršūnes kepures nuo saulės – lygiai tokias pat, kokios nešiojamos Vietnamo kaimuose, tik šios buvo suklijuotos iš laikraščių. Kažin, dingtelėjo man, galbūt kieno nors galvą nuo saulės sergsti *Hainan Special Zone Daily* 1991-ųjų kovo dvidešimt trečiosios numeris?

Taksi iš plento išsuko į vieškelį. Pravažiavome plytinį kaminą, iš kurio virto juodi dūmai: krematoriumas. Kiek toliau dunksojo ir laidojimo biuras bei krematoriumo darbuotojų biurai. Mus pakvietė lipti plačiais marmuriniais laiptais tiesiai į direktoriaus kabinetą. Jau supratau, kad įmerkiau uodegą kaip reikiant. Kinai išvis atsargūs su žurnalistais, o ypač saugosi užsieniečių, o ypač – tokių žurnalistų užsieniečių, kurie susigalvoja, neva tavo darbuotojai žalojo numirėlius, iš jų mėsos darė koldūnus ir pardavinėjo restorano lankytojams. Ir kas man šovė į galvą?!

Direktoriaus kabinetas erdvus, beveik be jokių baldų. Ant sienų – ir išvis nieko, tik laikrodis, tarsi darbuotojai niekaip negalėtų nutarti, koks interjeras labiausiai tiktų mirčiai. Mane su Sende pasodino į oda aptrauktus krėslus, tokius žemus, kad pasijutome tarsi

automobilio sėdynėse, ir patikino, kad direktorius tuojau pat ateis.
Sendė nusišypsojo man, nė neįtardama, koks košmaras jos laukia.

– Sende, – staiga prapliupau aš, – privalau pasakyti, ko man čia
prireikė! Čia dirbo toks vyrukas, kuris nupjaustydavo negyvėliams
sėdmenis ir duodavo savo broliui, o tas...

Sulig tais žodžiais įžengė direktorius. Ne direktorius – direktorė,
rūsčios išvaizdos kinė, gero vyro augumo. Aš sėdėjau taip žemai,
kone prasmegusi į grindis, kad ji man pasirodė beveik antgamtinio
dydžio, bene tokio pat ūgio kaip ir tas kaminas lauke – ir taip pat
pasirengusi pliūptelėti juodų dūmų debesiu.

Direktorė atsisėdo prie rašomojo stalo. Įsmeigė žvilgsnį į mane.
Sendė irgi žiūrėjo į mane. Aš, grumdamasi su šleikštuliu, ėmiausi
dėstyti savo istoriją. Sendė klausėsi ir, kokia laimė, neparodė visiš-
kai jokių emocijų. Paskui atsisuko į direktorę. Ši nesišypsojo – ne-
nusišypsojo nė kartelio nuo pat įžengimo į kabinetą, galbūt išvis
niekad gyvenime nesišypsojo. Sendė išklojo jai viską, ką sakiau aš.
Perpasakojo Hui Guango istoriją, paaiškino, kad, mano manymu, jis
galėjęs čia dirbti, o aš rašanti straipsnį žurnalui ir puoselėjanti viltį
surasti šį darbuotoją ir su juo pasišnekėti. Direktorė sunėrė rankas
ant krūtinės, jos akys susiaurėjo. Man netgi pasirodė, kad išsipūtė
jos šnervės. Atsakymas truko geras dešimt minučių. Sendė klausėsi
mandagiai linksėdama – rami ir dėmesinga kaip padavėja, priimanti
užsakymą greito maitinimo restorane, ar asmuo, kuriam sakoma, ką
parnešti iš parduotuvės. Tai man padarė įspūdį. Galiausiai Sendė
atsigręžė į mane.

– Direktorė – ji, na... ji labai supykusi. Direktorę tiesiog... *pri-
bloškė* šie faktai. Ji niekada nieko panašaus negirdėjusi. Sako pa-
žįstanti visus savo darbuotojus, o pati dirbanti čia jau daugiau nei
dešimt metų ir tikrai žinotų, jei kas nors panašaus būtų atsitikę. Be
to, jai atrodo, kad ši istorija, na, kad labai bjauri. Taigi ji niekuo ne-
gali jums padėti.

Man dingtelėjo, kad mielai išgirsčiau direktorės atsakymo vertimą visą, bet tuoj pat persigalvojau: ko gero, man visiškai nepatiktų. Kai grįžome į taksi, pasistengiau kaip įmanydama nuoširdžiau Sendei pasiaiškinti. Atsiprašiau įklampinusi ją į šitokią kebeknę. Ji nusijuokė. Netrukus jau juokėmės abi. Užsikvatojome taip, kad net taksistas susidomėjo, kas čia taip juokinga, o sužinojęs ir pats prapliupo juoktis. Taksistas pats užaugo Haikou, bet apie broliukus Guangus ničnieko nebuvo girdėjęs. Kaip paaiškėjo vėliau, apie juos nieko nežinojo ir nė vienas iš Sendės draugų. Paprašėme vairuotojo, kad išleistų mus prie Haikou viešosios bibliotekos – norėjome pamėginti surasti laikraštį, kuriame neva buvo pirmąsyk išspausdintas anas straipsnis. Paaiškėjo, kad tokio dienraščio *Hainan Special Zone Daily* – išvis nėra; vietinis laikraštis vadinosi *Hainan Special Zone Times* – tai buvo savaitraštis. Sendė peržiūrėjo 1991-ųjų kovo, dvidešimt trečiosios savaitės, numerį, bet apie žmogienos koldūnus ten nebuvo užsiminta nė puse žodžio. Paskui ji pervertė senas telefono abonentų knygas, ieškodama Baltosios šventyklos restorano – ir tokio irgi nerado.

Haikou man neliko kas darą, taigi sėdau į autobusą ir nuvažiavau į pietus, į Saniją, kur puikūs pliažai, nuostabus oras ir kur, kaip įsitikinau, esama dar vieno krematoriumo. (Sendė paskambino ir šio direktoriui – ir sulaukė tokio pat irzlaus atsakymo.) Tą popietę aš pasitiesiau pliaže rankšluostį per metrą kitą nuo medinio ženklo, perspėjančio poilsiautojus: „Negalima spjauti į smėlį". Nebent, pagalvojau sau, paplūdimį kamuotų košmarai, piktžaizdės, akies uždegimas ar piltų karštinės prakaitas.

Bet kuris antropologas pasakytų jums, kad priežastis, dėl kurios žmonės niekad reguliariai nesimaitino kitais žmonėmis, yra paprasčiausia ekonomika. Tiesa, girdėjau, kad Centrinėje Amerikoje būta kultūrų, kurios išties augino žmones mėsai – nelaisvėn pakliuvusius priešo karius nupenėdavo – bet taip elgtis buvo visiškai nepraktiška, mat belaisviai surydavo daugiau, nei vėliau patys duodavo. Kitaip tariant, mėsėdžiai arba visaėdžiai gyvūnai – labai jau neparankūs mėsiniai gyvuliai.

– Žmonės labai neefektyviai verčia kalorijas kūnu, – tvirtina Stenlis Garnas (Stanley Garn), antropologas pensininkas, dirbęs Mičigano universiteto Žmogaus augimo ir vystymosi centre.

Paskambinau jam todėl, kad jis parašė straipsnį *American Anthropologist* žurnale apie žmogaus kūną ir jo maistinę vertę.

– Štai karvės, – pridūrė jis, – daro tai kur kas efektyviau.

Tačiau mane domina ne tiek tos kultūros, kurios suvartoja maistui nelaisvėn paimtus priešus, kiek tos, kurios valgo savo pačių numirėlius: taiko praktiškąjį, „kodėl gi ne" kategorijos kanibalizmą, kai šviežių lavonų mėsa valgoma tiesiog todėl, kad jos yra ir kad ja visai neblogai paįvairinti valgiaraštį. Jeigu neketini eiti medžioti žmonių nei vargintis juos penėti, tuomet ir maistinė žmogienos vertė įgyja kitą prasmę.

American Anthropologist aš aptikau dar vieną straipsnį – tai buvo atsakas į Garno rašinį – kuriame tvirtinama, kad iš tikrųjų žinoma atvejų, kai grupė žmonių suvalgydavo ne tik nužudytus priešus, bet ir savosios grupės narius, mirusius dėl natūralių priežasčių. Vis dėlto, kaip rašė Kalifornijos universiteto San Diege antropologas Stenlis Volensas (Stenley Walens), visais atvejais kanibalizmą lydėjo atitinkami ritualai. Kiek jam žinoma, nė viena kultūra mirusio genties nario nesuvartodavo mėsai lyg niekur nieko.

Atrodė, kad Garnas su šia nuomone nesutinka.

– Daugelis kultūrų valgydavo savo mirusiuosius, – pareiškė jis, nors jokių konkretesnių žinių man taip ir nepavyko išpešti. Dar jis pridūrė, kad daugelis grupių – pasak jo, pernelyg daug, kad galėtum išvardyti – valgydavo naujagimius – taip reguliuodavo gyventojų

skaičių, kai imdavo stigti maisto. Pasidomėjau, ar kūdikius žudyda-
vo, ar šie būdavo jau mirę savaime.

– Na, – atsakė jis, – kai juos valgydavo, jie tikrai būdavo ne-
begyvi.

Atrodė, kad pokalbis su Stenliu Garnu ir klostysis kažkaip ši-
taip – nei šiaip, nei taip. Pokalbio metu jis netikėtai nukreipė temą
nuo kanibalizmo maitinimosi tikslais į atliekų laidojimą – sakyčiau,
gana staigus posūkis – ir toliau kalbėjo daugmaž vien apie tai.

– Štai apie ką jums derėtų parašyti knygą, – pareiškė jis, kaip man
pasirodė, visiškai rimtai.

Stenliui Garnui aš skambinau todėl, kad ieškojau antropologo,
kuris būtų tyrinėjęs žmogaus kūno ir/arba organų maistingumą.
Na, tiesiog iš smalsumo. Tiesą sakant, tiksliai tokių analizių Garnas
nedarė, tačiau apskaičiavo žmogaus kūno liesumos su riebalais san-
tykį. Jo skaičiavimais, žmogienos sandara ne kažin kiek skiriasi nuo
veršienos. Norėdamas rasti tikslesnį skaičių, Garnas ekstrapoliavo
vidutinio žmogaus kūno riebalų procentą.

– Šitokios informacijos turiu apie daugumos kraštų žmones, – pa-
sakė jis. – Taigi galite rinktis, ko norėtumėte pietums.

Susidomėjau, kiek toli siekia jautienos analogija su žmogiena. Ar
apie žmogieną galima taip pat, kaip ir apie jautieną, pasakyti, kad
riebesnė išpjova yra aromatingesnė? Garnas patvirtino. Be to, kaip
ir kalbant apie galvijus, kuo labiau individas nupenėtas, tuo didesnė
jo mėsoje proteino koncentracija.

– Šio pasaulio mažuosius, – pasakė Garnas, turėdamas omenyje
ne neūžaugas, o prastai besimaitinančius Trečiojo pasaulio gyven-
tojus, – vargu ar verta valgyti.

Mano žiniomis, šiais laikais tėra viena vienintelė individų grupė,
kurios kasdieniame valgiaraštyje aptiktume nemenką dalį jų pačių
mirusių gentainių mėsos. Turiu omenyje Kalifornijos šunis. 1989-
aisiais, ieškodama informacijos apie keistą rasistinį įstatymą, kuriuo

siekta sutrukdyti imigrantams iš Azijos valgyti kaimynų šunis (kas jau ir šiaip būtų pripažinta nusikaltimu, nes tas, kuris šunį pavagia, jau pažeidžia įstatymą), sužinojau, kad, laikantis Kalifornijos gryno oro akto nuostatų, humaniškosios bendruomenės liovėsi deginti užmigdytus šunis ir kitus naminius gyvūnus ir perėjo prie, vieno pareigūno žodžiais tariant, „taukų lydymo". Paskambinau į tokią taukų lydymo gamyklą, norėdama sužinoti, į ką perdirbama šunų maita.

– Mes juos sumalame ir darome iš jų kaulamilčius, – pasakė man gamyklos vadovas.

O kaulamilčiai – labai paplitusi trąšų sudedamoji dalis, taip pat dedama ir į gyvūnų maistą – įskaitant daugelio rūšių šunų ėdalą, kurio galima nusipirkti bet kurioje parduotuvėje.

Žinoma, žmonės po mirties trąša netampa. Nebent patys šito pageidautų.

11

IŠ LAUŽO LIEPSNŲ
TIESIOG Į PŪDINIO DUOBĘ

Ir dar keletas naujų būdų iškeliauti Anapilin

Kai nuvežtą į veterinarijos gydyklą nugaišta karvė, jos niekas nega-
bena į lavoninę. Ji patenka į didelį įeinamą šaldytuvą – pavyzdžiui,
tokį, koks įrengtas Kolorado valstybinio universiteto Veterinarijos
mokomojoje ligoninėje Fort Kolinze. Kaip ir beveik visa, kas yra
įeinamuosiuose šaldytuvuose, kritusių gyvulių dvėsenos čia sudė-
liojamos taip, kad užimtų kuo mažiau vietos. Palei vieną sieną su-
krautos avys – tarsi smėlio maišai, sergstintys nuo potvynio. Karvių
maitos kadaruoja ant lubose įtaisytų kablių – pažįstamas vaizdas,
labai primena sukabintą skerdieną. Arklys, per vidurį perpjautas
pusiau, guli kaip koks vodevilio aktoriaus kostiumas, numestas po
spektaklio.

Kai krinta koks nors bandos gyvulys, tai mirtis tėra vien fizinis
reiškinys, sukeliantis vienintelę problemą – kaip atsikratyti gaišenos,
ir nieko daugiau. Neiškyla būtinybė pasirūpinti tolesne sielos ke-
lione, nesusirenka gedėtojai, o su nugaišimu susiję darbuotojai gali
mėgautis veiksmų laisve. Ar esama kokio nors ekonomiškesnio būdo
atsikratyti gaišena? Ar įmanoma sunaikinti ją taip, kad kuo mažiau
pakenktume aplinkai? Kalbant apie mūsų, žmonių, mirtį, atsikratymą
kūnu visuomet lydi atminų ir atsisveikinimo ritualai. Laidotuvių
dalyviai visuomet spiečiasi aplink kapo duobę, į kurią nuleidžiamas

karstas, o dar visai neseniai, tik iš kiek atokiau, lydėdavo karstą ir į krematoriumo krosnį. Pastaruoju metu, kai dauguma krematoriumo paslaugų teikiamos jau nebe gedėtojų akivaizdoje, atminimo apeigos vis labiau atsisieja nuo paties kūno sunaikinimo proceso. Ar tai suteikia mums laisvę tyrinėti naujas galimybes?

Kevinas Makeibas, Makeibo laidojimo biuro Farmington Hilse, Mičigano valstijoje, savininkas, yra vienas tų žmonių, kurie mano, kad atsakymas į šį klausimą yra „taip". Vieną gražią dieną, ir gana greitai, jis ketina pradėti taikyti žmonių palaikams tą patį metodą, kurį Kolorado valstybinis universitetas taiko naikinti kritusių avių ir arklių maitoms. Šį procesą – kalbant su gyvulių maitas naikinančiais darbuotojais jį reikia vadinti „audinių virškinimu", o su Makeibu – „vandens dezoksidacija" – išrado pensijon išėjęs patologijos profesorius Gordonas Kajė ir pensininkas biochemijos profesorius Briusas Veberis. Makeibas yra Kajės ir Veberio kompanijos *WR²*, *Inc.*, įsikūrusios Indianapolyje, Indianos valstijoje, laidojimo apeigų konsultantas.

Kūno laidojimo apeigoms *WR²* nebuvo skiriama bent kiek daugiau dėmesio iki 2002-ųjų pavasario, kai toks Rėjus Brantas Maršas iš Noblio, Džordžijos valstijos, taip sutepė gerą krematoriumo operatoriaus vardą, kad labiau nė neįmanoma. Jo tris valstijas aptarnaujantį krematoriumą supančioje teritorijoje buvo aptikti, galutiniais skaičiavimais, trys šimtai trisdešimt devyni yrantys kūnai – sukrauti daržinėse, sumesti į tvenkinį, sugrūsti išbetonuotoje laidojimo duobėje. Iš pradžių Maršas bandė tvirtinti, esą neveikianti krosnis, tačiau krosnis anaiptol nebuvo sugedusi. O paskui dar pasklido gandai apie gausias apipuvusių kūnų nuotraukas, aptiktas Maršo kompiuteryje. Pradėjo aiškėti, kad Maršas – ne šiaip ničnieko apie etiką negirdėjęs šykštuolis, o dar ir beviltiškas iškrypėlis. Kūnų randantis vis daugiau, ėmė skambėti Gordono Kajės telefonas: jam skambino bene pustuzinis laidojimo biurų direktorių ir vienas Niujorko valstijos vietinio įstatymų leidžiamojo organo narys; visi jie norėjo sužinoti, kada bus sukurtas naudojimui tinkamas lavoninės audinių virškintuvas, jei staiga atsitiktų taip, kad klientai imtųsi lankstu apeiti krematoriumus. (Tuometiniais Kajės apskaičiavimais šitaip turėjo atsitikti po kokių šešių mėnesių.)

Kajės ir Veberio įranga per kelias valandas gali suskaidyti lavono audinius – tuomet liktų vos du ar trys procentai buvusiojo kūno svorio. Lieka tik krūvelė dekalogenuotų kaulų, kuriuos nesunku sutrupinti tiesiog pirštais. Visa kita virsta substancija, kurią WR^2 brošiūra apibūdina kaip sterilų „kavos spalvos" skystį.

Audiniai virškinami dviem pagrindiniais ingredientais: vandeniu ir šarmu, dar vadinamu pelenų šarmu. Pridėjus į vandenį pelenų šarmo, sukuriamos tokios pH sąlygos, kuriomis iš vandens molekulių atpalaiduojamas vandenilio jonas, o tada pradeda skaidytis baltymai ir riebalai, iš kurių ir sudarytas gyvas organizmas. Štai kodėl „vandens dezoksidacija", nors ir akivaizdus eufemizmas, vis dėlto yra gana tikslus terminas.

– Vandeniu sutraukomos cheminės sąsajos didžiosiose kūno molekulėse, – sako Kajė.

Jis nevengia kalbėti ir apie pelenų šarmą. Tasai žmogus ištisus vienuolika metų praleido naikindamas maitas („sutvarkydamas", jei pasitelksime Makeibo terminologiją).

– Iš esmės tai – slėgio pagrindu veikiantis virimo aparatas (su kanalizacijos užtaršų tirpikliu), – sako Kajė apie savo išradimą.

Pelenų šarmas veikia daugmaž taip pat, kaip veiktų ir tada, jeigu jį prarytum. Tu jo nevirškini – jis virškina tave. Vis dėlto šarmas, kaip rūgšties priešingybė, turi vieną gerą savybę: atlikęs savo darbą, chemikalas tampa neveiklus, tad jį galima ramia sąžine išpilti į kanalizaciją.

Be jokios abejonės, audinių virškinimas yra patogus būdas sudoroti gyvulių maitas. Šiuo procesu sunaikinami ligas sukeliantys mikroorganizmai, o dar svarbiau – sunaikinami ir infekcijos sukėlėjai baltymai prionai, įskaitant ir tuos, kurie sukelia karvių pakvaišimą. Gyvūninės žaliavos perdirbimu jų patikimai sunaikinti nepavyksta. Be to, priešingai, nei deginant krosnyje, neteršiama aplinka. Ir dar, kadangi nenaudojamos gamtinės dujos, procesas kainuoja maždaug dešimteriopai pigiau nei deginimas.

O kokie šio metodo privalumai, kalbant apie žmones? Jei turime omenyje tuos žmones, kuriems priklauso laidojimo biurai, tuomet gana ženkli ekonominė nauda. Lavonų „virškintuvas" neturėtų būti ypač brangus (kainuoja mažiau nei 100 000 dolerių), o eksploatuoti jį, kaip jau minėta, kainuotų vos dešimtadalį sumos, kokią suryja krematoriumas. „Virškinimo" įrangą įsitaisyti ypač vertėtų kaimo vietovėse, kur gyventojų pernelyg reta, kad būtų galima nuolat kūrenti krematoriumo krosnį. (Ją patartina laikyti nuolat veikiančią. Uždegant krosnį vis iš naujo, vis leidžiant atvėsti ir vėl pakuriant, gadinama krosnies izoliacija; geriausia, kai ugnis dega be perstojo, karštis sumažinamas tik retkarčiais, kad būtų galima susemti pelenus ir įdėti naujus palaikus – o tam reikia nenutrūkstamo jų tiekimo.)

O kuo naujoji įranga galėtų būti patraukli tiems žmonėms, kurie nėra laidojimo biurų savininkai? Tarkime, jei artimiesiems toks palaikų sunaikinimas kainuotų daugmaž tiek pat, kiek sudeginimas krematoriume, kodėl žmonės turėtų rinktis šį variantą? Pasiteiravau Makeibo – šnekaus, draugiško vyriškio iš Vidurio Vakarų, kaip jis ketinąs įkalbinėti klientus.

– Labai paprastai, – atsakė jis. – Artimiesiems, kurie kreipsis su pageidavimu savo velionį kremuoti, tiesiog pasakysiu: „Kodėl gi ne, galima ir kremuoti. Bet taip pat galima rinktis ir vandens dezoksidaciją". Tada jie manęs paklaus: „O kas tai yra?" Ir aš paaiškinsiu: „Na, tai beveik tas pats, kas ir kremacija, tik ne ugnimi, o smarkiai suslėgtu vandeniu". Ir tada jie sakys: „Gerai! Taip ir padarykime!"

O tada neišvengiamai įsikiš žiniasklaida ir pratrūks plyšoti: „Juk jie naudoja pelenų šarmą. Jūs deginate kūną šarmu!"

– Ar nemanai, Kevinai, – klausiu jo, – kad kai ką labai svarbaus nutylėsi?

– Oi ne, juk jie viską išsiaiškins, – patikino jis. – Jau kalbėjau apie tai su žmonėmis ir dėl to neiškilo jokių keblumų.

Nesu tikra, kad galiu lyg niekur nieko patikėti šiais dviem jo teiginiais, bet tuo, ką jis tuoj pat priduria, – tikrai tikiu:

– Be to, kremacijos procesas tikrai nėra pats maloniausias akiai reginys.

Nutariau, kad man reikėtų pamatyti šį procesą savo akimis. Pabandžiau užmegzti ryšį su Valstybinės anatomijos komisijos pirmininku Geinsvilyje, Floridos valstijoje – ten pastaruosius penkerius metus virškintuvai tvarkė anatomijos laboratorijų atliekas; čia procesą vadino „redukcine kremacija" – prisitaikymui prie valstijos nuostatų, reikalaujančių, kad mokslui paaukoti palaikai vėliau būtų kremuojami. Bet nesulaukiau jokio atsakymo. Tada Kajė patarė man, kur kreiptis Kolorado valstijoje. Štai taip aš ir atsidūriau čia – Fort Kolinze, Kolorado valstijoje, didžiuliame įeinamajame šaldytuve, prigrūstame gyvulių maitų.

Virškinimo agregatas riogso užkeltas ant pakrovimo platformos, per penkiolika pėdų nuo šaldytuvo. Tai apskrita nerūdijančio plieno cisterna, dydžiu ir forma primenanti kalifornietišką karšto vandens kubilą. Ir iš tikrųjų: pripildytame maždaug tiek pat tilptų karšto skysčio ir nejudrių kūnų masės: apie septynis šimtus septyniasdešimt kilogramų.

Virškinimo agregatą šią popietę prižiūri tyliakalbis laukinių gyvūnų patologas Teris Spračeris. Jis avi ilgais guminiais batais, užsitempęs juos ant kelnių, mūvi latekso pirštines. Ir viena, ir kita

išterliota krauju, mat Spračeris darė avių nekropsiją.* Kad ir kokių
minčių galėtų kelti šio žmogaus darbo pobūdis, gyvūnus jis vis dėlto
myli. Net nušvito išgirdęs, kad man teko gyventi San Franciske, pa-
sakė maloniai prisimenąs apsilankymą ten – tik įspūdį jam paliko
ne kalvos, prieplaukos ar restoranai, o Jūros žinduolių centras – ne-
labai kam žinomas ekologinis centras, įsikūręs tolėliau nuo miesto,
pajūryje – čia po reabilitacijos kurso į laisvę paleidžiamos naftoje
išmirkusios ūdros ar našlaičiais likę didieji ruoniai. Ko gero, šitaip
visada ir būna tiems, kurie dirba su gyvūnais. Jei užsidirbi pragyve-
nimui rūpindamasis jais gyvais, tai tenka susidurti ir su jų mirtimi.

Mums virš galvų kadaruoja perforuotas agregato įdėklo krep-
šys, pakabintas ant hidraulinio keltuvo, judančio lubose įtaisytais
bėgiais. Nešnekus, rausvai gelsvais plaukais laboratorijos asistentas
Veidas Klemonsas nuspaudžia mygtuką ir krepšys ima šliaužti virš
pakrovimo platformos prie šaldytuvo durų, kur stovi Klemonsas.
Prikrovęs krepšį, jis drauge su Spračeriu nustums jį atgal virš virš-
kinimo agregato ir nuleis į jį.

– Visai taip pat, kaip skrudinant bulvių šiaudelius, – tyliai sako
Spračeris.

Šaldytuvo viduje ant keltuvo pritvirtintas didelis plieninis kablys.
Klemonsas pasilenkia, ant šio kablio užkabina kitą, įtvirtintą nugai-
šusio arklio raumenų sankaupoje ties kaklo pagrindu. Klemonsas
nuspaudžia mygtuką. Arklio pusė pradeda kilti. Vaizdas gluminamai
prieštaringas: rodos, visai atpažįstamas arklys romiu, taikingu snukiu
ir šilkiniu kailiu ant kaklo, kur jį glostydavo mergaitės rankos – ir
sukepęs kraujas ten, kur kapoklė perkirto arklį perpus.

---

* Jis vengia žodžio „autopsija", nes ši priesaga nurodo medicininę pomirtinę savo
  paties rūšies kūno apžiūrą. Formaliai tariant, autopsija galima vadinti tik tokį
  procesą, kai vienas žmogus tyrinėja kito žmogaus kūną, nustatinėdamas mirties
  priežastį – arba tokį, kuris galėtų vykti nebent kokiame nors kitame pasaulyje,
  kuriame avis skrodžia avys.

Klemonsas pakrauna vieną pusę, paskui – kitą, nuleisdamas tiksliai greta pirmosios – arklio pusės puikiai atitinka viena kitą – tarsi nauji batai dėžutėje. Klemonsas, kaip tikras patyręs bakalėjos prekių parduotuvės pakuotojas, pakrauna avis, veršį ir neįvardijamą, glitų dviejų po tris šimtus keturiasdešimt litrų talpos „žarnogalių kibirų" iš nekropsijos laboratorijos turinį, ir pagaliau krepšys prisipildo.

Tada jis nuspaudžia mygtuką, ir krepšys pajuda į trumpą kelionę lubose įtaisytais bėgiais – per pakrovimo platformą į virškinimo agregatą. Bandau įsivaizduoti greta jo būrelį stoviniuojančių gedėtojų, kaip kad laidotuvių dalyviai būriuojasi aplink kapo duobę, kai sukamasis keltuvas lėtai leidžia į ją karstą, arba spiečiasi krematoriumo salėje ir stebi, kaip slenkančios juostos lėtai tempia karstą į krematoriumo krosnį. Žinoma, virškinimo agregatas laidojimo namuose šiek tiek skirtųsi nuo to, kurį stebiu dabar – orumo sumetimais tikrai būtų sugalvota, ką pakeisti. Laidojimo namai naudotų cilindro formos krepšį, be to, apdorotų tik vienerius palaikus. Makeibas nemano, kad velionio artimieji turėtų būriuotis aplink agregatą ir stebėti visą procesą, tačiau „jei jie panorėtų apžiūrėti įrangą, mes tikrai neprieštarautume".

Kai krepšys atsiduria vietoje, Spračeris uždaro plieninį virškinimo agregato liuką ir nuspaudžia keletą kompiuterizuoto valdymo pulto mygtukų. Į rezervuarą plūsteli vanduo ir chemikalai – garsai sklinda beveik visai tokie pat kaip ir iš skalbyklės.

Grįžtu kitą dieną – tada, kai ateina metas krepšį iškelti. (Tokios apimties krovinys čia virškinamas paprastai šešias valandas, tačiau Kolorado valstijai jau būtų pats metas atnaujinti vamzdynus.) Spračeris atkabina sklendę, pakelia dangtį. Ničnieko neužuodžiu, tad įsidrąsinu prikišti nosį prie pat rezervuaro ir dirstelėti vidun. Dabar jau šį tą užuodžiu. Kvapas gana stiprus ir skvarbus. Nepasakyčiau, kad malonus. Nepažįstamas. Gordonas Kajė šį kvapą apibūdino kaip „panašų į muilo" – man nejučia net dilgtelėjo smalsumas: kažin, o kur jis pats perka muilą? Krepšys atrodo beveik visai tuščias. Tas tiesiog pribloškia, kai prisimeni tą didžiulę kaugę, kuri jame buvo. Klemonsas imasi sukti keltuvą, krepšys pradeda kilti iš agregato. Krepšio dugnas padengtas gal pusantros pėdos storio kaulų sluoksniu. Nutariu verčiau jau tiesiog patikėti Kajės žodžiu, esą tokius kaulus nesunku sutrupinti pirštais.

Klemonsas atidaro nedideles dureles, įtaisytas prie krepšio dugno, ir sužeria kaulus į specialų konteinerį. Nors ištuštinama krematoriumo talpa atrodo nėmaž ne patraukliau, vis dėlto niekaip neprisiverčiu įsivaizduoti, kad šis procesas įsitvirtintų Amerikos laidojimo tradicijose. Kita vertus, laidojimo apeigų proceso likučiai atrodytų ne visai taip. Kaulų liekanos būtų arba visiškai sudžiovintos ir sutrintos į miltus, kad būtų galima išbarstyti, arba, kaip įsivaizduoja Makeibas, būtų subertos į specialią „kaulų dėžutę", tarsi kokį mažulytį karstą, kurį galima pastatyti kriptoje arba palaidoti.

Neminint kaulų, visos kitos kūno dalys buvo virtusios skysčiu ir nutekėjo į kanalizaciją. Parsiradusi namo, pirmiausia ir paklausiau Makeibo, kaip jis ketinąs susidoroti su šia problema: na, kaip pranešti mirusiojo artimiesiems, kad jų brangaus velionio molekulės keliaus į municipalinę kanalizacijos sistemą?

– Neatrodo, kad žmonės smarkiai tuo bjaurėtųsi, – patikino Makeibas ir pabrėžė savojo metodo skirtumą nuo kremavimo: – Juk galima rinktis: arba į kanalizaciją, arba – į atmosferą. O žmonės, kurie bent šį tą nutuokia apie aplinkosaugą, puikiausiai supranta, kad verčiau jau paleisti ką nors sterilaus, su neutraliu pH, į kanalizacijos sistemą, nei nuodyti orą dantų plombų gyvsidabriu.* Makeibas vi-

---

* Visame oro teršimo pramonės atliekomis kontekste krematoriumas išskiriamų teršalų kiekiu būtų pačioje sąrašo apačioje. Į atmosferą jis išmeta maždaug pusę tiek sveikatai žalingų dalelių, kiek įprastinis namų židinys, o azoto suboksido – daugmaž tiek, kiek įprastinė restorano kepimo krosnelė. (Tai nelabai ir keista, nes žmogaus kūną daugiausia sudaro vanduo.) Didžiausią susirūpinimą

liasi, kad ekologinis gyventojų sąmoningumas bus dar viena paskata žmonėms rinktis jo metodą. Kažin ar jo viltims lemta išsipildyti? Netrukus sužinosime. Makeibas rimtai nusiteikęs 2003-iaisiais atidaryti pirmuosius pasaulyje laidojimo namus su „audinių virškintuvu".

Pasidomėjus krematoriumų istorija, ne taip sunku suprasti, kad pakeisti amerikiečių įpročius atsikratyti mirusiųjų – toli gražu nėra lengva. Užvis geriausias būdas susipažinti su šia sritimi – nusipirkti Stiveno Protero (Stephen Prothero) knygą *Išgryninti ugnimi: kremacijos Amerikoje istorija*. Proteras yra Bostono universiteto religijotyros profesorius, talentingas rašytojas ir gerbiamas istorikas; jo knygos bibliografiją sudaro daugiau nei du šimtai pirminių ir šalutinių šaltinių. Antras neblogas būdas šį tą sužinoti apie kremaciją – perskaityti čia pat tolesnius puslapius, kurie iš esmės ir yra nedidukės Protero knygos atkarpėlės, tik perleistos per mano smegenų „audinių virškintuvą".

Kad ir kaip ironiškai skambėtų, Amerikoje vienas pirmųjų ir bene garsiausiai skelbiamų krematoriumų šalininkų argumentų buvo tas, kad deginami kūnai neva mažiau teršią aplinką nei laidojami. Devynioliktojo amžiaus viduryje vyravo (tegul ir neteisinga) nuomonė,

---

kelia dantų plombose esantis gyvsidabris, kuris garuoja ir kurio patenka į atmosferą – JAV aplinkos apsaugos valdybos ir Šiaurės Amerikos krematoriumų asociacijos bendrų tyrinėjimų duomenimis – po 0,23 gramo per deginimo valandą (vieneri kremuojami palaikai į atmosferą vidutiniškai paleidžia apie pusę gramo gyvsidabrio). 1990-aisiais Anglijoje buvo atliktas nepriklausomas tyrimas. Jo duomenimis, išspausdintais *Nature* žurnale, vidutinis gyvsidabrio kiekis, patenkantis į atmosferą kremuojant vienerius palaikus, yra kur kas didesnis – apie tris gramus, ir tuo, autoriaus nuomone, tikrai derėtų susirūpinti. Vis dėlto, palyginus su elektrinėmis ir šiukšlių deginimu, negyvėlių dantų plombų indėlis į bendrą gyvsidabrio koncentraciją planetos atmosferoje tikrai labai nedidelis.

kad palaidotų pūvančių kūnų skleidžiamos nuodingos dujos užteršia gruntinius vandenis, be to, prasismelkusios per dirvožemį, virš kapinių pakimba mirtinai pavojingais garais. Jų prisikvėpavęs pro šalį ėjęs žmogus neva rimtai suserga. O kremacija buvo pristatyta kaip švari, higieniška alternatyva – tikriausiai krematoriumai JAV būtų iš karto ir išpopuliarėję, jei ne paties pirmojo mėginimo visiška nesėkmė visuomenės akivaizdoje.

Pirmąjį krematoriumą Jungtinėse Valstijose 1874-aisiais pastatė savo valdose Frensis Džulijus Lemuanas, pensijon išėjęs gydytojas, negrų vergovės priešininkas, išsilavinęs žmogus. Nors jo, kaip visuomenės reformatoriaus, reputacija buvo išties įspūdinga, vis dėlto pažiūros į asmeninę higieną, ko gero, smarkiai atsisuko prieš jį patį, kovojusį dėl švaraus, aplinkos neteršiančio laidojimo būdo. Pasak Protero, jis tikėjo, kad „Kūrėjas neskyrė žmogaus kūnui susidurti su vandeniu", o šitaip ilgainiui jis susikūrė savo paties asmeninę miazmą.

Pirmasis Lemuano klientas buvo toks baronas La Palmas, kurio kūną ketinta sudeginti per viešą ceremoniją. Į ją buvo sukviesta ir nacionalinės, ir Europos spaudos atstovų. Kodėl La Palmas pageidavo būti sudegintas, lieka paslaptis, tačiau bent viena iš priežasčių galėjo būti giliai įsišaknijusi baimė, kad jo nepalaidotų gyvo – baronas tvirtino pažinojęs moterį, kurią buvo palaidoję tikrai gyvą (tik, reikia manyti, nelabai giliai). Tačiau atsitiko taip, kad ponui La Palmui paskutinioji išmušė anksčiau, nei buvo įrengtas krematoriumas, tad jo kūną reikėjo kaip nors išsaugoti. Jis tapo nemokšiško, labiau improvizacijomis paremto tų laikų balzamavimo auka, taigi, kai triukšmingesnioji susirinkusios minios dalis – daugiausia vietinio miestelio gyventojai, kurių į apeigas niekas nekvietė – nutraukė nuo žemiškųjų jo palaikų įkapes, barono išvaizda buvo labai toli nuo tobulybės. Pasipylė ne itin pagarbūs juokeliai. Prunkštavo vaikigaliai iš vietinės mokyklos. Laikraščių reporteriai iš visos šalies vieningai skelbė nepalankią nuomonę: jiems toli gražu nepatiko karnavalinės ceremonijos nuotaikos, jie pasigedo religinio ritualo ir deramo iškilmingumo. Taigi kremacija buvo pasmerkta mirti dorai nė negimusi.

Proteras teigia, esą didžioji Lemuano klaida buvusi ta, kad jis surengė daugmaž visiškai pasaulietines laidotuves. Jo atsisveikinimo kalba nė nedvelkė kokiais nors sentimentais, jis nesiteikė gražbyliauti apie anapusinį gyvenimą ir Visagalio gailestingumą, o vien praktiniais sumetimais pastatytas krematoriumas be jokių puošmenų (žurnalistai lygino jį su „duonkepe krosnimi" ir „gana didele cigarų dėžute") skaudžiai įžeidė visus tuos amerikiečius, kurie buvo pripratę prie Viktorijos stiliaus laidotuvių su privalomomis mišiomis ir prabangiais, gėlėse skęstančiais karstais. Tokioms bedieviškoms laidotuvėms Amerika dar anaiptol nebuvo pasirengusi. Ir tik 1963-iaisiais, tais metais, kai po antrojo Vatikano susirinkimo paskelbtų reformų Katalikų bažnyčia atšaukė kremacijos draudimą – kūnų deginimo tradicija ėmė sparčiai plisti. (1963-ieji buvo tikro kremacijos suklestėjimo metai. Kaip tik tą vasarą pasirodė knyga *Amerikietiškasis būdas mirti* – velionės Džesikos Mitford surašytas viešas laidotuvių apgavysčių ir godumo demaskavimas.)

Protero nuomone, per visą istoriją laidotuvių tradicijų reformuotojus įkvėpdavo ne kas kita, kaip pasibjaurėjimas išpūstais ritualais, religiniu prašmatnumu. Gal kaip tik jie ir platindavo pamfletus, kuriuose būdavo smulkiai apibūdinami kapo siaubai ir pavojai sveikatai, nors tradicinės krikščioniškos laidotuvės iš tikrųjų juos erzino pirmiausia išlaidavimu ir apsimetinėjimu: rokoko stiliaus karstai, samdomi gedėtojai, pinigų švaistymas, žemės praradimas. Tokie laisvamaniai kaip Lemuanas siekė kur kas padoresnio, paprastesnio ir esmingesnio požiūrio į mirtį. Deja, kaip pabrėžia ir Proteras, tokie žmonės, siekdami maksimalaus laidotuvių utilitarizmo, neretai perlenkdavo lazdą ir įsiutindavo Bažnyčią, atstumdavo daugumą žmonių. Pavyzdžiu galime pateikti kad ir vieną gydytoją amerikietį, kuris ragino gauti iš negyvėlių kuo daugiau naudos ir siūlė prieš kremaciją nunerti odą ir panaudoti odiniams gaminiams. Arba profesorių iš Italijos, kuris siūlė deginti lavonų taukus gatvės žibintuose: jo apskaičiavimais, du šimtai penkiasdešimt kasdien Niujorke mirštančių žmonių duotų ne mažiau kaip po dešimt tonų kuro per dieną. Arba krematoriumo savininką serą Henrį Tompsoną, kuris sėdo ir apskaičiavo svarais sterlingų pelną, kokį būtų galima gauti, jei daugiau nei aštuoniasdešimties tūkstančių kasmet Londone mirštančių žmonių palaikus kas nors susiprastų kremuoti ir pelenus panaudoti trąšoms. Jam išėjo apie 50 000 svarų sterlingų, bet net jei ir būtų pasipainiojęs koks klientas, tai būtų likęs su ilga nosimi, nes kremuoto kūno pelenai – labai jau prasta trąša. Jei panorėtumėte tręšti daržą numirėliais, tuomet jau verčiau naudotis Hėjaus siūlomu metodu. Daktaras Džordžas Hėjus buvo chemikas iš Pitsburgo; jis siūlė smulkinti mirusiųjų kūnus į miltus taip, kad šie – cituoju 1888 metų laikraščio straipsnį šia tema: „kuo greičiau vėl taptų gamtos elementais ir juos būtų galima panaudoti, jeigu ne kam kitam, tai bent trąšoms“. O štai ir kita, kur kas ilgesnė Hėjaus citata, įklijuota iškarpų albume, priklausančiame Masačusetso valstijos Kembridžo Maunt Oberno kapinių Istorijos kolekcijai:

Mechanizmai turėtų būti tokie, kad kaulus susmulkintų pirmiausia į vištos kiaušinio dydžio nuolaužas, o paskui – į stiklo karoliukų dydžio gabalėlius; vėliau tą sumaigytą ir sudraskytą masę galima dar labiau susmulkinti mechanine kapokle ir garais, kad virstų substancija, panašia į faršą. Šiame etape gauname vienalytį visų kūno organų mišinį, panašų į minkštimą iš žalios mėsos ir tru-pintų kaulų. Dabar šią masę derėtų kruopščiai išdžiovinti garais, įkaitintais iki 250 laipsnių Farenheito [= 121 °C – *red. pastaba*]… kadangi, visų pirma, norime išgauti tokios būklės medžiagą, kokia būtų patogu naudotis, o antra, norime ją dezinfekuoti... Gauta tokios kondicijos medžiaga būtų verta nemenkos sumos kaip mėšlą atstojanti trąša.

Taigi, pasirengę mes tam ar ne, čia susiduriame su šiuolaikiniu žmogaus kompostavimo judėjimu. Metas keliauti į Švediją, į mažytę Liuriono salelę, esančią tiesiog į vakarus nuo Geteborgo. Čia gyvena keturiasdešimt septynerių metų amžiaus biologė ir įmonininkė Susanė Viigh-Masak. Prieš dvejus metus jos įkurta firma „Promessa" siekia pakeisti kremaciją (o tokį laidojimo būdą renkasi apie 70 procentų švedų) technologiškai patobulintu organinio kompostavimo variantu. Ir tai – anaiptol ne koks kuoktelėjusiųjų žaliųjų šeimyninis verslas. Susanės projektą remia karalius Karlas Gustavas ir Švedijos bažnyčia. Ji jau turi ir vieną nuo krematoriumo nuviliotą klientą ir sutartį tapti pirmąja, kuri kompostuos mirusį švedą (vienas mirtinai susirgęs vyriškis susisiekė su Susane, išgirdęs jos pasisakymą per radiją, ir įsikūrė šaldytuve Stokholme). Ją remia didžiosios korporacijos, ji turi tarptautinį patentą ir daugiau nei du šimtus atsiliepimų spaudoje. Laidojimo paslaugų specialistai ir tiekėjai iš Vokietijos, Olandijos, Izraelio, Australijos ir Jungtinių Valstijų jau susidomėjo perspektyva pristatyti „Promessos" techniką savo šalyse.

Atrodo, vos per keletą metų jau gali pasisekti nuveikti tai, kam kremacijos šalininkams prireikė viso šimtmečio.

Visa tai atrodys ypač įspūdingai, jei prisiminsime, kad bene artimiausiu jos pirmtaku galime laikyti daktarą Džordžą Hėjų. Tarkime, koks nors žmogus Upsaloje prieš mirdamas pažymi bažnyčios dalijamame testamente varnele langelį greta eilutės, bylojančios: „Norėčiau, kad man būtų pritaikytas ekologiškas laidojimo metodas – šaldomasis išdžiovinimas, jei tuo metu, kai mirsiu, tokia technika jau bus sukurta". (Kol kas įranga vis dar tobulinama; Viigh-Masak viliasi užbaigti ir išbandyti 2003-iaisiais.) Mirusiojo kūnas bus nugabentas į bendrovę, kuri turės licenciją taikyti „Promessos" techniką. Čia kūnas bus panardintas į rezervuarą su skystu azotu ir užšaldytas. Nukeliavusi į antrąją patalpą jau lengvai dūžtanti esybė* ultragarso bangomis arba mechaninėmis vibracijomis bus sutrupinta į smulkius gabalėlius, ne didesnius už žemės grumstą. Tada tie vis dar sušaldyti gabalėliai bus išdžiovinti ir panaudoti kaip trąša atminimo medžiui ar krūmui kapinių atminimo parke ar šeimos namų kieme.

Esminis skirtumas tarp Džordžo Hėjaus ir Susanės Viigh-Masak yra tas, kad Hėjus, siūlydamas numirėliais tręšti javų laukus, tiesiog siekė praktiškumo – norėjo numirėlių kūnus kaip nors praktiškai pritaikyti. O Susanei utilitarumo neprikiši. Ji tiesiog gamtosaugos šalininkė. Kai kuriuose Europos kraštuose gamtosauga – tarsi antra religija. Kaip tik dėl šios priežasties ir manau, kad Susanei gali ir išdegti.

---

* Sušaldytas žmogaus kūnas dūžta visai lengvai, nes jį sudaro daugiausia vanduo. Kiek tiksliai yra to vandens – kol kas taip ir lieka ginčų objektas. *Google* paieškos programa atkapstė šešiasdešimt keturis tinklapius, kuriuose paminėta, kad „70 procentų kūno yra vanduo", dvidešimt septynis – tvirtinančius, kad vanduo kūne sudaro 60 procentų, keturiasdešimt tris – bylojančius, esą vandens – 80 arba 85 procentai, dvylika, pasak kurių, kūne vandens 90 procentų, tris, tvirtinančius, jog procentų net 98, ir vieną – kad 91. Atrodo, dėl medūzos kūno sandaros sutariama labiau. Ją sudaro arba 98, arba 99 procentai vandens, tad suprantama, kodėl niekur neaptiksite džiovintų medūzų užkandėlės.

Todas Astorino, mokomosios mokslinės programos Salsberio universitete (Salsberis, Merilendo valstija) vadovas, sugebėjo nedvejodamas atsakyti į šį klausimą ir nurodė netgi dešimtosios dalies tikslumu: vanduo sudaro 43,8 procentus mūsų kūno. Pasak jo, šitoks kiekis apskaičiuotas, davus savanoriui išgerti tam tikrą kiekį vandens, atmiešto skysčiu su žymėtaisiais atomais. Po keturių valandų paimamas bandomojo kraujo pavyzdys ir užfiksuojamas žymėtųjų atomų skiedinys. O jau iš to galite (ar bent jau Todas gali) apskaičiuoti, kurią kūno dalį sudaro vanduo. (Kuo daugiau kūne yra vandens, tuo labiau atskiedžiami žymėtieji atomai kraujyje.) Dabar palyginkime vandens svorį su kūno svoriu – ir gausime reikalingą atsakymą. Tas mokslas kartais – tikras siaubas, ar ne?

Norint kaip reikiant perprasti Viigh-Masak idėjas, visai vertėtų savo akimis pamatyti jos pūdinį. Jį aptiksime iškart už daržinės šešiasdešimties arų ploto sklype, kurį Viigh-Masak šeima nuomojasi Liurione. Susanė pūdinį savo svečiams demonstruoja taip, kaip koks nors amerikietis puikuotųsi nauju pramogų centru ar jauniausiojo sūnaus pažymių knygele. Šis pūdinys – Viigh-Masak pasididžiavimas ir – nė kiek neperlenkiu – džiaugsmas.

Ji smeigia kastuvą ir iškelia molėtą luistą. Sudarytas jis iš daugybės įvairiausių, sunkiai įvardijamų sudėtinių dalių, tarsi vaiko be suaugusiųjų priežiūros iškeptas patiekalas. Viigh-Masak parodo anties, nugaišusios prieš kelias savaites, plunksnas, moliuskų, kuriuos jos vyras Peteris augina kitapus salos, geldeles, kopūstų likučius iš praėjusios savaitės salotų su majonezu. Ji aiškina man skirtumą tarp paprasto pūdymo ir kompostavimo; pasirodo, pūdinio poreikiai labai panašūs kaip žmogaus organizmo: būtinas deguonis ir vanduo, o temperatūra neturi daug nukrypti nuo trisdešimt septynių laipsnių Celsijaus. Susanės mintis tokia: visi mes – gamtos kūriniai, visi sudaryti iš tų pačių esminių elementų, mūsų ir poreikiai iš esmės vienodi. Taigi pačia esme niekuo mes nesiskiriame nuo ančių, nuo moliuskų, nuo praėjusios savaitės kopūstų salotų su majonezu. Taigi mums derėtų gamtą gerbti ir po mirties grąžinti savo kūnus žemei.

Susanė, tarsi pajutusi, kad man iki suvokimo toloka, o gal ir išvis, kaip amerikietė, regiu pasaulį aukštyn kojomis, klausia manęs, ar aš kompostuoju atliekas. Pasiaiškinu, kad nė sodo neturiu.

– A, štai kaip.

Ji susimąsto. Man dingojasi, kad Susanė išgirdo ne šiaip paaiškinimą, o prisipažinimą įvykdžius nusikaltimą. Netikėtai pasijuntu esanti gerokai artimesnė praėjusios savaitės kopūstų salotoms.

Viigh-Masak vėl sutelkia dėmesį į luistą.

– Pūdinio negalima daryti šlykštaus, – kalba ji. – Priešingai, reikia daryti patrauklų, net romantišką. – Panašiai ji mąsto ir apie negyvėlių kūnus. – Mirtis – tai naujo gyvenimo galimybė. Kūnas tampa kažkuo kitu. Ir aš norėčiau, kad tasai kažkas kitkas būtų kuo patrauklesnis. – Čia ji prisipažįsta buvusi ne kartą kritikuota už tai, kad nužemina mirusiuosius iki sodo atliekų. Tačiau jos požiūris anaiptol ne toks. – Verčiau sakykime šitaip: kodėl neišaukštinus sodo atliekų iki žmogaus kūno?

Taigi ji nori pasakyti, kad nieko organinio nederėtų laikyti atliekomis. Viską derėtų perdirbti.

Laukiu, kada Susanė nuleis kastuvą, bet, užuot metusi luistą atgal į krūvą, ji žengia artyn.

– Pauostykite, – siūlo man.

Nedrįsčiau sakyti, kad pūdinys kvepia kokia nors romantika, tačiau į pūvančių šiukšlių tvaiką jo kvapas irgi nėmaž nepanašus. Jei būtinai reikėtų palyginti su kuo nors, ką man teko uostyti pastarosiomis dienomis, bene panašiausias būtų vazoje pamerktos gėlių puokštelės kvapas.

Vis dėlto Susanė Viigh-Masak taip ir netapo pirmąja iš bandžiusių kompostuoti žmogaus kūną. Tokia garbė atiteko amerikiečiui Timui Evansui. Apie Evansą pirmąsyk išgirdau lankydamasi Tenesio universiteto Žmogaus kūno irimo tyrinėjimų bazėje (atsiverskite trečiąjį skyrių). Studijuodamas aspirantūroje, Evansas tyrinėjo žmogaus kūno kompostavimo galimybes – jo manymu, tai galėjo būti išeitis Trečiojo pasaulio šalims, kur žmonės neįperka karstų ir neįstengia susimokėti už krematoriumo paslaugas. Pats Evansas ir sakė man, kad Haityje ir kai kuriose Kinijos kaimo vietovėse bevardžiai lavonai arba vargingai gyvenančių šeimų mirusieji tiesiog metami į atviras duobes. Kinijoje jie vėliau sudeginami sieringomis anglimis.

1998-aisiais Evansui atiteko vieno bėdžiaus palaikai, artimųjų paaukoti universitetui.

– Jam nė į galvą neatėjo, kad užbaigs savo būtį pūdiniu, – prisiminė Evansas, kai jam paskambinau.

Ką gi, tikriausiai taip tik geriau. Norėdamas aprūpinti kūną bakterijomis, būtinomis suardyti audiniams, Evansas drauge su juo į pūdinį prikrovė mėšlo ir suterštų pjuvenų iš arklidžių. Bet koks orumas čia turėjo nebent droviai nuleisti akis. (Viigh-Masak naudoti mėšlo neketina; ji planuoja į kiekvieną dėžę su palaikais įmaišyti po „nedidelę porciją" šaldymu išdžiovintų bakterijų.)

Be to, kadangi kūnas buvo palaidotas nesusmulkintas, Evansui teko kastuvu protarpiais prarausti kapą, kad palaikai prasivėdintų. Štai kodėl Viigh-Masak ruošiasi kūnus susmulkinti arba vibracija, arba ultragarsu. Mažus trupinėlius nesunku aprūpinti deguonimi, tad jie greitai virsta pūdiniu ir juos galima tuojau pat panaudoti augalo sodinimui. Be to, tai bent iš dalies susiję su orumu ir estetika.

– Kompostuojamas kūnas turėtų būti nebeatpažįstamas, – sako Viigh-Masak. – Jis turi būti susmulkintas į nedidelius trupinėlius. Jūs tik pamėginkite įsivaizduoti kad ir tokią situaciją: sėdi sau šeima prie pietų stalo, ir kuris nors staiga sako: „Ei, Svenai, o ar šiandien ne tavo eilė eiti versti mamos ant kito šono?"

Evansui ir iš tikrųjų buvo ne pyragai, nors jį aplinkybės trikdė netgi dar labiau nei pats veiksmas.

– Eiti ir knaisiotis ten tikrai nebūdavo lengva, – prisipažino jis. – Nejučia susimąstydavau: „Ir ką aš čia veikiu?" Tad užsimaukšlindavau akidangčius ir traukdavau prie savosios krūvos.

Kompostuojamas vyrukas tik per ištisus pusantro mėnesio galutinai virto dirvožemiu. Evansas rezultatu buvo patenkintas, apibūdino jį šitaip: „gautas tikrai tamsus, derlingas dirvožemis, puikiai laikantis drėgmę". Jis pasisiūlė atsiųsiąs man pavyzdį. Tai galėjo būti neteisėta, o gal ir teisėta. (Norint persiųsti lavoną iš vienos valstijos į kitą nebalzamuotą – būtinas leidimas. Tačiau įstatymas ničnieko nesako apie kompostuotą! Vis dėlto nutarėme šio sumanymo atsisakyti.)

Evansas džiugiai pastebėjo, kad procesui artėjant į pabaigą, pūdinys vešliai apžėlė žolėmis. Mat anksčiau baiminosi, kad kai kurios kūno riebalinės rūgštys, jei deramai nesuardytos, netaptų augalų šaknims nuodingos. Baigėsi tuo, kad Haičio vyriausybė mandagiai atmetė Evanso pasiūlymą. O Kinijos vyriausybė – ar staiga nutarusi pademonstruoti neįtikėtiną susirūpinimą gamtosauga, ar tiesiog panorusi sutaupyti pinigų, kadangi mėšlas vis dėlto pigesnis už anglis – dar ir kaip išreiškė susidomėjimą žmonių kompostavimu kaip alternatyva deginimui atvirose anglių duobėse. Evansas ir jo konsultantas Arpadas Vasas parengė dokumentą, kuriame išdėstė praktinius žmonių kompostavimo privalumus (...vėliau medžiagą galima saugiai panaudoti žemdirbystėje, pavyzdžiui, dirvožemiui gerinti arba trąšoms), tačiau daugiau jokio atsakymo taip ir nebesulaukė. Evansas kuria planus bendradarbiauti su Pietų Kalifornijos veterinarais, kad kompostavimo technika galėtų naudotis naminių gyvūnėlių augintojai. Kaip ir Viigh-Masak, jis įsivaizduoja, kad artimieji į tą pūdinį pasodins medį ar krūmą, tas susiurbs mirusiojo molekules ir taps savotišku gyvu atminimo paminklu.

– Šitaip, – pasakė jis man, – mokslo dėka tiek, kiek tai įmanoma, priartėsime prie reinkarnacijos.

Paklausiau Evanso, ar jis ketina brautis į laidojimo paslaugų rinką.

– Iš tiesų tai čia ne vienas klausimas, o du, – atsakė jis.

Jeigu aš klausianti, ar jis norėtų, kad žmonėms irgi atsivertų galimybė naudotis kompostavimo metodu, tuomet atsakymas: taip. Tačiau jis vargu ar norėtų, kad tuo naudotis taptų įmanoma per laidojimo biurus.

– Vienas akstinų, privertusių mane šituo susidomėti, – pasakė jis, – yra tas, kad negerbiu dabartinės laidojimo pramonės praktikos. Žmonės neturėtų mokėti šitokių pinigų už mirtį.

Galiausiai jis pripažino, kad užvis labiausiai norėtų siūlyti kompostavimo paslaugas per savo paties firmą.

Tada dar pasidomėjau, kaip jis įsivaizduoja galimybes paskleisti žinią apie tokios rūšies paslaugas, kaip ketina įsukti mechanizmą. Jis atsakė bandęs sudominti tuo kokią nors įžymybę. Vylėsi, kad koks nors garsus žmogus, pavyzdžiui, toks kaip aktoriai Polas Njumenas arba Vorenas Bitis, galėtų nuveikti kompostavimo labui tą pat, ką Timotis Liris nuveikė laidojimui kosmose. Kadangi Evansas tuo metu gyveno Lorense, Kanzaso valstijoje, tai paskambino kitam kanzasiečiui, rašytojui Viljamui S. Barouzui, kuris jam atrodė pakankamai ekscentriškas ir pakankamai girgždantis, kad bent apsvarstytų pasiūlymą. Tačiau į jo skambučius niekas neatsakė. Galiausiai Evansas ryžosi susisiekti su Polu Njumenu.

– Jo duktė turi arklides ir vykdo vaikų invalidų reabilitacijos programą. Maniau, galėtume panaudoti mėšlą, – pasakė Evansas. – Bet Njumenai tikriausiai pagalvojo: „Tai bent iškrypėlis“.

Bet Evansas – anaiptol ne iškrypėlis. Jis – tiesiog nesuvaržyto mąstymo žmogus, galvojantis apie tokius dalykus, apie kokius dauguma linkę išvis negalvoti.

Evanso konsultantas Arpadas Vasas pasakė turbūt tiksliausiai: „Kompostavimas – puiki galimybė. Tačiau nemanau, kad šios šalies mentalitetas jau būtų iki to priaugęs“.

Švedijos mentalitetas, atrodo, prie to priartėjęs kur kas labiau. Mintis apie „tolesnį gyvenimą“ gluosnio ar rododendro krūmo pavidalu sodininkų ir antrinių žaliavų perdirbėjų tautai gali pasirodyti visai patraukli. Nenutuokiu, koks procentas švedų turi sodus, tačiau atrodo, kad augalai jiems iš tiesų labai svarbūs. Verslo pastatų vestibiuliuose Švedijoje žaliuoja ištisos mažytės giraitės ar bent vazonuose auginami medžiai. (Pakelės restorane Jončiopinge mačiau fikusą, įbruktą į sukamas duris.) Švedai – praktiška tauta – vertinanti paprastumą ir nepakenčianti seilėjimosi. Švedijos karaliaus rašomasis popierius tiesiog papuoštas reljefiniu jo antspaudu. Iš tolo atrodo kaip paprasčiausi kreminės spalvos popieriaus lakštai. Viešbučio kambariai aprūpinti tik tuo, ko gali prisireikti ne itin išrankiam keliautojui – ir ničniekuo daugiau.* Čia rasite vieną popierinį bloknotą, ne tris, tualetinio popieriaus galas irgi neužlenktas trikampiu.

Tad, man atrodo, mintis būti sušaldytam, išdžiovintam ir paverstam higienišku pūdinio maišeliu, tinkamu užauginti augalui, švedo sielai gali išties būti patraukli.

Ne vien dėl šios priežasties Švediją reikėtų laikyti pačiu tinkamiausiu kraštu žmogaus kompostavimo judėjimui, užgimusiam pačiu tinkamiausiu metu. Taip jau atsitiko, kad Švedijos krematoriumams buvo suduotas skaudus smūgis: susirūpinusi į atmosferą patenkančiu gyvsidabriu iš dantų plombų, aplinkosauga išleido specialius nuostatus, tad krematoriumams gali prireikti išleisti krūvą pinigų, per artimiausius dvejus metus atnaujinant savo įrangą. O nusipirkti Viigh-Masak siūlomus įrengimus, pasak jos pačios, kainuotų gerokai mažiau, nei tektų investuoti siekiant paklusti valdžios reikalavimams. O laidoti mirusiuosius žemėje čia nepopuliaru jau ne vieną dešimtmetį. Viigh-Masak paaiškino, kad bent iš dalies švedų nenorą atgulti žemėje galima paaiškinti tuo, kad Švedijoje privalu kapu dalintis. Praėjus dvidešimt penkeriems metams, kapas atkasamas ir, pasak

---

* O kartais – net ir mažiau. Pavyzdžiui, mano verslo klasės kambaryje Geteborgo Landveterio oro uosto viešbutyje („Skraidantiems žmonėms") nebuvo laikrodžio – spėju, remiamasi prielaida, kad bet kuris verslininkas visada gali žvilgtelėti į savo rankinį. O televizoriaus nuotolinio valdymo pultelis buvo be garso išjungimo mygtuko. Taip ir įsivaizduoju švedų nuotolinio valdymo įrangos kūrėjus, pusbalsiu besiginčijančius švarioje ir tvarkingoje konferencijų salėje. „Na jau, Ingmarai, kuriems galams reikalingas atskiras mygtukas, kai galima paprasčiausiai sumažinti garsą?"

Viigh-Masak, „vyrukai su dujokaukėmis" jus iškelia, kapą pagilina ir palaidoja ką nors ant jūsų.

Anaiptol nenoriu pasakyti, kad „Promessa" nesusiduria su jokiu pasipriešinimu. Viigh-Masak dar turės įtikinti visus tuos, kurių darbas gali nukentėti, jei kompostavimas taps tikrove: laidojimo biurų savininkus, karstų gamintojus, balzamuotojus. Žodžiu, visus tuos, kurių planai bus suardyti. Kaip tik neseniai Viigh-Masak kalbėjo parapijos administratorių konferencijoje Jončiopinge. Kaip tik jiems ir tektų rūpintis žmonėmis-augalais šventoriuje įrengtame atminimo parke. Kol ji kalbėjo, aš dairiausi po salę: maniau išvysianti daugybę pašaipių šypsenėlių ar į dangų užverstų akių. Bet taip ir neišvydau. Dauguma komentarų irgi atrodė gana teigiami, nors tvirtinti negaliu: kalbama buvo tik švediškai, o mano vertėjas, ko gero, iki šiol nė karto nebuvo kam nors vertęs. Jis nuolat dirsčiojo į popiergalį, kuriame buvo susirašęs visą virtinę su laidojimo paslaugomis ir kompostavimu susijusių sąvokų švediškai ir angliškai (*formultning* – „irti, pūti"). Kažkuriuo metu vienas pliktelėjęs vyriškis, vilkįs tamspilkiu kostiumu, pakėlė ranką, norėdamas išsakyti savo nuomonę: jo manymu, kompostavimas sunaikinąs bet kokį buvimo žmogumi išskirtinumą. „Jei šis procesas bus taikomas mums, mes prilygsime žvėrims, kurie dvesia miške," – sakė jis. Viigh-Masak paaiškino, kad jos rūpestis – tik velionio kūnas, o dvasia ar siela bus pasirūpinta lygiai taip pat, kaip ir anksčiau: mišiomis ar bet kokiomis kitomis atminimo apeigomis, kokių pageidaus artimieji. Vyriškis, regis, šito neišgirdo. „Nejaugi jūs, – pareiškė jis, – apsidairiusi šiame kambaryje, nematote nieko kita, tik šimtus maišų su trąšomis?" Vertėjas sukuždėjo man į ausį, kad šis vyriškis – laidojimo biuro savininkas. Ko gero, trejetas ar ketvertas tokių ir sužlugdė konferenciją.

Kai Viigh-Masak baigė kalbą ir visa minia siūbtelėjo į salės galą, kur buvo patiekta kavos ir pyragaičių, aš prisėdau prie vyriškio pilku kostiumu ir jo kolegų. Tiesiai priešais mane sėdėjo žilaplaukis, vardu Kurtas. Jis irgi vilkėjo kostiumą, bet šis buvo languotas, be to, ir nuo paties žmogaus dvelkte dvelkė kažkokiu linksmumu, dėl ko man buvo labai sunku įsivaizduoti jį esant laidojimo biuro savininku. Šis žmogus pareiškė manąs, jog vieną gražią dieną, gal po kokių dešimties metų, ekologinis laidojimas neišvengiamai taps tikrove.

– Anksčiau paprastai visuomet kunigas pasakydavo žmonėms, kaip reikia tai daryti. – Jis kalbėjo apie atminimo apeigas ir ritualus, taip pat ir tai, kaip dera pasielgti su kūnu. – O šiandien jau žmonės nurodinėja kunigui.

(Pasak Protero, lygiai tas pat buvo ir su kremacija. Mintis išbarstyti pelenus atrodė tokia patraukli dar ir dėl to, kad visus ritualus galutinai išplėšė iš rankų laidotuvių paslaugų tiekėjams ir atidavė artimiesiems bei draugams, kartu suteikdama laisvės nuveikti ką nors kur kas labiau asmeniškai reikšminga nei tą, ką galėtų pasiūlyti paslaugų tiekėjas.)

Kurtas pridūrė, kad pastaruoju metu Švedijos jaunimas ima vis labiau šnairuoti į kremaciją dėl jos sukeliamos taršos.

– Dabar jaunuolis gali imti ir pareikšti savo senelei: „Žinai, tau turiu šį tą nauja – šaltąją vonią!" – Jis nusijuokė ir suplojo delnais.

Pagalvojau, kad man patiktų, jei kaip tik šitoks žmogus organizuotų mano laidotuves.

Prie mūsų prisijungė Viigh-Masak.

– Kaip komivojažierė – jūs tikrai nuostabi, – pareiškė jai vyriškis pilku kostiumu.

Jis dirba „Fonus", didžiausioje Skandinavijos laidojimo paslaugų bendrovėje. Vyriškis luktelėjo, kol jo pagyrimas bus kaip reikiant suprastas, ir tik tada pridūrė:

– Tačiau manęs neįtikinote.

Viigh-Masak nė nemirktelėjo.

– Vienokio ar kitokio pasipriešinimo aš laukiau – kitaip nė būti negali, – atsakė ji. – Štai kodėl jaučiuosi taip maloniai nustebinta, kad, man kalbant, beveik visi klausytojai atrodo labai patenkinti.

– Patikėkite, yra visai ne taip, – maloniai atrėmė pilkakostiumis. – Juk aš girdžiu, ką jie kalba.

Jei jų pokalbio man neverstų, iš intonacijų spėčiau, kad juodu šnekučiuojasi apie pyragaičius.

Pakeliui atgal į Liurioną tam vyriškiui buvo prilipinta pravardė: šiknius.

– Tikiuosi, rytoj jis nepasirodys, – tarstelėjo Viigh-Masak man. Kitą popietę, trečią valandą ji Stokholme turėjo pristatyti savo pasiūlymus regioninio „Fonus" padalinio vyresnybei. Ji šiek tiek didžiavosi proga pasisakyti ten. Dar prieš dvejus metus ta vyresnybė net neatsakinėjo į jos skambučius. O šįsyk paskambino jai patys.

Susanė Viigh-Masak nė neturi dalykinio kostiumėlio. Prisistatymams ji apsivelka taip, kad Amerikoje aprangos vertintojai jos kelnes ir megztinį įvertintų kaip „nerūpestingą puošnumą"; juosmenį siekiantys gelsvi jos plaukai supinti į kasas ir susukti į kuodus. Šitokiems pokalbiams ji nenaudoja jokio makiažo, nors jos veidas kitąsyk švelniai rausteli tarsi susidrovėjusios mergaitės.

Anksčiau tokia natūrali išvaizda Viigh-Masak tik pravertė. Kai ji dar 1999-aisiais susitiko su Švedijos bažnyčios vyresniaisiais, šiuos tikrai apramino nekomercinė Viigh-Masak laikysena.

– Taip jie man ir pasakė: „Jūs – ne prekeivė", – pareiškia ji man, ruošdamasi kelionei į Stokholmą, į „Fonus" būstinę.

Ji ir iš tikrųjų ne prekeivė. Nors, būdama „Promessos" bendrovės 51 procento akcijų savininkė, ji tikrai susižertų nemenką sumą, jei procesas įsibėgėtų, vis dėlto visiškai aišku, kad jos motyvas – anaiptol ne dideli pinigai. Viigh-Masak jau nuo septyniolikos metų – užkietėjusi ekologė. Ji tokia, kad, užuot sėdusi į nuosavą automobilį, važiuoja traukiniu, kad bent truputį mažiau terštų aplinką. Ji nepritaria skrydžiams į Tailandą per atostogas, nes juk visiškai pakaktų ir Ispanijos pliažų – nereikėtų šitiek sukūrenti reaktyvinių degalų. Ji drąsiai skelbia, kad „Promessa" ne kažin kiek susijusi su mirtimi, kad pagrindinis bendrovės tikslas yra aplinkosauga, kad iš esmės ji – tik priemonė skleisti ekologijos doktrinoms. O mirusiųjų kūnai pritraukia žiniasklaidos ir visuomenės dėmesį taip, kaip vien tik aplinkos išsaugojimo pareiškimai niekaip neįstengia. Viigh-Masak – tikra retenybė tarp socialinių propaguotojų: aplinkosaugininkė, kuri pamokslus skaito ne atsivertėliams. Štai kad ir šiandien – puikus pavyzdys: dešimt laidojimo paslaugų bendrovės atsakingųjų asmenų sėdės ištisą valandą ir klausysis pranešimo apie grįžimo į dirvožemį per organinį kompostavimą svarbą. Ar dažnai šitaip atsitinka?

„Fonus" biuras niekuo neišsiskiriančiame biurų pastate Stokholme užima didesniąją trečio aukšto dalį. Atrodo, interjero dizaineriai tiesiog nėrėsi iš kailio, besistengdami prisotinti aplinką spalvomis ir gamtos detalėmis. Pulkelį kavos staliukų supa gyvatvorė iš vazonuose auginamų kambarinių medžių, o pačiame viduryje stūkso skaidrus akvariumas su atogrąžų žuvelėmis, dydžio sulig vitrinos stiklu. Niekur nė su žiburiu nerastum nė menkiausio mirties ženklo. Į akis krinta ant sekretorės stalo stovinti vazelė su dovanai dalijamais pūkelių šalinimo šepečiais, paženklintais „Fonus" logotipu.

Mus abi su Viigh-Masak pristatė korporacijos vicedirektoriui Ulfui Helsingui. Aš, išgirdusi *elfas* Helsingas, vos galiu tverti vidinį linksmumą. Helsingas apsirengęs taip pat, kaip ir visi kiti susirinkusieji „elfai": tokiu pat pilku kostiumu, tokiais pat ryškiai mėlynais marškiniais, tos pačios, tik blausesnės spalvos kaklaraiščiu su sidabriniu „Fonus" ženkliuku atvarte. Klausiu Helsingo, kodėl „Fonus" surengė šį susitikimą. Kaip įsivaizduoja Viigh-Masak, šaldomojo išdžiovinimo procedūrą turėtų atlikti Švedijos krematoriumai, kuriems dar visai neseniai vadovavo Bažnyčia. O laidojimo biurai tiesiog turėtų informuoti savo klientus apie tokio varianto galimybę – arba priešingai, neinformuoti, jeigu taip nuspręs.

– Mes sekėme žinias apie tai spaudoje, bet patys stengėmės per daug nelįsti į akis, – gana aptakiai atsako Helsingas. – O dabar atėjo metas sužinoti daugiau.

Galbūt tokį jų sprendimą bent iš dalies lėmė tai, kad iš trijų šimtų interneto vartotojų, apsilankiusių „Fonus" tinklapyje, net šešiasdešimt du procentai išreiškė susidomėjimą ekologiniu laidojimo būdu.

– Ar žinote, – tęsia Helsingas, maišydamas šaukšteliu kavą, – kad sumanymas šaldomuoju būdu išdžiovinti lavonus – jau anaiptol nebe naujas? Kažkas pas jus Amerikoje tokią idėją svarstė gal prieš dešimtį metų.

Jis kalba apie pensininką gamtos mokslų mokytoją iš Judžino, Oregono valstijos, Filipą Bakmeną. Viigh-Masak man apie jį pasakojo. Bakmeną, kaip ir Timą Evansą, kaip ir ankstesniųjų laikų kremacijos propaguotojus, įkvėpė pasibjaurėjimas pompastiškomis laidotuvių apeigomis. Bakmenas kelerius metus Arlingtono nacionalinėse kapinėse organizuodavo karių laidotuves, bet jose neretai niekas taip ir nepasirodydavo. Ši aplinkybė, o drauge ir chemijos išmanymas paakino jį susidomėti sušaldomojo išdžiovinimo, kaip alternatyvos įprastoms laidotuvėms, galimybėmis. Jis žinojo, kad skystas azotas, kaip tam tikrų pramonės procesų atlieka, yra gerokai pigesnis nei gamtinės dujos. (Viigh-Masak apskaičiavo, kad skysto azoto kiekis, reikalingas vienam kūnui, kainuotų apie trisdešimt dolerių, o krematoriumas vienam kūnui sudeginti sunaudoja dujų už šimtą dolerių.) Kadangi išdžiovinti šaldomuoju būdu visą žmogaus kūną truktų daugiau nei metus, Bakmenas siūlė tam tikru mechanizmu sušaldytą kūną sutrupinti į mažyčius, greitai šaltuoju būdu išdžiovinamus gabalėlius.

– Įsivaizduokite kažką panašaus į kapotą jautieną, – sakė jis man, kai mudu kalbėjomės.

Viigh-Masak vėliau pavadins tai kapojimo malūnu. Bakmenas šį procesą net užpatentavo, tačiau vietinės laidojimo paslaugų bendrovės jo siūlymais nesusidomėjo.

– Niekas nenorėjo apie tai net kalbėtis, tai aš ir pats numojau ranka.

Susitikimas prasideda laiku. Regioniniai bendrovės direktoriai renkasi į konferencijų salę su savo nešiojamaisiais kompiuteriais, visi nutaisę mandagius žvilgsnius. Viigh-Masak pradeda kalbą ir apibūdina skirtumus tarp organinių ir neorganinių atliekų, pabrėždama, kad kremuotų kūnų pelenų maistinė vertė labai nedidelė.

– Kai palaikus sudeginame, mes jų negrąžiname žemei. Mes patys – gamtos kūrinys, ir į gamtą mums derėtų sugrįžti.

Atrodo, visi klausosi atidžiai, pagarbiai tylėdami, tik mudvi su vertėja kuždamės galinėje eilėje kaip kokios neišauklėtos mokinukės. Atkreipiu dėmesį, kad Helsingas kažką skrebina popieriaus lapelyje. Iš pradžių pamanau, kad tiesiog užsirašinėja pastabas, paskui pastebiu, kad, nutaikęs akimirką, kai Viigh-Masak nusigręžia, perlenkia lapelį pusiau ir stumteli jį per stalą; tas, kuriam laiškelis skirtas, vogčiomis pasikiša po užrašų knygute ir išsitraukia tik tada, kai Viigh-Masak vėl nusigręžia.

Klausytojai nepertraukinėdami leidžia Viigh-Masak kalbėti gal dvidešimt minučių, paskui pasipila klausimai. Kvotai vadovauja Helsingas.

– Man rūpi vienas etinis klausimas, – sako jis. – Jei girioje krinta elnias, tai grįžta atgal į žemę paprasčiausiai ant jos gulėdamas. O jūs siūlote grąžinti kūną gamtai, pirma dar šį tą su juo nuveikiant.

Viigh-Masak atsako, kad girioje kritusio elnio gaišeną veikiausiai sudraskys ir suės visokie maitėdos. Tiesa, kad ir kas suėstų mėsą, to išmatos iš tikrųjų taps trąša, kurią norėdami galėtume pavadinti elnienos pūdiniu, taigi išeis tas pats, tik ji pati nelabai įsivaizduojanti, kad su šitokiu pasiūlymu įstengtų susitaikyti velionio artimieji.

Helsingas vos pastebimai rausteli. Šitokio posūkio jis nenumatė. Vis dėlto atkakliai laikosi savo:

– Nejaugi jums neatrodo, kad, siūlydami šitaip susmulkinti kūną, susidurtume su etinėmis problemomis?

Tokio pobūdžio argumentų Viigh-Masak jau teko girdėti ne kartą. Vienas Danijos ultragarso kompanijos technikas, į kurį ji kreipėsi vos tik ėmusis sumanymo, kaip tik dėl šito ir atsisakė bendradarbiauti. Jam atrodė, kad būtų nesąžininga pateikti ultragarsą kaip priemonę be smurto smulkinti audiniams. Taigi Viigh-Masak anaiptol nesidavė išmetama iš balno.

– Paklausykite, – kreipėsi ji į visus laidotojus. – Visi mes puikiai suprantame, kad, norint susmulkinti kūną į miltelius, būtinai reikalinga vienokios ar kitokios rūšies energija. O ultragarso bent jau įvaizdis gana pozityvus. Nebūtų matyti jokio smurto. Man net patiktų, jei velionio artimieji turėtų galimybę iš už stiklo sienos stebėti, kaip visa tai vyksta. Norėčiau, kad procesas būtų toks, kurį galėčiau parodyti vaikui, ir vaikas išvydęs nepravirktų.

Klausytojai, tai išgirdę, susižvalgo. Kažkuris spragteli rašikliu.

Viigh-Masak laikinai atsitraukia ir stoja į gynybinę poziciją.

– Jeigu jūs sumanytumėte įdėti vaizdo kamerą į karstą, tai labai abejoju, ar mes susižavėtume tuo, ką išvystume. Karste vykstantys procesai išties atrodo gana šiurpiai.

Kažkas paklausia, kam išvis reikalingas džiovinimo šaltuoju būdu etapas. Viigh-Masak paaiškina, kad, nepašalinus vandens, kūno trupinėliai pradėtų pūti ir skleisti dvoką anksčiau, nei pavyktų paversti juos dirvožemiu.

– Betgi vandens pašalinti neįmanoma, – laikosi savo tas pats vyriškis, – juk vanduo – tai septyniasdešimt procentų velionio kūno.

Viigh-Masak bando aiškinti, kad mūsų kūne esantis vanduo kiekvieną dieną keičiasi. Jo negalima laikyti kūno savastimi. Jis į kūną ateina, o kūnas juo atsikrato. Jūsų vandens molekulės maišosi su kieno nors kito molekulėmis. Ji mosteli į vyriškio kavos puodelį.

– Kava, kurią jūs štai geriate, dar neseniai buvo jūsų kaimyno šlapimas.

Lieka tik žavėtis moterimi, kuri sugeba lyg niekur nieko sviesti žodį „šlapimas" korporacijos susirinkime.

Žmogus, spragsėjęs rašikliu, balsu išsako klausimą, kuris neabejotinai rūpi visiems: o kaip bus su karstais ir dėl ekologinio laidojimo būdo neišvengiamai smuksiančiomis jų gamintojų pajamomis? Viigh-Masak įsivaizduoja, kad sušaldyti ir išdžiovinti, į miltus sutrinti palaikai galėtų būti sudedami į miniatiūrinius, ekologiškus, greitai suyrančius, pavyzdžiui, kukurūzinių ar ryžių miltų karstelius.

– Taip, tokia problema neišvengiamai iškiltų, – pripažįsta Viigh-Masak. – Visi smarkiai ant manęs užsiustų. – Ji nusišypso. – Ko gero, prireiks tam tikrų mąstymo pokyčių. (Kaip ir kremuojant, šermenų apeigoms būtų galima išsinuomoti standartinį karstą.)

Su tokiu pat pasipriešinimu susidūrė ir kremacijos propaguotojai. Kaip tvirtina Stivenas Proteras, daugelį metų laidojimo biurų savininkai sakydavo klientams, kad pelenų išbarstymas prieštarauja įstatymams, nors, išskyrus kelias išimtis, jokiam įstatymui tai neprieštaravo. Taigi mirusiųjų artimieji būdavo verčiami pirkti atminimo urnas, išsipirkti nišas kolumbariumuose ar net standartinius sklypus kapinėse urnoms laidoti. Tačiau artimieji atkakliai siekė teisės patys atlikti kur kas paprastesnes ir jiems prasmingesnes apeigas, tad tradicija pelenus išbarstyti nesulaikomai plito. Taip pat paplito ir paprotys ne pirkti, o nuomotis karstus šermenų apeigoms prieš kremaciją, ir nebrangių kartoninių „kremacijos dėžių", kuriose kūnas iš tikrųjų ir būdavo deginamas, gamyba.

– Vienintelė priežastis, dėl kurios išvis nuomojami karstai, – kartą pasakė man Kevinas Makeibas, – yra ta, kad esama paklausos.

Milžiniškas dėmesys, kurio nuo įsikūrimo laikų susilaukė „Promessa", privertė laidojimo pramonę susimąstyti apie galimybę, kad jau labai greitai žmonės, ko gero, ateis reikalauti palaikus kompostuoti. (Švedijos spaudoje pernai atliktos apklausos duomenimis, keturiasdešimt procentų respondentų išreiškė norą po mirties būti sušaldyti ir išdžiovinti, panaudoti kaip dirva kokiam nors augalui išauginti.) Tik vargu ar Švedijos laidojimo biurai artimiausiu metu imsis aktyviai rekomenduoti ekologines laidotuves, nors ir numarinti šios idėjos jiems tikriausiai nepavyks. Šiek tiek anksčiau vienas jaunas ir draugiškai nusiteikęs „Fonus" regioninis direktorius, Peteris Goransonas, prasitarė man:

– Kartą jau įsisiūbavusį procesą sustabdyti labai sunku.

Paskutinį klausimą užduoda vyriškis, sėdintis greta Ulfo Helsingo. Jis paklausia Viigh-Masak, ar ši neketinanti pirmiausia išmėginti naujosios technikos su kritusiais gyvuliais. Bet Viigh-Masak griežtai nusiteikusi neleisti, kad šitaip atsitiktų. Jei „Promessa" pagarsės kaip bendrovė, naikinanti kritusių karvių maitas ar nudvėsusius naminius gyvūnėlius, tai nieko neliks iš tos pagarbos, kuri būtina laidoti mirusiems žmonėms. Ir šiaip jau nėra visai paprasta suteikti deramą pagarbą žmogaus kūno kompostavimui. Bent jau Jungtinėse Valstijose – tikrai. Nelabai seniai paskambinau Jungtinių Valstijų katalikų vyskupų konferencijai – tam oficialiam JAV katalikų bažnyčios ruporui – ir paklausiau nuomonės apie kūno sušaldymą, išdžiovinimą ir kompostavimą kaip alternatyvą įprastam laidojimo būdui. Mane sujungė su monsinjoru Džonu Strinkovskiu iš Doktrinos skyriaus. Nors monsinjoras ir neginčijo, kad kūno kompostavimas ir žemės tręšimas juo ne kažin kiek tesiskiria nuo vienuolių trapistų praktikuojamo laidojimo, kūną vien tik suvyniojus į drobulę, ar Bažnyčios leidžiamo laidojimo jūroje – šiuo atveju, kaip sutiko ir pats monsinjoras, kūnas tampa maistu žuvims – vis dėlto kompostavimo idėja jam pasirodė pernelyg nepagarbi. Paklausiau, kodėl jam taip atrodo.

– Na, kai buvau dar vaikas, – atsakė jis, – mes į tam skirtą duobę mesdavome obuolių lupenas, panašias atliekas, ir naudodavome visa tai trąšoms. Tiesiog man kyla nelabai malonių asociacijų.

Kol monsinjoras Strinkovskis dar nespėjo padėti ragelio, paklausiau jo nuomonės ir apie audinių virškinimą. Šįsyk monsinjoras beveik nesudvejojęs pareiškė, kad Bažnyčia pasipriešintų „sumanymui nuleisti žmogaus palaikus į kanalizaciją". Jis paaiškino, kad, Katalikų bažnyčios nuomone, žmogaus palaikus visuomet reikėtų laidoti su priderama pagarba, nesvarbu, ar patį kūną, ar pelenus. (Pelenų išbarstymas taip ir lieka nuodėmė.) Kai aš paaiškinau, kad bendrovė ketina į sistemą įtraukti pagal pageidavimą pasirenkamą dehidratorių, kuris skysčiu virtusius palaikus paverstų milteliais, o šiuos būtų galima surinkti ir palaidoti lygiai taip pat, kaip pelenus iš krematoriumo, kitame laido gale stojo tyla. Galų gale monsinjoras pripažino: „Ką gi, tuomet, manau, prieštaravimų neliktų". Juste jutau, kad monsinjoras Strinkovskis laukia nesulaukia pokalbio pabaigos.

Privalu labai aiškiai nubrėžti ribą tarp kietųjų atliekų sunaikinimo ir laidojimo ritualų. Įdomu, kad kaip tik ta riba ir yra viena priežasčių, dėl kurių JAV aplinkosaugos institucija *(EPA)* ir nekiša nosies į krematoriumų reikalus. Mat jei imtųsi reglamentuoti jų veiklą, taisyklės būtų skelbiamos remiantis Gryno oro akto 129-uoju skirsniu, kuriame kalbama apie „Kietųjų atliekų deginimo krosnis". O tai reikštų, kaip paaiškino Fredas Porteris iš *EPA* standartų leidimo skyriaus Vašingtone, kad „tai, ką mes deginame krematoriumuose, yra „kietosios atliekos". O *EPA* visiškai nepageidauja, kad ją kas nors apkaltintų mylimus amerikiečių mirusiuosius išvadinus „kietosiomis atliekomis".

Viigh-Masak gali ir pavykti įgyvendinti numirėlių kompostavimą, mat ji labai gerai suvokia, kaip svarbu yra išsaugoti aiškų skirtumą tarp pagarbaus kūno sutvarkymo po mirties ir paprasčiausio šiukšlių naikinimo, kaip svarbu yra atsižvelgti į artimųjų poreikį, kad jų velionis susilauktų deramos pagarbos. Savaime suprantama, ją įmanoma išsaugoti tik ribotai, ir rodoma pagarba gali tebūti vien tik įpakavimas. Paskui, procesui įsibėgėjus, apie jokią pagarbą nebegali būti nė kalbos, nesvarbu, ar kūnas supūtų, ar būtų sudegintas krematoriume, ar išmėsinėtas laboratorijoje, ar pakliūtų į audinių virškinimo mechanizmą, ar į pūdinį. Galų gale juk visi šie procesai vienodai ne itin patrauklūs. Taigi tam, kad žmonės įstengtų naujovę pripažinti, dera vartoti gerai apgalvotus eufemizmus: laidojimas, kremacija, kūno paaukojimas mokslui, vandens dezoksidacija, ekologinės laidotuvės. Anksčiau manydavau, kad tradicinis jūrininkų laidojimas jūroje – visai neblogai; įsivaizduodavau saulės nutviekstą vandenyną, begalinę dangaus žydrynę, beribę erdvę, kurioje tu nugrimzti nežinia kur. Tačiau kartą pasišnekėjau su Filipu Bakmenu, ir jis užsiminė, kad, iš visų įmanomų būdų sunaikinti kūną, ekologiškai švariausia būtų įmesti į didžiulį potvynio vandens tvenkinį, knibždėte knibždantį plėšrūnų krabų, kurie, atrodo, mėgsta smaguriauti žmogiena ne mažiau, nei žmonės mėgsta valgyti krabus.

– Darbui nuveikti jiems pakaktų poros dienų, – patikino jis. – Šitaip viskas būtų perdirbta – viskas švaru, viskuo pasirūpinta.

Iššyk ir pajutau, kad mano susižavėjimas laidojimu jūroje staiga gerokai atvėso... ką jau kalbėti apie krabus, kurie man toli gražu nebeatrodo tokie gardūs.

Viigh-Masak baigia kalbėti, visi susirinkusieji ploja. Jei jie ir laiko ją savo priešė, tai slepia iš tiesų puikiai. Jau beeinant pro duris, fotografas paprašo mūsų išsirikiuoti nuotraukai su Helsingu ir dar pora kompanijos atsakingųjų darbuotojų bendrovės tinklapiui. Taip ir sustojame atkišę vieną koją ir vieną petį, kaip grupė kokių pritariančiųjų dainininkų scenoje, aprengta neįprastais pilkais kostiumais. Kol traukiu iš vazelės firminį pūkų šalinimo šepetį atminimui, išgirstu Helsingą sakant, kad bendrovė ketina savo tinklapyje sukurti jungtį su „Promessa". Vadinasi, draugystė, tegul kol kas ir trapi, vis dėlto užsimezgė.

Važiuojant iš Jončiopingo į Viigh-Masak namus Liurione, pakeliui ant kalvelės yra kapinės. Jeigu pervažiuotumėte jas visas, rastumėte nedidelį tuščią sklypą – kada nors Bažnyčia supils čia naujus kapus. Šiame dar neliestame plote, daugmaž ties viduriu, tarp žolių auga nedidelis rododendro krūmas. Tai – bandomasis „Promessos" kapas. Praėjusį gruodį Viigh-Masak sukurpė apytikslį šešiasdešimt aštuonių kilogramų svorio žmogaus lavono atitikmenį – tam panaudojo šaldymo būdu išdžiovintą karvės kraują, į miltus sutrintus kaulus ir mėsą. Gautus miltelius ji supylė į kukurūzinės tešlos dėžutę ir užkasė negiliame kape (trisdešimt penkių centimetrų gylio, kad pūdiniui netrūktų deguonies). Birželio mėnesį ji čia sugrįšianti ir kapą atkasianti įsitikinti, kad dėžutė visiškai suiro, o jos turinys jau pradėjo metafizinio virsmo procesą.

Mudvi su Viigh-Masak tylėdamos stovime prie bevardžio gyvulio kapo, tarsi išreikšdamos jam paskutinę pagarbą. Jau visiškai tamsu, ir augalas matyti neryškiai, bet vis dėlto atrodo, kad jis veši kuo puikiausiai. Sakau Viigh-Masak, kad, mano nuomone, tikrai yra nuostabus siekis įamžinti žmogaus atminimą šitaip ekologiškai švariai ir prasmingai. Ir priduriu, kad iš visos širdies ją palaikau.

Sakiau tai nuoširdžiai. Aš tikrai viliuosi, kad Viigh-Masak susilauks sėkmės, taip pat kaip ir WR^2. Aš visada stoju už galimybę rinktis, ar kalbėtume apie gyvenimą, ar apie mirtį. Mano parama padeda Viigh-Masak pasijusti drąsiau – lygiai taip pat jai jau pravertė ir Švedijos bažnyčios, ir korporacinių šalininkų parama, ir dar visų tų žmonių, kurie pasisakė pritarią jai visuomenės apklausose.

– Iš tikrųjų man buvo labai svarbu, o ir tebėra labai svarbu, – pripažįsta ji, vėjeliui šnarinant karvės atminimo krūmo lapus, – jaustis dar ne visai kuoktelėjusiai.

12

AUTORĖS PALAIKAI

Ką nuspręs ji: taip ar ne?

Anatomijos profesoriai jau seniai laikosi tradicijos paaukoti savo kūnus medicinos mokslui. Hiugas Patersonas, Kalifornijos universiteto San Franciske profesorius, kurio laboratorijoje aš lankiausi, apie tai kalba šitaip:

– Visą gyvenimą man patiko mokyti anatomijos – tik pamanykite, aš ir toliau mokysiu net ir tada, kai numirsiu!

Jis sakė man, kad jaučiasi taip, tarytum būtų radęs kaip apgauti mirtį. Pasak Patersono, patys gerbiamiausi anatomijos mokytojai Renesanso laikų Padujoje ir Bolonijoje, pajutę, kad prie jų jau sėlina mirtis, pasirinkdavę patį gabiausią iš savo mokinių ir paprašydavę preparuoti jų kaukoles – paruošti iš jų anatomijos eksponatą. (Jei kada nors jums tektų lankytis Padujoje, universiteto medicinos fakultete pamatytumėte išlikusias kai kurias tų kaukolių.)

Aš pati anatomijos nedėstau, tačiau impulsą suprasti galiu. Prieš kelis mėnesius susimąsčiau apie perspektyvą po mirties tapti griaučiais medicinos fakulteto auditorijoje. Kadaise, jau prieš daugelį metų, teko skaityti Rėjaus Bredberio apsakymą apie žmogų, kurį kamavo savo paties griaučių manija. Žmogus griaučius ėmė laikyti mąstančia, piktavale esybe, gyvenančia jo kūne ir kantriai laukiančia, kol išmuš jo valanda, kai žmogus numirs ir kūną pa-

mažu užvaldys kaulai. Savo ruožtu ir aš pradėjau galvoti apie griau-
čius – tą tvirtą ir gražų darinį manyje, kurio man taip ir nelemta
pamatyti. Tiesa, man neėmė atrodyti, kad vieną gražią dieną tas
darinys mane užvaldys – vertinau jį veikiau kaip savotišką ramstį
ar priemonę pasiekti žemiškąjį nemirtingumą. *Man patikdavo sė-
dinėti kambariuose nieko ypatingo neveikiant – ir žiū, tą pat galėsiu
daryti ir po mirties!* Be to, jei yra bent nedidelė tikimybė, kad esama
kokio nors anapusinio gyvenimo, įskaitant ir galimybę apsilankyti
gimtojoje planetoje, tuomet aš kartą kitą galėsiu užsukti į medi-
cinos fakultetą ir galų gale pamatysiu, kaip atrodo mano kaulai.
Man patiko mintis, kad tada, kai manęs pačios jau nebebus, mano
griaučiai gyvuos ir toliau kokioje nors saulėtoje ir triukšmingoje
anatomijos auditorijoje. Norėjau gyvuoti paslaptimi kokio nors
ateities medicinos studento galvoje: kažin, kas buvo ši moteris? Ką
ji veikė? Kaip atsidūrė čia?

Žinoma, lygiai tokią pat paslaptį galėčiau sukelti ir paaukodama
savo palaikus šiek tiek įprastesniam tikslui. Daugiau nei aštuonias-
dešimt procentų mokslui paaukotų kūnų galiausiai panaudojami
skrodimui anatomijos laboratorijose. Ir galime nėmaž neabejoti, kad
laboratorijos lavonas neišvengiamai prasismelkia į skrodėjų mintis
ir sapnus. Bet čia keblumas: griaučiai yra estetiškai patrauklūs ir
nenusakomo amžiaus, o aštuoniasdešimtmečio lavonas – suglebęs,
susiraukšlėjęs ir iš tikrųjų negyvas. Kai tik susimąstai apie grupę
jaunų žmonių, su siaubu ir pasibjaurėjimu apžiūrinėjančių tavo su-
glebusį kūną ir atrofijos paliestas rankas ir kojas, tokia perspektyva
toli gražu neatrodo labai viliojanti. Dabar man keturiasdešimt treji, ir
kūnas jau gerokai pradėjęs vysti. Taigi, atrodo, tapti griaučiais – kur
kas mažiau žeminantis variantas.

Aš net ryžausi užmegzti ryšį su Naujosios Meksikos universiteto
Maksvelo antropologijos muziejaus padaliniu, kuris priima kūnus
konkrečiai dėl kaulų. Tuo besirūpinančiai moteriai papasakojau apie

savo knygą ir pasakiau norinti atvykti pasižiūrėti, kaip daromi griaučiai. Bredberio apsakyme pagrindiniam personažui viskas baigiasi tuo, kad kažkoks ateivis, įsikūnijęs gražios merginos kūne, ištraukia jam pro burną kaulus. Nors iš jo telieka medūzą primenančios drebutienos krūvelė ant svetainės grindų, jo kūno niekas nesužaloja. Nepraliejama nė lašelio kraujo.

Maksvelo laboratorijoje, savaime suprantama, viskas vyksta ne taip. Man pasakė, kad galėčiau rinktis stebėti vieną iš dviejų etapų: arba „nupjaustymą", arba „nupylimą". Nupjaustymas ir buvo daugmaž tai, ką galėjai numanyti pagal termino prasmę. Kaulus išima vieninteliu būdu, koks tik yra įmanomas – jei neskaitysime įtraukiančių ir itin specializuotų ateivio burnos organų – nupjausto juos supančią mėsą ir raumenis. O mėsos likučiai ir sausgyslės nuo kaulų pašalinami kelias savaites virinant kaulus specialiame tirpale – nuovirą periodiškai reikia nupilti ir papildyti viralą švariu skiediniu. Taip ir įsivaizdavau jaunus Padujos medicinos studentus, maišančius puodus, kuriuose kunkuliavo jų mylimų profesorių galvos. Ir dar įsivaizdavau vienos Šekspyro teatro trupės aktorius – pernai teko apie juos skaityti – susidūrusius su makabriška problema įvykdyti velionio trupės nario paskutiniąją valią: panaudoti jo kaukolę Joriko vaidmeniui. Ko gero, kiekvienam derėtų gerai pagalvoti prieš pateikiant panašaus pobūdžio paskutinį prašymą.

Maždaug po mėnesio elektroniniu paštu mane pasiekė dar vienas laiškas iš universiteto. Laboratorijos darbuotojai pranešė pradėję taikyti kitą procesą – dabar jie naudojosi vabzdžiais: kaulų nuvalymu dabar rūpinosi musių lervos ir mėsėdžiai vabalai, atliekantys darbą taip pat patikimai, nors ir lėčiau, menkesniais mastais.

Aš taip ir nepasirašiau pageidavimo tapti mokomaisiais griaučiais. Visų pirma tai aš gyvenu ne Naujojoje Meksikoje, o pasirūpinti kūno transportavimu tenykštės laboratorijos darbuotojai neturi galimybių. Be to, išsiaiškinau, kad universitetas mokomųjų griaučių negamina, tik saugo atskirus kaulus. Tie kaulai, taip ir likę pabiri, patenka į universiteto osteologijos kolekciją.*

Paaiškėjo, kad šioje šalyje išvis niekas negamina griaučių medicinos mokykloms. Dauguma viso pasaulio medicinos fakultetuose esančių mokomųjų griaučių daugelį metų buvo importuojami iš Kalkutos. Bet dabar iš ten kaulų jau niekas nebeįveža. *Chicago Tribune* laikraščio 1986-ųjų birželio 15-osios numeryje buvo išspausdintas pasakojimas apie tai, kad Indija 1985-aisiais išvis uždraudė bet kokį kaulų eksportą, kai atsiskleidė faktų apie grobiamus ir dėl kaulų bei kaukolių žudomus vaikus. Pasak vieno tokių pranešimų – nuoširdžiai viliuosi, kad šie skaičiai gerokai išpūsti – per mėnesį Biharo valstijoje buvo nužudyta pusantro tūkstančio vaikų ir kaulai išsiųsti į Kalkutą apdorojimui ir eksportui. Kai įsigaliojo šis draudimas, žmogaus kaulų tiekimas beveik visai nutrūko. Tiesa, retkarčiais jų vis dar gaunama iš Azijos, sklinda gandai – iš atkastų kapų Kinijoje ar iš masinių žudynių vietų Kambodžoje. Tačiau tie kaulai seni, apsamanoję, dažniausiai labai prastos kokybės, todėl juos baigia išstumti kruopščiai, su menkiausiomis detalėmis atkurti plastikiniai skeletai. Taigi man teko atsisveikinti su savo ateitimi griaučių pavidalu.

Tokiais pat paikais ir narciziškais sumetimais aš kartą ėmiausi svarstyti, ar nevertėtų savo amžinybei pasirinkti Harvardo smegenų saugyklos. Parašiau apie tai savo skiltyje Salon.com. Tuo gerokai nuvyliau smegenų banko direktorių, kuris tikėjosi, kad parašysiu rimtą straipsnį apie itin rimtus ir vertingus įmonės mokslinius tyrinėjimus. Štai čia sutrumpintas anos skilties variantas:

---

* Jeigu gyvenate kur nors netoliese, būtinai paaukokite savo kūną. Maksvelo muziejuje esama vienintelės pasaulyje šiuolaikinių – pastarųjų penkiolikos metų – žmogaus kaulų kolekcijos; čia jie panaudojami viskam studijuoti – nuo teismo medicinos tyrinėjimų iki ligų apraiškų griaučiuose. P. S.: Jūsų artimieji galės ateiti jūsų kaulų aplankyti: darbuotojai mielai juos parodys, tik tikriausiai ne vientisų griaučių pavidalu.

Esma daugelio rimtų paskatų tapti smegenų donoru. Viena svariausių – šitaip prisidėtume prie funkcinių smegenų sutrikimų tyrinėjimų. Mokslininkai negali iš gyvulių smegenų ką nors sužinoti apie psichikos ligas, kadangi jos gyvūnų nekamuoja. Nors kai kuriems naminiams gyvūnams, tarkime, katėms ar šuniukams, tokio dydžio, kad be vargo tilptų į dviračio bagažinės krepšį, kartais lyg ir pasireiškia psichikos nukrypimų, kuriuos reikėtų laikyti įgimtais charakterio bruožais, vis dėlto tokie smegenų sutrikimai kaip Alcheimerio liga ar šizofrenija gyvūnams nediagnozuojami. Taigi mokslininkams tenka tyrinėti žmogaus smegenis: psichikos ligonių, o palyginimui – ir sveikų, normalios psichikos žmonių, tokių kaip jūs ar aš (tiek to, tebūnie jūs).

O štai mano pačios paskatos tapti donore anaiptol ne tokios rimtos. Visa pasirinkimo variantų puokštė susiveda į viena – Harvardo smegenų saugyklą, tai yra į donoro kortelę, kuri suteikia galimybę pasakyti „Keliauju į Harvardą" ir net nepameluoti. Tam, kad patektum į Harvardo smegenų saugyklą, kažin kiek proto nereikia. Pakanka tik turėti smegeninę.

Vieną gražią rudens dieną nutariau aplankyti savąją amžino poilsio vietą. Smegenų saugykla įsikūrusi Harvardo Maklino ligoninėje, esančioje kalvotame plote tarp išsibarsčiusių dailių mūrinių namukų prie pat Bostono. Mane nukreipė į Meilmeno (Mailman) tyrinėjimų pastato trečiąjį aukštą. Kelią man aiškinusi moteris ištarė kitaip – *Melmono* – tarsi siekdama išvengti būtinybės atsakinėti į kvailus klausimus, kokio pobūdžio moksliniai tyrinėjimai atliekami su paštininkais („mailman" amerikiečių anglų kalba reiškia paštininką – *vert. pastaba*).

Jeigu svarstote galimybę tapti smegenų donoru, būtų užvis geriausia, jei lankstu apeitumėte bet kokią smegenų saugyklą. Praslinkus vos dešimčiai minučių po atvykimo, aš jau stebėjau dvidešimt ketverių metų laborantą, pjaustinėjantį šešiasdešimt septynerių metų amžiaus smegenis. Smegenys buvo užšaldytos greituoju užšaldymu ir jų nepavyksta perpjauti švariai. Raikosi jos nelygiai, trupėdamos, byra smulkios nuoplaišėlės. Šukelės greitai tyžta; laborantas nušluosto jas popieriniu rankšluosčiu. „Trečiarūšės." Už šitokius pareiškimus jis jau buvo įklimpęs į bėdą. Skaičiau straipsnį laikraštyje: žurnalistas jo paklausęs, ar jis pats ketinąs paaukoti savo smegenis mokslui, ir jis atsakęs: „Nieku gyvu! Ketinu išsinešti iš šio pasaulio viską, ką atsinešiau!" Paklausus jo to paties dabar, jis tyliai atsako:

– Man dar tik dvidešimt ketveri, tad dar nė nežinau.

Smegenų saugyklos atstovas aprodo man visą įmonę. Iš skrodimo patalpos koridoriumi einame į kompiuterinę, kurią atstovas pavadina „visų operacijų smegenimis" – bet kuriame kitame kontekste tai skambėtų visiškai normaliai, bet šiuo atveju mažumą glumina. Koridoriaus gale pagaliau išvystu ir tikrąsias smegenis. Tačiau ne visai tokias, kokias tikėjausi išvysianti. Įsivaizdavau sveikas, vientisas smegenis, plūduriuojančias stikliniame inde. Tačiau smegenys čia kiekvienos perpjautos per pusę: vienos pusės suraikytos ir sušaldytos, kitos – suraikytos ir pamerktos į formaldehidą populiariose maisto skardinėse. Kažkaip iš Harvardo aš tikėjausi kur kas daugiau. Na, jei ir ne stiklo indų, tai bent geresnės firmos maisto indelių. „Kažin, – dingtelėjo mintis, – ar ne šitaip šiais laikais atrodo studentų kambariai?"

...Atstovas užtikrino mane, kad niekas nė už ką neįspėtų, jog aš nebeturiu smegenų. Užtikrino taip, kad išsyk juo patikėjau, bet ketinimai tapti smegenų donore nėmaž nesustiprėjo.

– Pirmiausia, – ėmėsi aiškinti jis, – prapjauna veido odą – štai taip, ir nusmaukia nuo veido aukštyn. – Jis mostelėjo ranka, tarsi nusiimdamas Helovyno kaukę. – Paskui specialiu pjūkliuku nupjauna viršugalvį, išima smegenis, tada viršugalvį deda į vietą ir pritvirtina varžtais. Lieka tik vėl užtempti veido odą ir sušukuoti plaukus. – Jis aiškino energingai, kaip koks reklamos agentas, besistengiantis įrodyti, kad išimti žmogaus smegenis – švarus ir vos kelias minutes tetrunkantis darbelis, kurį atlikus pakanka drėgna šluoste nubraukti dulkes...

Taigi ir šito sumanymo atsisakiau. Ne dėl paties smegenų išėmimo proceso – kaip jau tikriausiai turėjote progų įsitikinti, ypatingu lepumu nepasižymiu – o dėl apviltų lūkesčių. Harvarde aš norėjau įsikurti smegenų stikliniame inde pavidalu. Norėjau išvaizdžiai plūduriuoti stiklainyje, pastatytame ant lentynos. Tačiau praleisti amžinybę sandėliuko šaldytuve, suraikytai į gabalus, man kažkaip ne itin norisi.

Tėra tik vienintelis būdas organo pavidalu atsidurti ant lentynos – būti plastinuotam. Plastinavimas yra toks procesas, kai iš kokio nors organinio audinio – tarkime, rožės pumpuro arba žmogaus galvos – išgarinus vandenį, jo vieton suleidžiama skysto silikono polimero. Šitaip organizmas paverčiamas amžiams užkonservuota savo paties atmaina. Plastinavimo metodą sukūrė vokiečių anatomas Giunteris fon Hagensas (Gunther von Hagens). Kaip ir dauguma plastinatorių, fon Hagensas gamina mokomuosius modelius anatomijos programoms. Vis dėlto užvis geriausiai jis žinomas dėl savo prieštaringai vertinamos meno parodos, kurioje eksponuoja konservuotus kūnus; ši paroda, „Koerperwelten", arba „Kūnų pasauliai", per pastaruosius penkerius metus keliavo po Europą, susilaukė nemaža gūžčiojimo pečiais ir atnešė nemenką pelną (apsilankiusiųjų joje skaičius jau viršijo aštuonis milijonus). Kūnai nunerta oda eksponuojami gyvų, ką nors veikiančių žmonių pozomis: plaukiojantys, jodinėjantys (plastinuotu žirgu), žaidžiantys šachmatais. Vieno jų oda plazda jam už nugaros tarsi kokia pelerina. Įkvėpimo šaltiniu fon Hagensas laiko Renesanso anatomus, tokius kaip Andrėjas Vezalijus – tas pats Vezalijus, kurio veikale *De Humani Corporis Fabrica* kūnai iliustracijose pateikti ką nors veikiančių žmonių pozomis, o ne tysantys pasliki ar stovintys kaip mietai nuleistomis rankomis, kaip tipiškose medicinos vadovėlių iliustracijose. Griaučiai sveikina rankos mostu. „Raumeninis" žmogus nuo kalvos žvelgia į plytintį apačioje miestą. Kad ir kur būtų eksponuojama, „Koerperwelten" nuolat sukelia Bažnyčios hierarchų ir konservatyviai nusiteikusių piliečių įniršį – dėl to, kad neva begėdiškai nepaiso pagarbos. Šitokius kaltinimus fon Hagensas atremia tvirtinimais, kad parodoje rodomus kūnus jų savininkai esą paaukoję kaip tik šiam tikslui. (Parodoje prie išėjimo jis visada padeda krūvą tuščių kūno aukojimo paraiškų blankų. Pasak straipsnio, 2001-aisiais išspausdinto Londono *Observer*, donorų jau esama daugiau nei 3700.)

Dauguma fon Hagenso kūnų plastinuojama Kinijoje, įmonėje, vadinamoje Plastinavimo miestu. Kalbama, kad jis samdo du šimtus kinų darbui kontoroje, kurią pavadinčiau savotišku lavonų prakaito apdorojimo cechu. Tuo nereikėtų smarkiai stebėtis, mat jo technika reikalauja ypač daug rankų darbo ir antra tiek laiko (kai pasibaigė fon Hagenso patento galiojimo laikas, JAV atsirado naujesnis šios technikos variantas: Douvo Korningo (Dow Corning) patobulintas procesas dešimteriopai trumpesnis). Susisiekiau su fon Hagenso biuru Vokietijoje, norėdama išsiaiškinti, ar įmanoma apsilankyti Plastinavimo mieste ir apsidairyti, kokie nuotykiai ten laukia paaukoto kūno, tačiau fon Hagensas tuo metu buvo kelionėje ir nesuskubo laiku atsakyti į mano laiškus elektroniniu paštu.

Taigi, užuot keliavusi į Kiniją, nuvykau į Mičigano universiteto Medicinos fakultetą, kur anatomijos profesorius Rojus Glaveris (Roy Glover) ir plastinavimo chemikalų gamintojas Danas Korkoranas (Dan Corcoran), drauge su Douvu Korningu tobulinęs plastinavimo techniką, dabar plastinavo nesupjaustytus negyvėlių kūnus, ruošdamiesi įgyvendinti savą muziejaus ekspozicijos sumanymą: „Žmogaus paroda: viduje slypintys stebuklai" – ketindami atidaryti parodą San Franciske 2003-iųjų viduryje. Jų eksponatai skirti griežtai mokomiesiems tikslams: dvylika plastinuotų (Korkoranas mieliau vartoja terminą „konservavimas polimerais") kūnų, kurių kiekvienas demonstruoja vis kitą vidaus organų sistemą: nervų, virškinimo, reprodukcinę ir taip toliau. (Knygos išleidimo metu dar nė vienas JAV muziejus nebuvo pasiryžęs eksponuoti „Koerperwelten".)

Glaveris pasisiūlė pademonstruoti man plastinavimą. Susitikome jo biure. Glaverio veidas toks ištįsęs, kad nejučia priminė man klasikinį aktorių Leo Dž. Kerolį. (Visai neseniai pasižiūrėjau *Tarantulą*, kur Kerolis vaidina mokslininką, kuriantį milžiniškus, baugius, bet visiškai nepavojingus gyvūnus, tarkime „jūrų kiaulytes sulig policijos šunimi!") Galiu drąsiai tvirtinti, kad Glaveris – šaunus vyrukas, mat jo nuveiktinų darbų sąrašas baltoje lentoje bylojo: „Marija Lopes, smegenys dukteriai – mokslo mugė". Nutariau, kad kaip tik šitokios ateities aš ir linkėčiau savo palaikams. Keliauti po auditorijas ir mokslo muges, stulbinti vaikus, įkvėpti siekti mokslininko karjeros… Glaveris nusivedė mane skersai koridoriaus į saugyklą, kur ant lentynų prie sienos buvo išrikiuota gausybė plastinuotų žmogaus kūno dalių. Smegenys, suraikytos tarsi duonos kepaliukas, ir galva, perskelta perpus taip, kad puikiausiai matėsi sinusų labirintai ir giliai pasislėpusi paslaptinga liežuvio šaknis. Galėjai imti organus ranka, apžiūrinėti ir žavėtis – jie buvo sausi ir visiškai bekvapiai. Ir vis vien iškart galėjai pasakyti, kad kūno dalys – tikros, o ne nulietos iš plastiko. Daugeliui disciplinų (pavyzdžiui, stomatologijai, slaugymui, kalbos sutrikimams), kurių mokantis tenka studijuoti anatomiją, bet skrodimams laiko neskirta, šitokie modeliai yra tikra Dievo dovana.

Glaveris nusivedė mane koridoriumi į plastinavimo laboratoriją, kur tvyrojo žvarba ir grūdosi daugybė sunkių, keistos išvaizdos rezervuarų. Jis ėmėsi aiškinti man procesą:

– Pirmiausia kūną nuplauname.

Kūnas maudomas beveik taip pat kaip ir gyvas: vonioje.

– Štai čia ir yra kūnas, – be jokio reikalo priduria Glaveris, žvelgdamas į negyvėlį, aukštielninką gulintį vonioje.

Vyriškiui būta per šešiasdešimt. Jis želdino ūsus ir turėjo tatuiruotę – ir viena, ir kita po plastinavimo proceso išliks. Galva buvo panardinta po vandeniu, dėl to negyvėlio išvaizda kiek trikdė – jis šiek tiek priminė žmogžudystės auką. Be to, priekinė krūtinės dalis buvo atskirta nuo kūno ir gulėjo greta. Atskirtoji dalis šiek tiek priminė Romos gladiatoriaus krūtinės šarvinę plokštę – o gal man tiesiog buvo patogiau šitaip manyti. Glaveris pasakė, esą juodu su Korkoranu ketiną pritaisyti ją į vietą su sąvara vienoje pusėje – taip, kad krūtinę būtų galima atidaryti „tarsi šaldytuvo dureles" ir pasižiūrėti, kokie organai yra viduje. (Po kelių mėnesių man pasitaikė proga pamatyti parodos eksponatų nuotraukas. Teko nusivilti: matyt, sumanymui įrengti atidaromas „šaldytuvo dureles" kažkas pasipriešino.)

Kitas kūnas tysojo nerūdijančio plieno talpoje, pripiltoje acetono – vos tik daktaras Glaveris kilstelėdavo dangtį, iš talpos tuoj pat siūbtelėdavo ir visą laboratoriją užtvindydavo nagų lako valiklio tvaikas. Acetonas iš kūno audinių išstumia vandenį, šitaip paruošdamas kūną impregnavimui silikono polimeru. Pabandžiau įsivaizduoti šitą negyvėlį, užtupdytą ant specialaus stovo mokslo muziejuje.

– Ar ketinate jį kuo nors aprengti, ar jo organas taip ir kadaruos niekuo nepridengtas? – paklausiau pamiršusi bet kokį taktą.

– Kadaruos, – atsakė Glaveris.

Man smilktelėjo nuojauta, kad šį klausimą jis girdi toli gražu nebe pirmą kartą.

– Nes juk tai – absoliučiai įprasta žmogaus anatomijos dalis. Tad kodėl turėtume stengtis paslėpti tai, kas įprasta?

Iš acetono vonios lavonai keliauja į viso kūno plastinavimo kamerą – cilindro formos nerūdijančio plieno rezervuarą, pripildytą skysto polimero. Prie rezervuaro pritvirtintas siurblys sumažina vidinį slėgį, paverčia acetoną dujomis ir ištraukia iš kūno.

– Kai iš pavyzdžio pasišalina acetonas, į atsiradusią laisvą vietą įsiurbiamas polimeras, – paaiškino Glaveris.

Jis padavė man žibintuvėlį, kad galėčiau pasišviesdama pasižiūrėti pro akutę kameros viršuje, tiesiog priešais kurią lyg tyčia buvo kaip tik absoliučiai įprasta žmogaus anatomijos dalis.

Kūnas ten atrodė toks nurimęs. Kaip ir sulig policijos šunimi iš-augusi jūrų kiaulytė, taip ir mintis apie nuosavo kūno plastinavimą trikdo kur kas labiau nei tikrovė. Iš tikrųjų juk tik paprasčiausiai guli sau, mirksti ir plastinuojiesi. O paskui kas nors tave iškelia iš rezervuaro ir patupdo kitur kaip kokią guminę lėlę. Tada ateina metas paskutiniam etapui: į odą įtrinamas katalizatorius ir prasideda dviejų parų kietėjimo procesas – katalizatorius prasismelkia į audi-nius ir užkonservuoja tave šitokios, ką tik mirusiojo, būklės ištisai amžinybei. Paklausiau Dino Miulerio, pietryčių Mičigano laidojimo biuro direktoriaus, kurio bendrovė siūlo pomirtinio plastinavimo paslaugas už maždaug 50 000 dolerių, kiek, jo manymu, laiko gali išsilaikyti plastinuotas kūnas. Jis atsakė – maždaug dešimt tūkstan-čių metų, o tokį laiko tarpą ir sveiku, ir net nelabai sveiku protu puikiausiai įmanoma prilyginti amžinybei. Miuleris puoselėja viltį, kad plastinavimas išpopuliarės tarp valstybės galvų (tik pamanykite, kaip ši technika būtų pravertusi užkonservuojant Lenino palaikus, jei kas nors būtų apie ją nutuokęs) ir tarp turtingų ekscentrikų. Aš asmeniškai manau, kad šitaip ir iš tikrųjų gali atsitikti.

Aš mielai paaukočiau savo organus tam, kad iš jų būtų sukurtos mokymo priemonės, tačiau negaliu to padaryti – nebent persikel-čiau gyventi į Mičiganą ar kurią kitą valstiją, kur yra plastinavimo laboratorija. Žinoma, galėčiau paprašyti savo mylimų artimųjų, kad pergabentų mane mirusią į Mičiganą, bet tai jau būtų kvailystė. Be to, žmogau, paaukodamas savo palaikus mokslui, negali tiksliai nurodyti, kas su jais turi būti daroma. Gali tik nurodyti, ko nenorėtum, kad su jais darytų. Tie mirusieji, kurių kūno dalis jau ne vienerius metus plastinuoja Glaveris su Korkoranu, Mičigano universiteto dalijamuose donoro blankuose dar gyvi paženklino varnele langelį nurodydami, kad jų kūnas būtų „visam laikui užkonservuotas", bet konkrečiai nieko užsiprašyti negalėjo.

O štai dar vienas dalykas, apie kurį nejučia susimąsčiau. Atrodytų, lyg ir nėra jokios prasmės mėginti sureguliuoti tai, kas privalėtų ištikti tavo palaikus, kai tavęs jau nebebus ir nebegalėsi patirti to sureguliavimo džiaugsmų, pasimėgauti jo suteikta nauda. Žmonės, kurie labai konkrečiai nurodo, kaip reikėtų elgtis po mirties su jų kūnais, tikriausiai yra tie, kurie niekaip negali susitaikyti su neegzistavimu. Kai palieki priešmirtinį laišką, kuriame reikalauji, kad tavo artimieji ir draugai kartu su tavo palaikais keliautų prie Gango – ar kad pergabentų tavo kūną į plastinavimo laboratoriją Mičigane, ko gero, jautiesi radęs priemonę bent šiek tiek pratęsti savo įtaką – net ir tada, kai iš tikrųjų esi jau iškeliavęs. Galbūt jautiesi radęs priemonę tam tikra prasme dar šiek tiek užsibūti tarp gyvųjų. Numanau, kad tai – baimės, net siaubo iškeliauti simptomas. Vadinasi, atsisakai susitaikyti su tuo, kad nebevaldysi nieko, kas vyksta žemėje, nebegalėsi nė pasyviai dalyvauti jokiuose įvykiuose. Šnektelėjau apie tai su laidojimo biuro direktoriumi Kevinu Makeibu. Jo giliu įsitikinimu, tik gyvieji, o ne mirusieji turėtų spręsti, kaip pasielgti su velionio palaikais.

– Juk tai, kas nutiks jiems po mirties, jau visiškai nebe jų reikalas, – pareiškė jis man.

Aš pati tvirtinti taip griežtai nesiimčiau, bet vis dėlto suprantu jo mintį: gyvieji neturėtų per prievartą daryti taip, kaip daryti jiems nejauku ar kam prieštarauja jų etiniai įsitikinimai. Juk gedulas ir būtinybė gyventi toliau – savaime gana sunki užduotis. Tad kam ta dar didesnė našta? Jei kas nors iš tikrųjų nori paleisti balioną su velionio pelenais į orbitą – ką gi, puiku. Tačiau jei dėl bent kokios nors priežasties gyviesiems šitaip surengti yra keblu ar nemalonu, tai gal vargintis ir nederėtų. Makeibo nuostata tokia: artimųjų pageidavimai turėtų nusverti mirusiojo pageidavimus. Panašiai mano ir paaukotų kūnų programos koordinatoriai.

– Pasitaiko, kad vaikai paprieštarauja tėčio valiai [paaukoti kūną mokslui], – sako Ronas Veidas (Ronn Wade), Merilendo universiteto Medicinos fakulteto anatomijos aptarnavimo skyriaus vedėjas. – Tuomet visada jiems sakau: „Elkitės taip, kaip atrodo geriausia jums. Juk kaip tik jums ir reikės šitai išgyventi".

Panaši problema iškilo ir mano mamai su tėčiu. Mano tėtis anksti atsimetė nuo bet kokios religijos, tad paprašė mamos kremuoti jį paprasčiausioje pušinėje dėžėje ir neužsakinėti jokių gedulingų mišių. Mama nusprendė paisyti jo valios, nepaisydama savo katalikiškų įsitikinimų. Bet paskui dėl to pasigailėjo. Žmonės, net ir tokie, kurių ji beveik nepažinojo, į akis prikaišiojo dėl to, kad taip ir nebuvo užsakyta gedulingų mišių. (Tėtis miestelyje buvo visų mylimas žmogus.) Visi mamą gėdino ir įžeidinėjo. O dar viena nejauki detalė buvo urna: iš dalies todėl, kad Katalikų bažnyčia reikalauja palaikus, net ir kremuotus, laidoti, o iš dalies dėl to, kad mamai ir šiaip ne itin patiko laikyti urną su pelenais namie. Taigi tėvukas dar metus ar dvejus tūnojo užkištas spintelėje, bet paskui mama vieną gražią dieną, nė puse žodžio neprasitarusi apie tai mano broliui nei man, nunešė jį į Rendo laidojimo biurą, nuginė šalin bet kokį kaltės jausmą ir palaidojo urną kapinių sklypelyje greta to, kurį jau buvo numačiusi sau. Iš pat pradžių aš palaikiau tėčio pusę, pykau ant mamos, kad taip akivaizdžiai nepaiso aiškiai išsakytos jo valios. Bet ilgainiui suvokusi, kaip smarkiai ji kamavosi dėl tų paskutiniųjų jo norų, aš manau jau kitaip.

Jeigu nutarčiau paaukoti savo kūną mokslui, tai mano vyrui Edui tektų įsivaizduoti mane gulinčią ant laboratorinio stalo, o dar baisiau – įsivaizduoti visus tuos dalykus, kokius ten man gali daryti.

Dažnas našlys dėl to gal pernelyg ir neišgyventų. Tačiau Edas – labai jautrus kūnams, tiek gyviems, tiek mirusiems. Jis net atsisako nešioti kontaktinius lęšius – dėl to, kad juos įsidedant ir išsiimant tektų liesti akis. Nė negaliu vakarais dažnai įsijungti chirurgijos kanalo – nebent tik kai Edas būna išvažiavęs. Kai prieš porą metų užsiminiau jam svarstanti galimybę prisijungti prie kitų Harvardo smegenų saugyklos eksponatų, jis tik palingavo galvą, suprask: ką čia vėjus tauziji.

Taigi su manimi bus pasielgta taip, kaip nutars Edas. (Išimtis – organų donorystė. Jei man tektų tapti gyvu lavonu su mirusiomis smegenimis, kurio tam tikras dalis dar įmanoma panaudoti, tai kas nors jomis ir pasinaudos, ir teprasmenga skradžiai bet koks opumas šiuo klausimu.) Ir tik jei Edas iškeliautų pirma manęs, aš užpildyčiau paraišką dėl savo kūno paaukojimo mokslui.

Jei tikrai taip ir atsitiktų, tai prie informacinės bylos pridėsiu ir trumpą laiškelį su keliais savo biografijos faktais – skirtą studentams, kurie mane mėsinės (juk gali atsitikti ir taip, kad mėsinėsite jūs). Studentai galės apžiūrinėti mano nudrengtą kevalą ir sakyti kits kitam: „Ei, nagi užmesk akį! Man pasitaikė toji moteriškė, kuri parašė knygą apie lavonus!" O tuomet, jei tik sugalvosiu, kaip tai padarysiu, mano likučiai pamerks akį.

PADĖKOS

Dirbantieji su lavonais paprastai nemėgsta atsidurti dėmesio centre. Labai jau dažnai jų darbas suprantamas neteisingai, o visuomenės nepalankumas skaudžiai atsiliepia finansavimui. Taigi mielai paminėsiu keletą žmonių, kurie dėl visų įmanomų priežasčių lyg ir neturėjo atsiliepti į mano skambučius – o atsiliepė. Trečiojo rango kapitone Marlene DeMaio, pulkininke Johnai Barkeri, pulkininke leitenante Robertai Harrisai, ačiū jums už atvirumą. Deb Marth, Albertai Kingai, Johnai Cavanaughai, Veino valstybinės smūgių laboratorijos darbuotojai, ačiū jums visiems už tai, kad atvėrėte man duris, kurios atsiveria anaiptol nedažnai. Rickai Lowdenai, Dennisai Shanahanai, Arpadai Vassai, Robertai White'ai, ačiū, kad buvote tokie malonūs, dėkoju už begalinę kantrybę atsakinėjant į kvailus mano klausimus, kai atėmiau ištisas popietes brangaus jūsų laiko.

Už tai, kad padėjo neįmanoma paversti įmanoma, privalau padėkoti nuostabiajai Sandy Wan, Johnui Q. Owsley, Vonui Petersonui, Hughui Pattersonui ir savo bičiuliui Ronui Walli. O ypač šiltai tariu ačiū Susanne'ai Wiigh-Masak ir jos šeimai už tai, kad pakentė (ir priglaudė) mane ištisoms trims paroms. Už tai, kad nepagailėjo laiko ir pasidalijo gausiomis savo žiniomis, nuoširdžiai dėkoju Cindy Bir, Key Rey Chongui, Danui Corcoranui, Artui Dalley, Nicole

D'Ambrogio, Timui Evansui, Roy Gloveriui, Johnui T. Greenwoodui, Donui Huelke'ui, Paului Israeliui, Gordonui Kaye'i, Tyleriui Kressui, Duncanui MacPhersonui, Arisui Makrisui, Theo Martinezui, Kevinui McCabe'ui, Mackui McMonigle'ui, Bruce'ui Latimeriui, Mehmetui Ozui, Terry Spracheriui, Jackui Springeriui, Dennisui Tobinui, Ronnui Wade'ui, Mike'ui Walshui, Med-O Whitsonui, Meg Winslow ir Frederikui Zugibe.

Stipriai apkabinu Jeffą Greenwaldą už paramą ir už martinį, Laurą Fraser už neblėstantį entuziazmą ir Steph Gold, kuri praleido tris savo vasaros atostogų dienas su manimi Haikou, Kinijoje, nors bet kur kitur praleisti jas būtų buvę smagiau. Dėkoju Clarkui už tai, kad yra Clarkas, Lisai Margonelli už tai, kad prajuokindavo mane pačiomis juodžiausiomis akimirkomis, ir Edui – už tai, kad myli moterį, rašančią apie lavonus.

Atskirai turiu padėkoti Davidui Talbotui, narsiam ir išmintingam *Salon.com* įkūrėjui – už tai, kad pralaužė ledus, ir savo nuostabiajai, neįtikėtinai puikiai agentei Jay Mandel. Taip pat ir leidėjai, talentingai poetei ir romanistei Jill Bialosky – ačiū už kantrybę, įžvalgą ir puikų redaktorės darbą. Tokios sėkmės galėčiau palinkėti kiekvienam rašytojui.

Ir pagaliau negaliu nepaminėti savo dėkingumo tokiems kaip *UM 006, H,* ponui Tokiam Ir Tokiam, Benui, stambuoliui su treningais ir keturiasdešimties galvų savininkams. Jūs mirę, bet anaiptol neužmiršti.

TURINYS

Roach, Mary

Ro-01   Negyvėliai / Mary Roach. - Vilnius : Alma littera, 2005. - 304 p.

ISBN 9955-08-676-9

Vadinamosios „JAV juokingiausių mokslo knygų" autorės nagrinėjama unikali ir neįtikėtinai plati tema – numirėliai. Išnaršiusi bibliotekas ir apsilankiusi įvairiose šalyse, mokslo populiarintoja pateikia ypač įdomios ir vertingos medžiagos kuo įvairiausiais temos aspektais: apžvelgia plačiai neskelbiamą numirėlių naudą daugeliui mokslo ir gyvenimo sričių, apibūdina susijusią su mirusiaisiais papročių raidą ir perspektyvas.

UDK 611

Mary Roach
NEGYVĖLIAI

Redaktorius *Vilmantas Vilkončius*
Korektorės *Marijona Treigienė,*
Deimantė Kažukauskaitė-Kukulienė
Maketavo *Albertas Rinkevičius*

Tiražas 3000 egz.
Leidykla „Alma littera", Juozapavičiaus g. 6/2, 09310 Vilnius
Interneto svetainė: http://www.almalittera.lt
Spaudė AB spaustuvė „Spindulys", Gedimino g. 10, 44318 Kaunas
Interneto svetainė: http://www.spindulys.lt